상위권을 위한 교재

최고수준

수학

중학
수학 **2·1**

최고수준 수학은 상위권 학생들을 위한 심화학습 교재입니다.
중등수학의 최고수준 문제를 체계적으로 다루어 교과서 심화
문제를 해결할 수 있도록 하였습니다. 또한 창의적인 문제를
다양하게 실어 창의적이고 유연한 수학적 사고력을 키울 수
있도록 하였습니다. 본 교재를 통하여 다양한 문제 해결력을
기르고 수학의 최고수준에 이르기를 희망합니다.

상위권을 위한 교재

최고수준 수학

수학

중학
수학 **2·1**

구성과 특징

1 필수 개념 학습과 적중도 높은 문제 해결을 목표로 하는 상위권 학생들에게 효과적인 교재입니다.

2 최신 기출 문제를 철저히 분석하여 필수 문제, 자주 틀리는 문제, 까다로운 문제를 개념별, 유형별로 정리한 후 우수 문제를 선별하여 구성하였습니다.

3 서술형 문제, 창의력 문제, 융합형 문제들을 수록하여 서술형 문제에 대비하고 창의 사고력과 문제 해결력을 키울 수 있도록 하였습니다.

◆ **이 교재의 난이도** (학교 시험 기출 문제 기준)

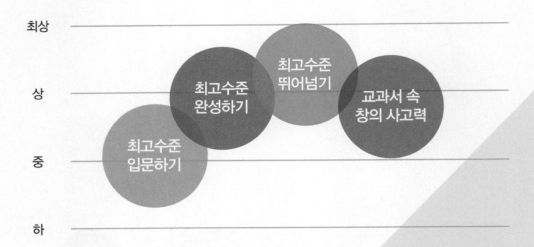

중단원별로 핵심 개념을 체계적으로 정리하여
깊이 있는 내용까지도 이해하는데 도움을 주
도록 하였습니다.

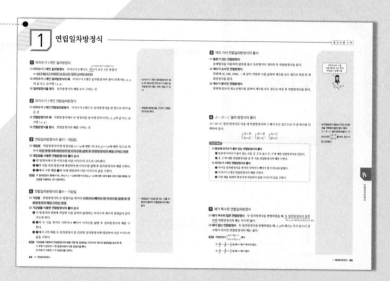

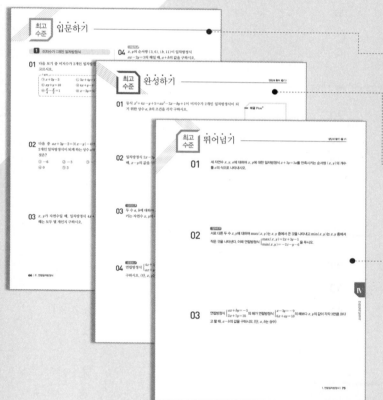

| 최고수준 입문하기 |

학교 시험 기출 문제 또는 예상 문제 중에서 적중도가 높은 중요한
문제, 자주 틀리는 문제, 까다로운 문제들을 분석하여 유형별로 담
았습니다.

| 최고수준 완성하기 |

내신 만점을 목표로 하는 상위권 학생들이 어려워하는 문제를 다
양하게 제시하여 응용력을 키울 수 있도록 하였습니다.

| 최고수준 뛰어넘기 |

수학적 사고력과 문제 해결력을 요구하는 최상위 문제를 담아 최
고난도 유형에 대한 적응력을 향상시켜 최상위 실력을 완성할 수
있도록 하였습니다.

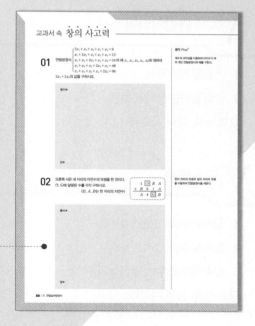

| 교과서 속 창의 사고력 |

교과서 속 창의력 중심의 새로운 유형의 문제
를 구성하여 수학적 창의 사고력을 키울 수 있
도록 하였습니다.

Contents
차례

I

유리수와 순환소수

1 유리수와 순환소수

최·고·수·준·수·학

1 유리수와 소수

(1) **유리수** 분수 $\dfrac{a}{b}$ (a, b는 정수, $b \neq 0$)의 꼴로 나타낼 수 있는 수

(2) **유한소수** 소수점 아래의 0이 아닌 숫자가 유한개인 소수

(3) **무한소수** 소수점 아래의 0이 아닌 숫자가 무한히 계속되는 소수

(4) **순환소수** 소수점 아래의 어떤 자리부터 일정한 숫자의 배열이 한없이 되풀이되는 무한소수

   ① 순환마디 : 순환소수에서 숫자의 배열이 한없이 되풀이되는 한 부분

   ② 순환소수의 표현 : 첫 번째 순환마디의 양 끝의 숫자 위에 점을 찍어 간단히 나타낸다.

   예 $0.222\cdots = 0.\dot{2}$, $1.2454545\cdots = 1.2\dot{4}\dot{5}$, $3.168168168\cdots = 3.\dot{1}6\dot{8}$

        └─ 순환마디   └─ 순환마디   └─ 순환마디

> • 분수는 분자를 분모로 나누어 정수 또는 소수로 나타낼 수 있다.

2 유한소수, 순환소수로 나타낼 수 있는 유리수

(1) **유한소수로 나타낼 수 있는 유리수**

정수가 아닌 유리수를 기약분수로 나타낼 때, 분모의 소인수가 2 또는 5뿐인 유리수는 유한소수로 나타낼 수 있다.

     └→ 분모를 10의 거듭제곱 꼴로 나타낼 수 있다.

(2) **순환소수로 나타낼 수 있는 유리수**

정수가 아닌 유리수를 기약분수로 나타낼 때, 분모가 2 또는 5 이외의 소인수를 가지는 유리수는 순환소수로 나타낼 수 있다.

> • 순환소수를 간단히 나타낼 때, 순환마디의 숫자가 1개인 경우에는 점을 하나만 찍고, 2개 이상인 경우에는 순환마디의 첫 번째 숫자와 마지막 숫자 위에 점을 하나씩 찍는다.

> • 유한소수로 나타낼 수 있는 유리수인지 판별하기 위해서 분모를 소인수분해하기 전에 반드시 분수를 기약분수로 나타내어야 한다.

3 순환소수를 분수로 나타내기

(1) **순환소수를 분수로 나타내는 방법**

   ❶ 순환소수를 x로 놓는다.

   ❷ 소수점 아래 첫째 자리부터 똑같이 순환마디가 시작되도록 등식의 양변에 10의 거듭제곱을 곱하여 두 개의 식을 만든다.

   ❸ ❷의 두 식을 변끼리 빼어 x의 값을 구한다.

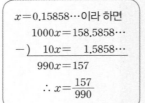

$$x = 0.15858\cdots \text{이라 하면}$$
$$1000x = 158.5858\cdots$$
$$-)\quad 10x = \quad\ 1.5858\cdots$$
$$990x = 157$$
$$\therefore x = \frac{157}{990}$$

(2) **공식을 이용하여 순환소수를 분수로 나타내는 방법**

   ① 분모 : 순환마디의 숫자의 개수만큼 9를 쓰고, 그 뒤에 소수점 아래에 순환하지 않는 숫자의 개수만큼 0을 쓴다.

   ② 분자 : (전체의 수) − (순환하지 않는 수)

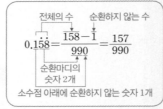

            전체의 수   순환하지 않는 수

$$0.1\dot{5}\dot{8} = \frac{158 - 1}{990} = \frac{157}{990}$$

    순환마디의 숫자 2개

소수점 아래에 순환하지 않는 숫자 1개

> 소수점 아래의 부분이 같은 두 수의 차는 정수야.

> • 순환소수를 분수로 나타내는 방법
> ① $0.\dot{a} = \dfrac{a}{9}$
> ② $0.\dot{a}\dot{b} = \dfrac{ab}{99}$
> ③ $0.a\dot{b}\dot{c} = \dfrac{abc - a}{990}$
> ④ $a.b\dot{c}d\dot{e} = \dfrac{abcde - ab}{9990}$

4 유리수와 순환소수의 관계

(1) 정수가 아닌 유리수는 유한소수 또는 순환소수로 나타낼 수 있다.

(2) 유한소수와 순환소수는 모두 유리수이다.

참고 소수 ┌ 유한소수 ─────────── ┐ 유리수이다.
              └ 무한소수 ┌ 순환소수 ─────┘
                     └ 순환소수가 아닌 무한소수 ─ 유리수가 아니다.

최고 수준 입문하기

1 유리수와 소수

필수 ✔

01 다음 중 순환소수의 표현이 옳은 것은?

① $0.444\cdots = 0.\dot{4}\dot{4}$

② $0.162162162\cdots = 0.1\dot{6}\dot{2}$

③ $3.283283283\cdots = \dot{3}.2\dot{8}$

④ $5.1562562562\cdots = 5.1\dot{5}6\dot{2}$

⑤ $30.303030\cdots = 30.3\dot{0}\dot{3}$

02 다음 중 분수를 소수로 나타낼 때, 순환마디가 나머지 넷과 다른 하나는?

① $\dfrac{7}{3}$ ② $\dfrac{7}{12}$ ③ $\dfrac{2}{15}$

④ $\dfrac{43}{30}$ ⑤ $\dfrac{56}{45}$

서술형 ✍

03 분수 $\dfrac{10}{27}$을 소수로 나타내었을 때, 순환마디의 숫자의 개수를 a개, 소수점 아래 50번째 자리의 숫자를 b라 하자. 이때 $a+b$의 값을 구하시오.

04 분수 $\dfrac{5}{13}$를 소수로 나타내었을 때, 소수점 아래 n번째 자리의 숫자를 x_n이라 하자. 이때 $x_2+x_9+x_{16}$의 값을 구하시오.

2 유한소수로 나타낼 수 있는 유리수

필수 ✔

05 다음 보기의 분수를 소수로 나타낼 때, 유한소수로 나타낼 수 있는 것은 모두 몇 개인지 구하시오.

보기

㉠ $\dfrac{7}{30}$ ㉡ $\dfrac{54}{72}$ ㉢ $\dfrac{9}{63}$

㉣ $\dfrac{18}{2^2\times3\times5}$ ㉤ $\dfrac{36}{2^4\times3^2}$ ㉥ $\dfrac{49}{3\times5\times7^2}$

06 분수 $\dfrac{4}{125}$를 $\dfrac{a}{10^n}$의 꼴로 나타낼 때, 두 자연수 a, n에 대하여 $a+n$의 최솟값을 구하시오.

07 두 분수 $\dfrac{2}{7}$와 $\dfrac{4}{5}$ 사이의 분수 중에서 분모가 35이고 유한소수로 나타낼 수 있는 분수를 모두 구하시오.

08 두 자연수 a, b에 대하여
$$a \diamond b = \begin{cases} -1\left(\dfrac{a}{b} \text{를 유한소수로 나타낼 수 있을 때}\right) \\ 1 \ \ \left(\dfrac{a}{b} \text{를 유한소수로 나타낼 수 없을 때}\right) \end{cases}$$
로 약속할 때, $(7 \diamond 56) + (15 \diamond 108) - (36 \diamond 200)$의 값을 구하시오.

3 유한소수가 되도록 하는 미지수의 값 구하기

필수 ✔

09 $\dfrac{21}{180} \times A$를 소수로 나타내면 유한소수가 될 때, A의 값이 될 수 있는 가장 작은 두 자리의 자연수를 구하시오.

10 분수 $\dfrac{42}{50 \times x}$를 소수로 나타내면 유한소수가 될 때, 다음 중 x의 값이 될 수 <u>없는</u> 것은?

① 6   ② 14   ③ 18
④ 21   ⑤ 28

서술형 ✎

11 두 분수 $\dfrac{7}{170}$과 $\dfrac{3}{220}$에 자연수 A를 각각 곱하여 소수로 나타내면 모두 유한소수가 된다고 한다. 이를 만족시키는 세 자리의 자연수 A의 개수를 구하시오.

12 분수 $\dfrac{a}{280}$를 소수로 나타내면 유한소수가 되고, 기약분수로 나타내면 $\dfrac{1}{b}$이 된다고 한다. 두 자연수 a, b에 대하여 $a+b$의 값을 구하시오.
(단, $20 < a < 30$)

4 순환소수로 나타낼 수 있는 유리수

13 분수 $\dfrac{30}{2^2 \times 5 \times x}$ 을 소수로 나타내면 순환소수가 될 때, 10 이하의 자연수 중 x의 값의 개수를 구하시오.

14 수직선 위에서 두 수 0, 1을 나타내는 두 점 사이의 거리를 15등분 하는 14개의 점에 대응하는 유리수 중 순환소수로 나타낼 수 있는 수는 모두 몇 개인지 구하시오.

5 순환소수를 분수로 나타내기

15 순환소수 $x = 5.12\dot{8}$ 을 분수로 나타낼 때, 다음 중 가장 편리한 식은?

① $10x - x$ ② $100x - x$

③ $100x - 10x$ ④ $1000x - 10x$

⑤ $1000x - 100x$

필수 ✔

16 다음 중 순환소수를 분수로 나타낸 것으로 옳은 것은?

① $0.0\dot{5} = \dfrac{5}{9}$ ② $1.\dot{1}\dot{2} = \dfrac{37}{33}$

③ $0.2\dot{7} = \dfrac{25}{99}$ ④ $1.8\dot{3}\dot{5} = \dfrac{367}{198}$

⑤ $1.\dot{0}4\dot{8} = \dfrac{47}{999}$

17 분수 $\dfrac{b}{a}$ 를 소수로 나타내면 $0.5\dot{4}$ 이다. 이때 $\dfrac{a}{b}$ 를 순환소수로 나타내시오. (단, a, b는 서로소)

18 다음 계산 결과를 기약분수로 나타내시오.

$$1 + \frac{4}{10} + \frac{4}{10^3} + \frac{4}{10^5} + \cdots$$

서술형 ✏️

19 어떤 기약분수를 소수로 나타내는데 나윤이는 분모를 잘못 보아서 $1.\dot{1}\dot{8}$로 나타내었고, 재석이는 분자를 잘못 보아서 $1.9\dot{1}\dot{6}$으로 나타내었다. 처음 기약분수를 순환소수로 나타내시오.

6 순환소수를 포함한 식의 계산

20 $5.\dot{2}\dot{7}-0.\dot{8}\dot{1}$을 계산하여 기약분수로 나타내면 $\dfrac{b}{a}$ 일 때, $b-a$의 값을 구하시오.

21 $0.5\dot{3}\times x=0.\dot{4}$일 때, x의 값을 순환소수로 나타내시오.

22 일차방정식 $0.\dot{6}x+0.1\dot{7}=0.4\dot{2}x+1.\dot{5}$의 해를 순환소수로 나타내시오.

23 순환소수 $1.1\dot{5}$에 자연수 x를 곱하면 유한소수가 될 때, x의 값이 될 수 있는 가장 작은 자연수를 구하시오.

7 유리수와 순환소수

필수 ✔️

24 다음 중 옳은 것을 모두 고르면? (정답 2개)
① 모든 무한소수는 유리수가 아니다.
② 유한소수와 순환소수는 모두 유리수이다.
③ 순환소수가 아닌 무한소수는 유리수이다.
④ 순환소수 중에는 분모와 분자가 정수인 분수로 나타낼 수 없는 것도 있다.
⑤ 분모를 10의 거듭제곱으로 나타낼 수 있는 분수는 유한소수로 나타낼 수 있다.

최고 수준 완성하기

01 순환소수 $0.\dot{a}bcde\dot{f}$의 소수점 아래 101번째 자리부터 106번째 자리까지의 숫자가 차례로 4, 3, 2, 1, 5, 6이라 할 때, $a+d$의 값을 구하시오.

(단, a, b, c, d, e, f는 한 자리의 자연수)

02 $\dfrac{13}{60} = \dfrac{x_1}{10} + \dfrac{x_2}{10^2} + \dfrac{x_3}{10^3} + \cdots + \dfrac{x_n}{10^n} + \cdots$으로 나타낼 수 있을 때, $x_1 + x_2 + x_3 + \cdots + x_{30}$의 값을 구하시오.

(단, x_1, x_2, x_3, $\cdots$, x_n, $\cdots$은 한 자리의 자연수)

해결 Plus⁺

a가 한 자리의 자연수일 때, $\dfrac{a}{10^n} = 0.\underbrace{00\cdots0a}_{n개}$임을 이용한다.

서술형 ✎

03 분수 $\dfrac{3}{7}$을 소수로 나타내었을 때, 소수점 아래 첫째 자리의 숫자부터 소수점 아래 50번째 자리의 숫자까지의 합을 구하시오.

순환마디의 숫자의 개수를 구한 후, 소수점 아래 50번째 자리의 숫자까지 순환마디가 몇 번 반복되는지 구한다.

04 분수 $\dfrac{1}{30}$, $\dfrac{2}{30}$, $\dfrac{3}{30}$, $\cdots$, $\dfrac{100}{30}$ 중에서 소수로 나타내면 유한소수가 되는 분수의 개수를 구하시오. (단, 정수는 제외한다.)

해결 Plus⁺

서술형 ✍

05 다음 조건을 모두 만족시키는 자연수 n은 모두 몇 개인지 구하시오.

조건

(가) n은 100 이하의 자연수이다.

(나) $\dfrac{n}{15}$은 정수가 아니다.

(다) $\dfrac{n}{15}$을 소수로 나타내면 유한소수가 된다.

(나), (다)의 조건을 이용하여 n이 어떤 수의 배수이고, 어떤 수의 배수가 아닌지 알아본다.

06 세 분수 $\dfrac{a}{70}$, $\dfrac{5a}{264}$, $\dfrac{9a}{110}$를 소수로 나타내면 모두 유한소수가 될 때, a의 값이 될 수 있는 두 번째로 작은 세 자리의 자연수를 구하시오.

07 두 수 a, b는 2 이상 20 이하의 자연수이고, 분수 $\dfrac{b}{a}$는 기약분수이다. $\dfrac{9}{210} \times \dfrac{b}{a}$를 소수로 나타내면 유한소수가 될 때, 이를 만족시키는 분수 $\dfrac{b}{a}$는 모두 몇 개인지 구하시오.

먼저 $\dfrac{9}{210}$를 기약분수로 나타낸 후 분모를 소인수분해한다.

08 분수 $\dfrac{b}{2 \times 3 \times 5 \times a}$를 소수로 나타내면 순환소수가 될 때, 순서쌍 (a, b)의 개수를 구하시오. (단, a, b는 한 자리의 자연수)

09 어떤 수 x에 $1.\dot{3}$을 곱해야 할 것을 잘못하여 1.3을 곱하였더니 바르게 계산한 결과보다 0.3만큼 작게 나왔다. 이때 바르게 계산한 답을 구하시오.

10 한 자리의 자연수 a, b에 대하여 두 순환소수 $0.\dot{a}\dot{b}$와 $0.\dot{b}\dot{a}$의 합이 $0.\dot{5}$일 때, ab의 최댓값을 구하시오.

해결 Plus⁺

$0.\dot{a}\dot{b}=\dfrac{ab}{99}$로 착각하지 않도록 주의한다.

창의력 ⚡

11 한 자리의 자연수 a, b, c에 대하여 $[a, b, c]=0.\dot{a}+0.0\dot{b}+0.00\dot{c}$로 약속하자. 이때 $[5, 4, 2]+[3, 2, 1]=0.3\dot{6}\times x$를 만족시키는 순환소수 x의 순환마디를 구하시오.

약속에 따라 $[5, 4, 2]$, $[3, 2, 1]$을 각각 소수로 나타낸다.

12 $x=0.\dot{4}$일 때, $1+\dfrac{1}{1+\dfrac{2}{x}}=a.\dot{b}\dot{c}$이다. 이때 $a+b+c$의 값을 구하시오.

(단, a, b, c는 한 자리의 자연수)

01 분수 $\dfrac{7}{13}$을 소수로 나타내었을 때, 소수점 아래 n번째 자리의 숫자를 $f(n)$이라 하자. 다음 보기 중 옳은 것을 모두 고르시오.

보기

㉠ $f(31)=3$

㉡ $f(n)=f(n+6)$

㉢ $f(n)=0$을 만족시키는 자연수 n은 없다.

창의력 ⚡

02 다음 조건을 모두 만족시키는 수 $0.a_1a_2a_3a_4\cdots a_na_{n+1}\cdots$의 순환마디를 구하시오.

조건

㈎ $0.a_1a_2a_3a_4\cdots a_na_{n+1}\cdots$은 소수점 아래 n번째 자리의 숫자가 a_n인 수이다.

㈏ $a_1=1$, $a_2=2$, $a_{n+2}=\{(a_n+a_{n+1})$을 4로 나눈 나머지$\}$

03 다음 조건을 모두 만족시키는 자연수 N의 값을 구하시오.

조건

㈎ N은 세 자리의 홀수이다.

㈏ $\dfrac{N}{630}$을 소수로 나타내면 유한소수가 된다.

㈐ $\dfrac{N}{630}\times 40=M$이라 하면 M은 어떤 자연수의 제곱이다.

04

분수 $\dfrac{A}{360}$ 를 소수로 나타내면 유한소수가 될 때, A의 값이 될 수 있는 가장 작은 자연수를 x라 하자. 또, 이 분수를 소수로 나타내면 소수점 아래 둘째 자리부터 순환마디가 시작되는 순환소수가 될 때, A의 값이 될 수 있는 가장 작은 자연수를 y라 하자. 이때 $\dfrac{y}{x}$의 값을 순환소수로 나타내시오.

05

서로 다른 한 자리의 자연수 a, b, c, d에 대하여 두 순환소수 $0.\dot{a}bc\dot{d}$와 $0.\dot{c}da\dot{b}$의 합이 자연수가 될 때, $a+b+c+d$의 값을 구하시오.

06

좌표평면 위의 한 점 A가 원점에서 출발하여 오른쪽으로 $a_1=5$만큼, 위로 $a_2=\dfrac{1}{10}a_1$만큼, 다시 오른쪽으로 $a_3=\dfrac{1}{10}a_2$만큼, 위로 $a_4=\dfrac{1}{10}a_3$만큼, 다시 오른쪽으로 $a_5=\dfrac{1}{10}a_4$만큼, 위로 $a_6=\dfrac{1}{10}a_5$만큼, … 과 같은 방법으로 끝없이 움직인다고 할 때, 점 A가 가까워지는 점의 좌표를 기약분수로 나타내시오.

교과서 속 창의 사고력

01 자연수 n에 대하여 $1^2+2^2+3^2+\cdots+n^2$의 일의 자리의 숫자를 a_n이라 할 때, $0.a_1a_2a_3\cdots a_n\cdots$의 소수점 아래 2008번째 자리의 숫자를 구하시오.

풀이▶

답▶

생각 Plus⁺

자연수 n에 대하여 $(10+n)^2$의 일의 자리의 숫자는 n^2의 일의 자리의 숫자와 같다.

02 각 면에 1, 2, 3, 4, 5, 6이 적힌 정육면체 모양의 주사위 1개를 던져서 바닥에 닿은 면에 적힌 숫자를 분자로 하고, 각 면에 1, 2, 3, 4가 적힌 정사면체 모양의 주사위 2개를 동시에 던져서 1개의 주사위의 바닥에 닿은 면에 적힌 숫자를 십의 자리의 숫자로, 나머지 1개의 주사위의 바닥에 닿은 면에 적힌 숫자를 일의 자리의 숫자로 하는 두 자리의 자연수를 만들어 분모로 한다. 만들어진 분수를 소수로 나타내었을 때, 유한소수가 되는 분수의 개수를 구하시오.

풀이▶

답▶

주어진 조건에 맞게 만들 수 있는 분수 중에서 기약분수로 나타내었을 때, 분모의 소인수가 2 또는 5뿐인 수를 찾는다.

03 분수 $\dfrac{1323}{9999}$ 을 소수로 나타내면 $0.a_1a_2a_3\cdots$이 된다고 하자. 좌표평면 위의 한 점 A가 다음과 같은 규칙으로 움직일 때, 점 A가 50회 이동한 후의 점 A의 좌표를 구하시오. (단, a_1, a_2, a_3, $\cdots$은 한 자리의 자연수)

> 점 A는 원점에서 출발하여 x축의 방향으로 a_1만큼 전진한 후 오른쪽으로 $90°$ 회전하여 a_2만큼 전진, 그 다음은 다시 오른쪽으로 $90°$ 회전하여 a_3만큼 전진, 그 다음은 다시 오른쪽으로 $90°$ 회전하여 a_4만큼 전진, $\cdots$하여 움직인다.

풀이▶

답▶

생각 Plus⁺

분수 $\dfrac{1323}{9999}$ 을 소수로 나타내면 순환소수가 되므로 순환마디를 찾아 규칙성을 알아본다.

04 자연수 n에 대하여 $14^n + 19^n$을 10으로 나눈 나머지를 A_n이라 할 때, 다음 식의 값을 기약분수로 나타내시오.

$$\frac{A_1}{10} + \frac{A_2}{10^2} + \frac{A_3}{10^3} + \frac{A_4}{10^4} + \cdots$$

풀이▶

답▶

어떤 수를 10으로 나눈 나머지는 그 수의 일의 자리의 숫자와 같으므로 A_1, A_2, A_3, $\cdots$의 값을 구하여 규칙성을 찾는다.

05 반지름의 길이가 9인 원이 있다. 이 원에서 반지름의 길이의 $\frac{9}{10}$만큼씩 반지름을 계속해서 줄여나갈 때 생기는 모든 원의 넓이의 합은 $S\pi$이다. 이때 S를 기약분수로 나타내시오. (단, 처음 원의 넓이도 포함한다.)

생각 Plus⁺

첫 번째 원에서 반지름의 길이의 $\frac{9}{10}$만큼씩 반지름을 계속해서 줄여나갈 때 생기는 원의 반지름의 길이를 구하여 원의 넓이의 규칙성을 찾는다.

풀이▶

답▶

06 0과 1 사이의 분수를 입력하면 이 분수를 소수로 나타내어 소수점 아래 첫째 자리의 숫자부터 다음과 같이 음계를 대응시켜 악보로 출력해 주는 기계가 있다.

소수와 악보 사이의 관계를 이해한다.

도	레	미	파	솔	라	시	도	레	미
0	1	2	3	4	5	6	7	8	9

이 기계에 두 분수 $\frac{6}{25}$, $\frac{4}{33}$를 각각 넣었을 때, 출력되는 악보는 오른쪽 그림과 같다. 다음 물음에 답하시오.

(1) 이 기계에 분수 $\frac{8}{11}$을 넣었을 때, 출력되는 악보를 오른쪽 그림 위에 그리시오.

(2) 이 기계에 어떤 기약분수를 넣었더니 오른쪽 그림과 같은 악보가 출력되었다. 이 기계에 넣은 기약분수를 구하시오.

풀이▶

답▶

II

식의 계산

1 단항식의 계산

1 지수법칙

(1) 거듭제곱의 곱셈 m, n이 자연수일 때

$a^m \times a^n = a^{m+n}$ ➡ 지수끼리 더한다.

(2) 거듭제곱의 거듭제곱 m, n이 자연수일 때

$(a^m)^n = a^{mn}$ ➡ 지수끼리 곱한다.

(3) 거듭제곱의 나눗셈 $a \neq 0$이고, m, n이 자연수일 때

① $m > n$이면 $a^m \div a^n = a^{m-n}$

② $m = n$이면 $a^m \div a^n = 1$

③ $m < n$이면 $a^m \div a^n = \dfrac{1}{a^{n-m}}$

$a^m \div a^n$을 계산할 때에는 먼저 m, n의 대소를 비교한다.

(4) 곱과 몫의 거듭제곱 m이 자연수일 때

① $(ab)^m = a^m b^m$

② $\left(\dfrac{a}{b}\right)^m = \dfrac{a^m}{b^m}$ (단, $b \neq 0$)

개념 Plus⁺

지수법칙의 응용

(1) $\underbrace{a^m + a^m + a^m + \cdots + a^m}_{a개} = a \times a^m = a^{m+1}$

(2) $a^n = A$이면 $a^{mn} = (a^n)^m = A^m$

(3) $a^n = A$이면 $a^{m+n} = a^m \times a^n = a^m \times A$

(4) $a^{n-1} = A$이면 $a^n \div a = \dfrac{a^n}{a} = A$ ∴ $a^n = a \times A$

a^n ← 지수, ← 밑

• **지수법칙에서 착각하기 쉬운 것**
① $a^m \times a^n \neq a^{mn}$
② $(a^m)^n \neq a^{m^n}$
③ $a^m \div a^n \neq a^{m \div n}$
④ $a^m \div a^m \neq 0$

• l, m, n이 자연수일 때
① $(a^m b^n)^l = a^{ml} b^{nl}$
② $\left(\dfrac{a^m}{b^n}\right)^l = \dfrac{a^{ml}}{b^{nl}}$ (단, $b \neq 0$)

• $(-a)^m = \begin{cases} a^m & (m\text{이 짝수}) \\ -a^m & (m\text{이 홀수}) \end{cases}$

2 단항식의 곱셈과 나눗셈

→ 하나의 항으로 이루어진 다항식

(1) 단항식의 곱셈

① 계수는 계수끼리, 문자는 문자끼리 곱하여 계산한다.

② 같은 문자끼리의 곱셈은 지수법칙을 이용한다.

(2) 단항식의 나눗셈

[방법 1] 역수를 이용하여 나눗셈을 곱셈으로 바꿔서 계산한다.

$$A \div B = A \times \dfrac{1}{B} = \dfrac{A}{B}$$

[방법 2] 분수의 꼴로 바꾼 후 계수는 계수끼리, 문자는 문자끼리 계산한다.

$$A \div B = \dfrac{A}{B}$$

(3) 단항식의 곱셈과 나눗셈의 혼합 계산 → 곱셈과 나눗셈이 혼합된 식은 앞에서부터 순서대로 계산한다.

① 괄호가 있으면 지수법칙을 이용하여 괄호를 푼다.

② 나눗셈은 곱셈으로 바꾼다.

③ 계수는 계수끼리, 문자는 문자끼리 계산한다.

• ① $A \div B \div C = A \times \dfrac{1}{B} \times \dfrac{1}{C}$
$= \dfrac{A}{BC}$
② $A \div (B \times C) = A \times \dfrac{1}{BC}$
$= \dfrac{A}{BC}$

1 지수법칙

01 $2 \times 2^5 \times 2^a = 256$일 때, 자연수 a의 값을 구하시오.

02 $(a^3)^{\square} \times a^2 \times a^4 = a^{21}$일 때, $\square$ 안에 알맞은 수를 구하시오.

03 $x - y = 2$를 만족시키는 두 자연수 x, y에 대하여 $a = 2^{5x}$, $b = 2^{5y}$일 때, $\dfrac{a}{b}$의 값을 구하시오.

서술형 ✍

04 $3^{3x-1} = 9^{x+4}$일 때, 자연수 x의 값을 구하시오.

05 $a^{20} \div a^4 \div a^{2x} = a^8$일 때, 자연수 x의 값을 구하시오.

필수 ✓

06 다음 중 계산 결과가 나머지 넷과 <u>다른</u> 하나는?

① $a^7 \div a^4 \div a$ ② $(a^3)^2 \div (a^2)^2$

③ $a \times a^5 \div a^4$ ④ $a^4 \div (a^5 \div a^2)$

⑤ $a^7 \div (a \times a^4)$

07 $3^6 \div 3^a = \dfrac{1}{9}$, $8 \times 2^b \div 64 = 16$일 때, $a+b$의 값을 구하시오. (단, a, b는 자연수)

10 $32^2 \times 16^3 \div 8^5 = 2^x$일 때, 자연수 x의 값을 구하시오.

08 $540^3 = 2^x \times 3^y \times 5^z$일 때, $x+y-z$의 값을 구하시오. (단, x, y, z는 자연수)

11 다음 중 □ 안에 들어갈 수가 가장 큰 것은?

① $(a^2 b^\square)^3 = a^6 b^{15}$

② $(a^3)^4 \div a^\square = a^8$

③ $\left(-\dfrac{b^2}{a^3}\right)^3 = -\dfrac{b^6}{a^\square}$

④ $a^5 \times a^4 \div (a^\square)^2 = a$

⑤ $a^\square \div (a^2)^2 \div a = a^3$

09 $\left(\dfrac{2x^2 y^a}{z}\right)^3 = \dfrac{bx^c y^{12}}{z^3}$일 때, a, b, c의 값을 각각 구하시오. (단, a, b, c는 자연수)

12 빛은 1초 동안에 30만 km, 즉 3.0×10^5 km를 나아간다고 한다. 태양과 지구 사이의 거리가 1.5×10^8 km일 때, 태양을 출발한 빛이 몇 초 후에 지구에 도달하는지 구하시오.

2 지수법칙의 응용

13 $3^{x+2}+3^{x+1}+3^x=351$일 때, 자연수 x의 값을 구하시오.

16 $A=2^{x+1}$일 때, 16^x을 A를 사용하여 나타내면?
(단, x는 자연수)

① $\dfrac{A^4}{32}$ ② $\dfrac{A^4}{16}$ ③ $\dfrac{A^3}{8}$

④ $8A^3$ ⑤ $16A^4$

서술형 ✎

14 $16^3+16^3+16^3+16^3=2^x$, $25^4\times125^3=5^y$, $\{(-81)^2\}^4=3^z$일 때, $x-y+z$의 값을 구하시오.
(단, $x,\ y,\ z$는 자연수)

필수 ✔

17 $2^{15}\times3\times5^{12}$은 n자리의 자연수이고, 각 자리의 숫자의 합이 k일 때, $n+k$의 값을 구하시오.

15 $2^3=A$, $3^2=B$라 할 때, 24^4을 A, B를 사용하여 나타내면?

① AB ② A^2B ③ A^2B^2

④ A^4B^2 ⑤ A^4B^4

18 $4^x\times25^{x+1}$이 10자리의 자연수일 때, 자연수 x의 값을 구하시오.

3 단항식의 곱셈과 나눗셈

19 $(2x^2y^a)^3 \times (-xy^4)^b \times 5x^3y^2 = cx^{11}y^{19}$일 때,
$a-b+c$의 값을 구하시오. (단, a, b, c는 자연수)

20 $(-3x^3y^4)^2 \div 2x^4y^3 \div \left(-\dfrac{1}{2}xy^2\right)^3$을 계산하시오.

> 필수✔

21 $Ax^3y^5 \div (-2xy^B)^4 \times 8x^Cy^3 = -5xy^4$일 때,
$A+B+C$의 값을 구하시오.
(단, A, B, C는 상수)

22 다음 □ 안에 알맞은 식을 구하시오.

$$(-3x^2y)^2 \div \boxed{} \times \left(-\dfrac{1}{9}x^2z\right)^2 = \left(\dfrac{1}{4}x^2yz^2\right)^3$$

> 서술형✎

23 어떤 식에 $\dfrac{2b^3}{a}$을 곱해야 할 것을 잘못하여 나누었더니 $(3ab^2)^2$이 되었다. 이때 바르게 계산한 답을 구하시오.

24 오른쪽 그림과 같이 밑면인 원의 반지름의 길이가 $2x^2y$인 원기둥의 부피가 $32\pi x^6y^4$일 때, 이 원기둥의 높이를 구하시오.

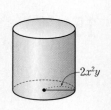

최고 수준 완성하기

01 $16^{5x-1} \div 4^{3x+6} = 64^2$일 때, 자연수 x의 값을 구하시오.

02 $(x^a y^b z^c)^d = x^{16} y^{12} z^{28}$을 만족시키는 가장 큰 자연수 d에 대하여 $a+b-c+d$의 값을 구하시오. (단, a, b, c, d는 자연수)

창의력 ⚡

03 자연수 x의 일의 자리의 숫자를 $\{x\}$로 나타낼 때, $\{7^{17} + 7^{83}\}$의 값을 구하시오.

04 $\dfrac{4^6 + 4^6 + 4^6}{3^6 + 3^6 + 3^6 + 3^6} \times \dfrac{5^6 + 5^6 + 5^6 + 5^6}{2^6 + 2^6 + 2^6} = \left(\dfrac{b}{a}\right)^6$일 때, $a+b$의 값을 구하시오.

(단, a, b는 서로소)

— 해결 **Plus⁺**

7^n의 일의 자리의 숫자의 규칙을 찾는다.

$\dfrac{\overbrace{a^m + a^m + a^m + \cdots + a^m}^{a\text{개}}}{}$
$= a \times a^m$
$= a^{m+1}$
임을 이용한다.

05 $\dfrac{2^{11} \times 15^5 \times 12^3}{6^7 \times 10^x}$이 가장 작은 자연수가 되도록 하는 자연수 x의 값과 그때의 자연수를 차례로 구하시오.

해결 Plus⁺

06 $a = 2^{x+1}$, $b = 5^{x-1}$일 때, $(1.6)^x$을 a, b를 사용하여 나타내시오.

2^x과 5^x을 각각 a, b를 사용하여 나타낸다.

서술형 ✐

07 $(6^3 + 6^3 + 6^3 + 6^3)^2 \times (5^8 + 5^8) \div (15^2 + 15^2 + 15^2)$은 m자리의 자연수이고, 이 수의 최고 자리의 숫자는 n이다. 이때 $m + n$의 값을 구하시오.

덧셈식을 곱셈식으로 바꾼 후 $a \times 10^n$의 꼴로 나타낸다.

08 세 단항식 A, B, C에 대하여 A를 B로 나누면 $(-2x^2)^3$이 되고 B를 C로 나누면 $(3x^3)^2$이 된다. 이때 $A \div C$를 계산하시오.

09 $\left(-\dfrac{x^3}{y}\right)^a \times \left(\dfrac{y^2}{x^b}\right)^2 \div \left(-\dfrac{x^2}{2y}\right)^2 = -\dfrac{4y^{c-1}}{x^3}$ 일 때, 자연수 a, b, c에 대하여

$a+b+c$의 값을 구하시오. (단, $1<a<5$)

━ **해결 Plus⁺**

좌변을 지수법칙을 이용하여 괄호를 풀고 간단히 한다.

II

식의 계산

10 $<x>=x^2$, $[x]=x^3$으로 나타낼 때, 다음 식을 계산하시오.

$$<10\times a\times[b]>\times[-2\times[a]\times b]\div[5ab]$$

11 오른쪽 그림과 같이 가로의 길이가 $3xy^2$, 넓이가 $24x^3y^5$인 직사각형 ABCD의 $\overline{CD}$를 한 변으로 하는 정사각형 DCEF를 그렸다. 이때 정사각형 DCEF의 넓이를 구하시오.

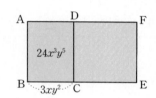

융합형 ✎

12 밑면인 원의 반지름의 길이가 $2a$인 원기둥 모양의 그릇과 반지름의 길이가 $\dfrac{3}{2}a$인 구 모양의 쇠공이 있다. 오른쪽 그림과 같이 원기둥 모양의 그릇 안에 쇠공이 잠길 수 있을 만큼 충분히 많은 양의 물을 넣은 후 그릇 안에 쇠공을 넣었다. 이때 높아진 물의 높이를 구하시오. (단, 쇠공을 넣었을 때, 물은 넘치지 않았고, 그릇의 두께는 생각하지 않는다.)

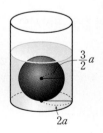

반지름의 길이가 r인 구의 부피는 $\dfrac{4}{3}\pi r^3$이다.

01 $1 \times 2 \times 3 \times \cdots \times 100 = 3^a \times b$에서 3^a과 자연수 b가 서로소일 때, 자연수 a의 값을 구하시오.

02 자연수 n에 대하여 $N = 2^n$일 때, $L[N] = n$이라 약속하자. x, y가 자연수일 때, 다음 보기 중 옳은 것을 모두 고르시오.

> ┌ 보기 ┐
>
> ㉠ $L[2^x \times 2^y] = L[2^x] \times L[2^y]$
> ㉡ $L[2^x \div 2^y] = L[2^x] - L[2^y]$ (단, $x > y$)
> ㉢ $L[(2^x)^y] = (L[2^x])^y$
> ㉣ $L[A] = 3$이면 $A = 8$

창의력⚡
03 다음 식의 값을 구하시오.

> $$2^{2019} - (1 + 2 + 2^2 + 2^3 + \cdots + 2^{2016} + 2^{2017} + 2^{2018})$$

04

STEP UP ✒

두 자연수 a, b에 대하여 $(ab)^{1013}$을 10으로 나눈 나머지가 3이고, a^{1013}을 10으로 나눈 나머지가 7일 때, b를 10으로 나눈 나머지를 구하시오.

05

$x : y : z = 2 : 3 : 4$일 때, $\left(\dfrac{1}{6}xyz^2\right)^2 \div \left(-\dfrac{1}{2}x\right)^2 yz^3 \div \dfrac{x^2}{3}$의 값을 구하시오.

06

오른쪽 ☐ 안에 공통으로 들어갈 식을 $Ax^B y^C$이라 할 때, 자연수 A, B, C에 대하여 $A+B+C$의 값을 구하시오.

$$\boxed{} \div 12x^3 y^5 = \dfrac{3xy^7}{\boxed{}}$$

2 다항식의 계산

1 다항식의 덧셈과 뺄셈

(1) 다항식의 덧셈과 뺄셈
① 다항식의 덧셈 : 괄호를 풀고 동류항끼리 모아서 간단히 한다.
　　└▶ 문자와 차수가 각각 같은 항
② 다항식의 뺄셈 : 빼는 식의 각 항의 부호를 바꾸어 괄호를 풀고 동류항끼리 모아서 간단히 한다.

(2) 이차식의 덧셈과 뺄셈
└▶ 다항식에서 차수가 가장 큰 항의 차수를 그 다항식의 차수라 한다.
① 이차식 : 다항식 중에서 차수가 2인 다항식
② 이차식의 덧셈과 뺄셈 : 괄호를 풀고 동류항끼리 모아서 간단히 한다.

참고 여러 가지 괄호가 있는 식의 계산은 (소괄호) ➡ {중괄호} ➡ [대괄호]의 순서로 괄호를 풀어서 간단히 한다.

> • 다항식의 덧셈과 뺄셈
> ① 다항식의 덧셈
> $A+(B+C)=A+B+C$
> $A+(B-C)=A+B-C$
> ② 다항식의 뺄셈
> $A-(B+C)=A-B-C$
> $A-(B-C)=A-B+C$
>
> • 이차항은 이차항끼리, 일차항은 일차항끼리, 상수항은 상수항끼리 간단히 한다.

2 단항식과 다항식의 곱셈

(1) (단항식)×(다항식)의 계산
분배법칙을 이용하여 단항식을 다항식의 각 항에 곱한다.

(2) 전개와 전개식
① 전개 : 단항식과 다항식의 곱셈을 하나의 다항식으로 나타내는 것을 전개한다고 한다.
② 전개식 : 전개하여 얻은 다항식

$$\overset{\text{전개}}{A(B+C)=\underset{\text{전개식}}{AB+AC}}$$

> • $-$가 분모에 있는 경우
> ① $\dfrac{A+B}{-C}=\dfrac{A}{-C}+\dfrac{B}{-C}$
> 　　$=-\dfrac{A}{C}-\dfrac{B}{C}$
> ② $\dfrac{A-B}{-C}=\dfrac{A}{-C}-\dfrac{B}{-C}$
> 　　$=-\dfrac{A}{C}+\dfrac{B}{C}$

3 다항식과 단항식의 나눗셈

(1) 역수를 이용하여 나눗셈을 곱셈으로 고친 후 분배법칙을 이용하여 계산한다.
$$(A+B)\div C=(A+B)\times\frac{1}{C}=\frac{A}{C}+\frac{B}{C}$$

(2) 분수의 꼴로 고친 후 다항식의 각 항을 단항식으로 나누어 계산한다.
$$(A+B)\div C=\frac{A+B}{C}=\frac{A}{C}+\frac{B}{C}$$

> • 사칙계산이 혼합된 식의 계산
>
> | 거듭제곱 |
> | :---: |
> | ⬇ |
> | 괄호 |
> | ⬇ |
> | ×, ÷ 계산 |
> | ⬇ |
> | +, − 계산 |

4 식의 대입

(1) 식의 대입
주어진 식의 문자에 그 문자를 나타내는 다른 식을 대입하여 주어진 식을 다른 문자의 식으로 나타낼 수 있다.

(2) 등식의 변형
여러 가지 문자로 이루어진 등식을 등식의 성질을 이용하여 (한 문자)=(다른 문자의 식)으로 나타낼 수 있다.

참고 x, y에 대한 등식이 주어질 때
① x의 식으로 나타내기 ➡ 등식을 $y=(x$의 식)으로 변형
② y의 식으로 나타내기 ➡ 등식을 $x=(y$의 식)으로 변형

>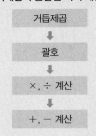
> 음수나 다항식을 대입할 때에는 괄호를 사용해.
>
>

입문하기

1 다항식의 덧셈과 뺄셈

01 $(7a-2b-6)-3(-2a+3b-5)$를 계산했을 때, b의 계수와 상수항의 합을 구하시오.

서술형

02 $\left(-\dfrac{2}{3}x+\dfrac{1}{2}y+\dfrac{1}{3}\right)-\left(\dfrac{1}{6}x+\dfrac{5}{4}y-\dfrac{3}{2}\right)$을 계산하면 $ax+by+c$일 때, $a-b+c$의 값을 구하시오. (단, a, b, c는 상수)

03 $(ax^2-4x-1)-(-2x^2+3x+4a)$를 계산하였더니 x^2의 계수와 상수항의 합이 10이었다. 이때 상수 a의 값을 구하시오.

04 다음을 만족시키는 세 상수 a, b, c에 대하여 $a+b+c$의 값을 구하시오.

$$-2(ax^2+3x-1)+(x^2+bx+5)=3x^2+c$$

05 $7x-[6x-y+\{-x+3y-(2x-y)\}]$를 계산하시오.

필수 ✔

06 $5x-3y+4$에서 다항식 A를 뺐더니 $-2x+3y-1$이 되었다. 이때 다항식 A를 구하시오.

07 다항식 A에 $-2x^2+6x$를 더했더니 $-x^2+x+4$가 되었고, 다항식 A에서 $3x^2+1$을 뺐더니 다항식 B가 되었다. 이때 $A+B$를 계산하시오.

서술형

08 어떤 식에서 $-3x^2+5x-7$을 빼어야 하는데 잘못하여 더했더니 x^2-2x-3이 되었다. 이때 바르게 계산한 식을 구하시오.

09 $2x-4\{3x+5x^2-(7x-x^2+A)\}=4x^2-2x$일 때, 다항식 A를 구하시오.

2 다항식과 단항식의 곱셈과 나눗셈

10 $2x(x+3y-5)$를 전개한 식에서 x^2의 계수를 a, $-4x(2x-6y+3)$을 전개한 식에서 xy의 계수를 b라 할 때, $a-b$의 값을 구하시오.

11 $\left(24x^3y^5+6x^2y-\dfrac{1}{2}x^3y^2\right)\div\dfrac{3}{2}xy$를 계산하시오.

12 어떤 다항식에 $-2a^2b$를 곱해야 할 것을 잘못하여 나누었더니 $-3ab^2+\dfrac{2b}{a}$가 되었다. 이때 어떤 다항식을 구하시오.

13 다음을 계산한 식에서 xy의 계수를 구하시오.

$$2x(-x+2y+3)$$
$$-(15x^3y-9x^2y^2+6x^2y)\div 3xy$$

14 다음 식을 계산하시오.

$$\{12x+(4x-8y)\}\times\frac{3}{4}y-(6x^2y-9xy^2)\div\frac{3}{2}x$$

15 오른쪽 그림과 같은 직육면체의 부피가 $18x^2y-12xy^2$일 때, 이 직육면체의 높이를 구하시오.

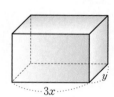

16 오른쪽 그림과 같이 가로의 길이가 $6a$, 세로의 길이가 $5b$인 직사각형에서 색칠한 부분의 넓이를 구하시오.

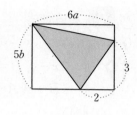

3 식의 값

17 $x=\dfrac{5}{6}$, $y=-\dfrac{1}{3}$일 때, $(16x^2y^2-20xy^3)\div 4x^2y^3$의 값을 구하시오.

18 $x=1$, $y=-3$일 때, 다음 식의 값을 구하시오.

$$\frac{xy^2-3x^2y}{xy}-\frac{xy^2-4x^2}{x}$$

4 식의 대입

필수 ✓

19 $A=2x-y$, $B=-x+3y$일 때,
$A-\{B-2(A-B)\}+B$를 x, y의 식으로 나타
내시오.

20 $2x+3y=x+y+2$일 때, $3x-2y+5$를 y의 식으
로 나타내시오.

21 오른쪽 그림과 같은 직사각형을 직
선 l을 회전축으로 하여 1회전 시킬
때 생기는 회전체의 겉넓이를 S라
할 때, h를 S, r의 식으로 나타내시
오.

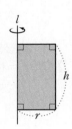

22 $(2x+3y):(x-y)=3:1$일 때, $\dfrac{3x+2y}{x-y}$의 값
을 구하시오.

서술형 ✏️

23 $\dfrac{1}{a}+\dfrac{1}{b}=5$일 때, $\dfrac{a+3ab+b}{2a-3ab+2b}$의 값을 구하시
오.

24 $a+b+c=0$일 때, 다음 식의 값을 구하시오.
(단, $abc\neq0$)

$$\frac{a}{b+c}+\frac{b}{c+a}+\frac{c}{a+b}$$

01 다음 ☐ 안에 알맞은 식을 구하시오.

$$6x^2 - \{x - (4x^2 + 2x - \boxed{})\} = 5x^2 - 3x + 2$$

서술형 ✎

02 오른쪽 그림에서 가로, 세로, 대
각선에 있는 세 다항식의 합이
모두 $15x^2 - 3y^2$일 때, $2A - B$
를 계산하시오.

A		
B	$5x^2 - y^2$	$7x^2 - 6xy - 3y^2$
$8x^2 - 4xy - y^2$		

해결 Plus⁺

두 번째 가로줄을 이용하여 다항식
B를 먼저 구한다.

창의력 ⚡

03 두 순서쌍 (x_1, y_1), (x_2, y_2)에 대하여
$(x_1, y_1) ※ (x_2, y_2) = x_1 x_2 + x_1 y_2 + x_2 y_1 + y_1 y_2$로 약속할 때,
$(3x, -y) ※ (y, 2x)$를 계산하시오.

04 어떤 식 A를 $2x^2 y$로 나눈 몫은 $3xy^3 - 4y$이고 나머지는 $8x$이다. 이때 $\dfrac{A}{4xy}$를
계산하시오.

창의력 ⚡

05 a, b, c, d에 대하여 $\begin{vmatrix} a & b \\ c & d \end{vmatrix} = ad - bc$라 약속할 때,

$$\begin{vmatrix} 15x^2y - 40xy & -\dfrac{1}{2y} \\ 4xy + 16xy^2 & -\dfrac{1}{5x} \end{vmatrix}$$ 을 계산하시오.

── 해결 Plus⁺

06 $A = (12xy^3 - 9xy^2 - 18x^3y) \div (-6xy)$,

$B = \left(\dfrac{1}{6}x^3y - \dfrac{4}{3}xy\right) \div \dfrac{1}{18}xy - \dfrac{1}{2}y(4y - 3)$일 때, $A - B$를 계산하시오.

융합형 ✐

07 $(0.\dot{3}ab^2c - 0.1\dot{5}a^2bc) \div 0.\dot{4}ab - abc\left(\dfrac{5}{2a} - \dfrac{1}{b}\right)$을 계산하시오.

순환소수를 분수로 나타낸다.

08 오른쪽 그림과 같이 가로, 세로의 길이가 각각 $6a+1$, $5a$인 직사각형 모양의 땅 위에 가로, 세로의 길이가 각각 $4a$, $2a+3$인 직사각형 모양의 건물을 짓고 폭이 a인 통로를 만들었다. 남은 부분을 정원으로 꾸몄을 때, 정원의 넓이를 구하시오.

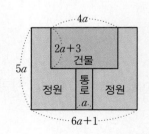

09 $a=1$, $b=-17$, $c=-7$일 때, 다음 식의 값을 구하시오.

$$4\left(\frac{1}{3}a^2bc-\frac{1}{6}ab^2+\frac{1}{12}bc\right)\div\frac{1}{3}ab$$

━ 해결 Plus⁺

음수를 대입할 때에는 반드시 괄호
를 사용한다.

10 $x=2a+b-c$, $y=-a-b+c$일 때, $5x+2\{4y-2(x+3y)\}$를 a, b, c의 식
으로 나타내시오.

주어진 식을 먼저 간단히 한 후 x,
y를 각각 대입한다.

11 $\dfrac{x+y}{x-y}=\dfrac{3}{2}$일 때, $\dfrac{x}{x+y}+\dfrac{y}{x-y}$의 값을 구하시오.

서술형 ✍

12 $2a+\dfrac{1}{b}=1$, $b+\dfrac{1}{c}=1$일 때, $\dfrac{1}{a}+2c$의 값을 구하시오.

a와 c를 b의 식으로 각각 나타낸
후 대입한다.

II
식의 계산

01

n이 자연수일 때, 다음을 계산하시오.

$$(-1)^{2n-1}(3x-y)+(-1)^{2n}(x+4y)-(-1)^{2n+1}(2x+y)$$

02

창의력 ⚡

밑면은 한 변의 길이가 x인 정사각형이고, 높이가 y인 직육면체 모양의 블록 12개를 이용하여 오른쪽 그림과 같은 입체도형을 만들었다. 이 입체도형의 겉넓이가 Ax^2+Bxy일 때, 상수 A, B에 대하여 $A+B$의 값을 구하시오.
(단, 바닥의 겉넓이는 포함하지 않는다.)

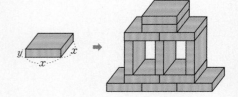

03

융합형 ✐

어느 중학교 2학년 학생들의 수학 성적을 조사하였더니 남학생의 평균은 전체 평균보다 2점이 낮고, 여학생의 평균은 남학생의 평균보다 5점이 높았다. 이 중학교 2학년의 남학생 수와 여학생 수의 비를 가장 간단한 자연수의 비로 나타내시오.

04 $8^{x+3}=\dfrac{16^5}{2^y}=2^{12}$일 때, $\dfrac{15x^2y-9xy^2}{3xy}-\dfrac{16x^2-8x}{4x}$의 값을 구하시오.

STEP UP

05 $a-b+c=0$, $a-2b-4c=0$일 때, 다음 식의 값을 구하시오. (단, $abc\neq0$)

$$\dfrac{4a}{b+c}+\dfrac{4b}{c+a}+\dfrac{11c}{a+b}$$

06 $x^2-6x+6=0$일 때, $\dfrac{x^2}{x-\dfrac{6}{x+\dfrac{6}{x}}}$의 값을 구하시오.

교과서 속 창의 사고력

01 컴퓨터의 저장 용량 단위는 아래 표와 같다고 한다. 다음 물음에 답하시오.

단위	1바이트	1킬로바이트	1메가바이트
단위 환산	2^3비트	2^{10}바이트	2^{10}킬로바이트

(1) 1메가바이트는 몇 바이트인지 구하시오.

(2) 지민이는 인터넷에서 용량이 72메가바이트인 자료를 내려받으려고 한다. 1초당 내려받는 자료의 양이 9×2^{21}바이트일 때, 모두 내려받는 데 걸리는 시간은 몇 초인지 구하시오.

풀이▶

답▶

생각 Plus⁺

단위를 변환할 때 지수법칙을 이용한다.

02 다음 수의 대소 관계를 부등호를 사용하여 나타내시오.

$$2^{66}, \quad 3^{55}, \quad 4^{44}, \quad 5^{33}, \quad 6^{22}$$

풀이▶

답▶

밑이 1보다 클 때, 지수가 같은 경우 밑이 큰 수가 더 크다.

03 세 자연수 x, a, n에 대하여 x는 a^n으로 나누어떨어지고 a^{n+1}으로 나누어떨어지지 않을 때, $(a, x)=n$이라 약속하자. 예를 들어 280은 2^3으로 나누어떨어지고 2^4으로 나누어떨어지지 않으므로 $(2, 280)=3$이다. 이때 k가 2000보다 크고 5000보다 작은 자연수일 때, $(2, k)=2$, $(3, k)=5$를 동시에 만족시키는 k의 값을 구하시오.

생각 Plus⁺

$(2, k)=2$이므로 k는 2^2으로 나누어떨어지고, 2^3으로 나누어떨어지지 않는다. 또, $(3, k)=5$이므로 k는 3^5으로 나누어떨어지고, 3^6으로 나누어떨어지지 않는다.

풀이▶

답▶

04 가로의 길이, 세로의 길이, 높이가 각각 ab cm, bc cm, ca cm인 직육면체 모양의 쇠막대가 있다. 이 쇠막대를 녹여 가로의 길이, 세로의 길이, 높이가 각각 $\left(\dfrac{2a}{5}\right)^2 b$ m, $\dfrac{c}{10}$ m, $\dfrac{bc}{20}$ m인 직육면체 모양을 만들려고 한다. 이때 필요한 쇠막대는 몇 개인지 구하시오.

(직육면체의 부피)
=(가로의 길이)×(세로의 길이)
　×(높이)
임을 이용한다.

풀이▶

답▶

05 다음 그림과 같이 정육면체 6개를 바닥에 놓고 그 위에 3개, 맨 위에는 1개를 쌓는다. 첫 번째 단의 6개의 정육면체에 1부터 6까지의 자연수를 중복없이 하나씩 대응시키고 그 위로는 바로 밑에 겹쳐 놓은 3개의 정육면체에 대응하는 수의 합을 대응시킨다. 이와 같이 수를 대응시킬 때, 세 번째 단의 정육면체에 대응하는 수의 최댓값을 구하시오.

생각 Plus⁺

첫 번째 단의 6개의 정육면체에 대응하는 수를 각각 a, b, c, d, e, f라 하고, 세 번째 단의 정육면체에 대응하는 수를 a, b, c, d, e, f를 사용하여 나타내어 본다.

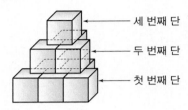

세 번째 단
두 번째 단
첫 번째 단

풀이▶

답▶

06 하준이는 화요일에 a원을 달러로 바꾸어 가지고 있었다. 그 돈을 목요일에 다시 우리나라 돈으로 바꾸었더니 10000원이 줄어들었다. 화요일에는 1달러가 x원, 목요일에는 1달러가 y원이었다고 할 때, y를 a, x의 식으로 나타내시오.
(단, 수수료는 생각하지 않는다.)

1달러가 x원이면 1원은 $\dfrac{1}{x}$달러임을 이용하여 a원을 달러로 바꾸면 몇 달러인지 구한다.

풀이▶

답▶

일차부등식

1 일차부등식

1 부등식

(1) **부등식** 부등호 $<$, $>$, $\leq$, $\geq$를 사용하여 수 또는 식의 대소 관계를 나타낸 식

   ① 부등식의 해 : 부등식을 참이 되게 하는 미지수의 값

   ② 부등식을 푼다 : 부등식의 해를 모두 구하는 것

(2) **부등식의 성질**

   ① 부등식의 양변에 같은 수를 더하거나 양변에서 같은 수를 빼어도 부등호의 방향은 바뀌지 않는다. ➡ $a<b$이면 $a+c<b+c$, $a-c<b-c$

   ② 부등식의 양변에 같은 양수를 곱하거나 양변을 같은 양수로 나누어도 부등호의 방향은 바뀌지 않는다. ➡ $a<b$, $c>0$이면 $ac<bc$, $\dfrac{a}{c}<\dfrac{b}{c}$

   ③ 부등식의 양변에 같은 음수를 곱하거나 양변을 같은 음수로 나누면 부등호의 방향이 바뀐다. ➡ $a<b$, $c<0$이면 $ac>bc$, $\dfrac{a}{c}>\dfrac{b}{c}$

> 부등호 '$<$'를 '$\leq$'로, '$>$'를 '$\geq$'로 바꾸어도 부등식의 성질은 성립해.

• 0으로 나누는 경우는 생각하지 않는다.

• ① $a>b>0$일 때, $\dfrac{1}{a}<\dfrac{1}{b}$

  ② $a>1$일 때, $0<\dfrac{1}{a}<1$

2 일차부등식

┌➡ 등식 또는 부등식의 어느 한 쪽에 있는 항의 부호를 바꾸어 다른 쪽으로 옮기는 것

(1) **일차부등식** 부등식의 모든 항을 좌변으로 이항하여 정리한 식이

   (일차식)<0, (일차식)>0, (일차식)≤ 0, (일차식)≥ 0

  중 어느 하나의 꼴로 나타나는 부등식

(2) **일차부등식의 풀이**

   ① 미지수 x를 포함한 항은 좌변으로, 상수항은 우변으로 이항한다.

   ② 양변을 정리하여 $ax<b$, $ax>b$, $ax\leq b$, $ax\geq b$ ($a\neq 0$)의 꼴로 만든다.

   ③ 부등식의 양변을 x의 계수 a로 나눈다. 이때 a가 음수이면 부등호의 방향은 바뀐다.

(3) **부등식의 해를 수직선 위에 나타내기**

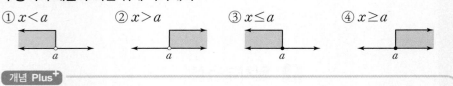

• 수직선에서 '○'에 대응하는 수는 부등식의 해에 포함되지 않고, '●'에 대응하는 수는 부등식의 해에 포함된다.

개념 Plus⁺

식의 값의 범위 구하기

(1) $a\leq x\leq b$일 때

   ① $p>0$이면 $pa\leq px\leq pb$ ② $p<0$이면 $pb\leq px\leq pa$

(2) $a\leq x\leq b$, $c\leq y\leq d$일 때

   ① $a+c\leq x+y\leq b+d$ ② $a-d\leq x-y\leq b-c$

3 여러 가지 일차부등식의 풀이

(1) **괄호가 있는 일차부등식** 분배법칙을 이용하여 괄호를 풀어 간단히 한 후 푼다.

(2) **계수가 소수인 일차부등식** 부등식의 양변에 10, 100, 1000, …과 같은 10의 거듭제곱을 곱하여 계수를 정수로 바꾼 후 푼다.

(3) **계수가 분수인 일차부등식** 부등식의 양변에 분모의 최소공배수를 곱하여 계수를 정수로 바꾼 후 푼다.

 주의 양변에 적당한 수를 곱할 때에는 계수가 정수인 항에도 반드시 곱해야 한다.

• x에 대한 부등식 $ax>b$에서

  ① $a>0$일 때, $x>\dfrac{b}{a}$

  ② $a<0$일 때, $x<\dfrac{b}{a}$

  ③ $a=0$일 때

    $\begin{cases} b\geq 0 \text{이면 해가 없다.} \\ b<0 \text{이면 해가 무수히 많다.} \end{cases}$

1 부등식의 뜻과 그 해

01 다음 보기 중 부등식인 것은 모두 몇 개인지 구하시오.

보기

㉠ $3x$
㉡ $x+7=6$
㉢ $-8<7$
㉣ $6x-5\leq x$
㉤ $2x-5-x>x$
㉥ $\frac{1}{2}x+5-2$

02 다음 부등식 중 방정식 $3x-2=1$을 만족시키는 x의 값을 해로 갖는 것은?

① $5-2x>4$
② $3x-6>1$
③ $12+5x\leq7$
④ $0.4x+2\geq-3$
⑤ $\frac{7x-6}{4}>x$

2 부등식의 성질

필수 ✔

03 $-3a-4<-3b-4$일 때, 다음 중 옳은 것은?

① $-2a>-2b$
② $6a<6b$
③ $5a-2>5b-2$
④ $\frac{a}{4}<\frac{b}{4}$
⑤ $3-\frac{1}{2}a>3-\frac{1}{2}b$

04 다음 중 옳지 <u>않은</u> 것은?

① $a\geq b$이면 $5a+4\geq5b+4$이다.
② $a\leq b$이면 $-\frac{a}{3}+1\geq-\frac{b}{3}+1$이다.
③ $-1+a<-1+b$이면 $a<b$이다.
④ $2a<b$이면 $-2(2a-3)<-2(b-3)$이다.
⑤ $\frac{2a-1}{5}>\frac{-3b-1}{5}$이면 $-2a<3b$이다.

05 $a>b$, $c<0$, $d<0$일 때, $\frac{ad}{c^2}$와 $\frac{bd}{c^2}$의 대소 관계를 부등호를 사용하여 나타내시오.

06 $1<x\leq5$이고 $A=3x-4$일 때, A의 값의 범위를 구하시오.

07 $-3 \leq -2a+5 < 1$일 때, a의 값의 범위는 $m < a \leq n$이다. 이때 $m+n$의 값을 구하시오.

서술형 ✎

10 부등식 $x-5 \leq -4x+15$를 만족시키는 모든 자연수 x의 값의 합을 구하시오.

필수 ✔

08 $-5 \leq 3(x-1)+1 \leq 10$일 때, $-2x+1$의 최댓값을 M, 최솟값을 m이라 하자. 이때 $M-m$의 값을 구하시오.

11 방정식 $-2(x+3)+1=5$의 해가 $x=a$일 때, 부등식 $x+2 > 4x+2a$의 해를 구하시오.

3 일차부등식과 그 풀이

09 다음 중 일차부등식인 것을 모두 고르면?
(정답 2개)

① $\dfrac{1}{x}+3 \geq 2$
② $3x-3 \geq 5x-7$
③ $-2x-1 > -2x+10$
④ $3x^2+x-5 < x(3x+2)$
⑤ $x^2+1 \leq 2x+3$

12 부등식 $5x-11 \leq 3(x-2)+5$를 만족시키는 자연수 x의 개수를 구하시오.

13 부등식 $\dfrac{x}{3} - \dfrac{2x-1}{5} < 1$을 푸시오.

16 $a > 2$일 때, x에 대한 일차부등식 $ax + 3a > 2x + 6$을 푸시오.

서술형 ✎

14 부등식 $0.2(3x+4) \geq 1.15 + 0.53x$를 만족시키는 x의 값 중 가장 작은 정수를 구하시오.

4 부등식의 해 또는 해의 조건이 주어진 경우

필수 ✔

17 부등식 $ax < 3x - 12$의 해가 $x > 3$일 때, 상수 a의 값을 구하시오.

15 다음 부등식 중 해가 나머지 넷과 <u>다른</u> 하나는?

① $3(-x-1) < x+9$

② $-0.2x < 0.1(x+9)$

③ $\dfrac{1-x}{4} < 1$

④ $\dfrac{1}{3}x + 1 < \dfrac{1}{2}x + \dfrac{3}{2}$

⑤ $0.2x + 1 < \dfrac{1}{5}(2x+1)$

18 두 부등식 $\dfrac{3}{4}x - 4 > -1$, $7 - 3x < 2x + a$의 해가 서로 같을 때, 상수 a의 값을 구하시오.

19 부등식 $ax+3 \geq 4(x-0.5a)$의 해를 수직선 위에 나타내면 다음 그림과 같을 때, 상수 a의 값을 구하시오.

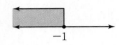

필수 ✓

20 부등식 $4x-(x+2) \geq 5x+a$의 해 중 가장 큰 수가 1일 때, 상수 a의 값을 구하시오.

21 부등식 $\dfrac{2x-1}{4} - \dfrac{x-2}{3} \leq \dfrac{a}{4}$를 만족시키는 x의 값 중 최댓값은 2이고, 부등식 $-3x+2(x-1) \leq b-1$을 만족시키는 x의 값 중 최솟값은 -3일 때, $a+2b$의 값을 구하시오.
(단, a, b는 상수)

22 부등식 $3x < x+6a$를 만족시키는 자연수 x가 2개일 때, 상수 a의 값의 범위를 구하시오.

23 부등식 $-\dfrac{x+a}{4}-1 > a-\dfrac{1}{2}x$를 만족시키는 x의 값 중 가장 작은 자연수가 10이 되도록 하는 정수 a의 값을 구하시오.

24 부등식 $x-2a \geq 3x-1$을 만족시키는 자연수 x가 존재하지 않을 때, 상수 a의 값의 범위를 구하시오.

완성하기

01 아래 그림은 네 수 a, b, c, d에 대응하는 점을 수직선 위에 나타낸 것이다. 다음
중 옳지 <u>않은</u> 것을 모두 고르면? (정답 2개)

① $a+c<b+c$ ② $b-a>d-a$ ③ $cd>ac$

④ $bd<cd$ ⑤ $\dfrac{a}{b}<\dfrac{c}{b}$

해결 Plus⁺

02 $a<0<b$이고 $c<0$일 때, 다음 보기 중 옳지 <u>않은</u> 것을 모두 고르시오.

보기
㉠ $a-b<0$ ㉡ $ac<bc$ ㉢ $a^2>ab$
㉣ $\dfrac{a}{b}<1$ ㉤ $a^2>b^2$ ㉥ $\dfrac{a}{c}>\dfrac{b}{c}$

III

일차부등식

03 $2\leq x\leq 4$, $1\leq y\leq 5$일 때, $3x-4y$의 값 중 가장 큰 정수와 가장 작은 정수의 합
을 구하시오.

$$\begin{array}{r} a \leq x \leq b \\ -)\ \underline{c \leq y \leq d} \\ a-d\leq x-y\leq b-c \end{array}$$

04 $x+2y=1$일 때, $1\leq 2x-3<7$을 만족시키는 y의 값의 범위는 $a<y\leq b$이다.
이때 ab의 값을 구하시오.

$x=(y$에 대한 식)으로 나타낸 후
부등식에 대입한다.

05 $<a>$는 a 이하의 최대의 정수를 나타낸다고 할 때, 부등식
$<1.74>-<-2.23>\times x\leq 10$을 만족시키는 자연수 x의 개수를 구하시오.

── 해결 Plus⁺

n이 자연수일 때,
$n\leq a<n+1$이면 $<a>=n$이
다.

융합형 🖋

06 두 수 a, b에 대하여 $a\circ b=2a-b-1$로 약속할 때, 부등식
$4\circ(x-3)<(-2x+1)\circ 2$를 만족시키는 x의 값 중 가장 큰 정수를 구하시오.

서술형 🖋

07 부등식 $3(x+a)-2<x-5$의 해가 $x<b$일 때, $-6a-4b$의 값을 구하시오.
(단, a는 상수)

부등식을 $x<$(수)의 꼴로 나타낸
다.

08 부등식 $3x-1<31$의 해 중에서 $\dfrac{x-4}{2}$가 자연수가 되도록 하는 모든 x의 값의
합을 구하시오.

09 방정식 $2x-\dfrac{1}{2}(x+5a)=2-x$의 해가 4보다 크지 않을 때, 자연수 a의 최댓 값을 구하시오.

━ **해결 Plus$^+$**

(4보다 크지 않다.)
=(4보다 작거나 같다.)

서술형 🖊

10 두 부등식 $5x-8\ge2(x-1)-3$, $bx-7\le a(x-3)$의 해가 서로 같을 때, 자연수 a, b의 값을 각각 구하시오.

III

일차부등식

11 부등식 $(a+2b)x+a-4b<0$의 해가 $x>\dfrac{7}{2}$이고 $a-b=5$일 때, ab의 값을 구하시오. (단, a, b는 상수)

12 부등식 $0.1-0.2x<0.3(x-a)$를 만족시키는 음수 x가 존재하지 않을 때, 상수 a의 값의 범위를 구하시오.

주어진 부등식을 풀어 음수 x가 존재하지 않도록 부등식의 해를 수직선 위에 나타내어 본다.

창의력 ⚡

01 유리수 n을 소수점 아래 첫째 자리에서 반올림한 값을 $[n]$과 같이 나타낼 때, 부등식 $2 < \left[\dfrac{x+3}{4} \right] \le 5$를 만족시키는 자연수 x의 개수를 구하시오.

02 부등식 $2ax + b(x-2) > 2a - 3b$의 해가 $x < \dfrac{3}{4}$일 때, 부등식 $(2a-5b)x + 2a + 5b \ge 0$의 해를 구하시오. (단, a, b는 상수)

03 방정식 $x + 4y = 3$과 부등식 $y > x + k$를 모두 만족시키는 자연수 x가 3개일 때, 상수 k의 값의 범위를 구하시오.

2 일차부등식의 활용

1 일차부등식의 활용 문제의 풀이 순서

(1) 미지수 정하기 무엇을 미지수 x로 나타낼 것인지 정한다.
(2) 부등식 세우기 문제의 뜻에 맞게 일차부등식을 세운다.
(3) 부등식 풀기 일차부등식을 풀어 해를 구한다.
(4) 확인하기 구한 해가 문제의 뜻에 맞는지 확인한다.

• 이상, 이하, 초과, 미만의 뜻에 유의하면서 부등식을 세운다.

• 구하는 것이 물건의 개수, 사람 수, 나이 등인 경우에 구한 해 중에서 자연수만을 답으로 한다.

2 여러 가지 부등식의 활용 문제

(1) 수에 대한 문제
① 연속하는 세 정수 : $x-1$, x, $x+1$ 또는 x, $x+1$, $x+2$로 놓는다.
② 연속하는 세 홀수(짝수) : $x-2$, x, $x+2$ 또는 x, $x+2$, $x+4$로 놓는다.

(2) 유리한 방법을 선택하는 문제
① 교통비를 들여 도매점을 이용하는 것이 동네 상점을 이용하는 것보다 유리하다. ┌➜ 비용이 덜 든다는 뜻이다.
　➡ (동네 상점 이용 금액) > (도매점 이용 금액) + (교통비)
② x명이 입장할 때, a명의 단체 입장료를 지불하는 것이 유리하다.
　➡ (x명의 입장료) > (a명의 단체 입장료) (단, $x<a$)

(3) 원가, 정가에 대한 문제
① 원가가 x원인 물건에 $a\,\%$의 이익을 붙인 가격
　➡ $x\left(1+\dfrac{a}{100}\right)$원
② 정가가 y원인 물건을 $b\,\%$ 할인한 가격
　➡ $y\left(1-\dfrac{b}{100}\right)$원

• (정가)=(원가)+(이익)
(판매 가격)=(정가)−(할인 금액)
(이익금)=(판매 가격)−(원가)

(4) 도형에 대한 문제
① (직사각형 둘레의 길이)=$2\times\{$(가로의 길이)+(세로의 길이)$\}$
② (사다리꼴의 넓이)=$\dfrac{1}{2}\times\{$(윗변의 길이)+(아랫변의 길이)$\}\times$(높이)

(5) 거리, 속력, 시간에 대한 문제
(거리)=(속력)×(시간), (속력)=$\dfrac{\text{(거리)}}{\text{(시간)}}$, (시간)=$\dfrac{\text{(거리)}}{\text{(속력)}}$

• 거리, 속력, 시간에 대한 문제를 풀 때, 각각의 단위가 다른 경우 단위를 통일하여 부등식을 세운다.
① $1\,km=1000\,m$
② 1시간=60분, 1분=$\dfrac{1}{60}$시간

(6) 농도에 대한 문제
① (소금물의 농도)=$\dfrac{\text{(소금의 양)}}{\text{(소금물의 양)}}\times100\,(\%)$
② (소금의 양)=$\dfrac{\text{(소금물의 농도)}}{100}\times$(소금물의 양)

• 소금물의 농도에 대한 문제
① 물을 더 넣거나 증발시키는 경우
　➡ 소금물의 양은 변하고 소금의 양은 변하지 않는다.
② 소금을 더 넣는 경우
　➡ 소금물과 소금의 양이 모두 증가한다.

1 수, 평균에 대한 문제

01 x를 3으로 나눈 수에 2를 더한 값은 x의 2배에서 8을 뺀 값보다 작지 않다고 한다. 이를 만족시키는 자연수 x의 개수를 구하시오.

필수 ✓

02 연속하는 세 홀수의 합이 36보다 작다고 한다. 이와 같은 수 중에서 가장 큰 세 홀수를 구하시오.

03 5회에 걸쳐 치르는 시험에서 4회까지의 시험 성적의 평균이 75점이었다. 5회의 시험 성적의 평균이 77점 이상이 되려면 5회째 시험에서 몇 점 이상을 받아야 하는지 구하시오.

2 개수에 대한 문제

04 한 번에 480 kg까지 운반할 수 있는 엘리베이터에 몸무게가 90 kg인 사람이 1개에 20 kg인 상자를 여러 개 실어 운반하려고 한다. 한 번에 최대 몇 개의 상자를 운반할 수 있는지 구하시오.

05 한 자루에 1000원인 색연필과 한 자루에 1600원인 볼펜을 합하여 14자루를 사려고 한다. 총 금액이 19100원 이하가 되게 하려면 볼펜은 최대 몇 자루까지 살 수 있는지 구하시오.

06 한 개에 300원인 사탕과 한 개에 700원인 초콜릿을 사려고 한다. 사탕과 초콜릿의 개수의 비를 3 : 1로 하여 총 금액이 10000원 이하가 되도록 할 때, 사탕은 최대 몇 개까지 살 수 있는지 구하시오.

3 추가 요금, 예금액에 대한 문제

07 책 대여점에서 책 한 권의 대여료는 1200원이다. 책의 대여 기간은 3일이고, 3일이 지나면 하루에 700원씩 연체료를 내야 한다. 책 대여 요금이 5400원을 넘지 않도록 할 때, 책 한 권을 최대 며칠 동안 대여할 수 있는지 구하시오.

08 어느 사진관에서 증명사진 10장을 인화하는 가격은 5000원이고 10장을 초과하면 한 장당 300원씩 추가된다고 한다. 증명사진 한 장당 가격이 400원 이하가 되게 하려면 증명사진을 몇 장 이상 인화해야 하는지 구하시오.

서술형 ✎

09 현재 형과 동생의 통장에는 각각 30000원, 10000원이 예금되어 있다. 다음 달부터 형은 매달 3000원씩, 동생은 매달 2000원씩 예금한다고 할 때, 형의 예금액이 동생의 예금액의 2배보다 적어지는 것은 몇 개월 후부터인지 구하시오.

4 유리한 방법을 선택하는 문제

필수 ✓

10 집 근처 가게에서 한 캔에 800원인 음료수가 할인 매장에서는 한 캔에 500원이다. 할인 매장에 다녀오는데 드는 왕복 교통비가 1200원일 때, 음료수를 몇 캔 이상 살 경우 할인 매장에서 사는 것이 유리한지 구하시오.

11 어떤 인터넷 서점에서는 주문한 책의 권수나 배송 장소에 관계없이 주문 횟수에 따라 다음 표와 같이 배송료를 받고 있다. 이 서점에서 일 년에 몇 회 이상 책을 주문하면 회원으로 가입하는 것이 유리한지 구하시오.

	비회원	회원
연회비	없음	6000원
1회 주문시 배송료	2000원	1000원

12 어느 통신사의 휴대폰 이용 요금제에는 다음 표와 같이 두 종류가 있다. 한 달 동안 이용한 통화 시간이 몇 분 미만일 때, A요금제를 선택하는 것이 유리한지 구하시오.

	A요금제	B요금제
기본료(원)	12000	15000
초당 통화 요금(원)	3	2

서술형 ✏️

13 어느 공연의 입장료는 1인당 5000원이고, 20명 이상의 단체인 경우에는 입장료의 20 %를 할인해 준다고 한다. 20명 미만인 단체가 입장하려고 할 때, 몇 명 이상이면 20명의 단체 입장권을 사는 것이 유리한지 구하시오.

6 도형에 대한 문제

16 윗변의 길이가 6 cm이고 높이가 8 cm인 사다리꼴이 있다. 이 사다리꼴의 넓이가 64 cm² 이상일 때, 사다리꼴의 아랫변의 길이는 몇 cm 이상이어야 하는지 구하시오.

5 원가, 정가에 대한 문제

14 장난감 가게에서 어느 장난감에 원가의 18 %의 이익을 붙여 정가를 정하였다. 이 장난감을 정가에서 3000원을 할인하여 판매하였더니 원가의 12 % 이상의 이익을 얻었다고 할 때, 이 장난감의 원가는 얼마 이상인지 구하시오.

17 오른쪽 그림과 같이 $\overline{BC}=4$ cm인 직사각형 ABCD를 $\overline{CD}$를 회전축으로 하여 1회전 시킬 때 생기는 회전체의 부피가 112π cm³ 이하가 되게 하려고 한다. $\overline{AB}$의 길이는 몇 cm 이하이어야 하는지 구하시오.

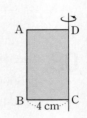

7 거리, 속력, 시간에 대한 문제

필수 ✓

15 원가가 2500원인 상품이 있다. 이 상품을 정가의 20 %를 할인하여 팔아서 원가의 4 % 이상의 이익을 얻으려고 할 때, 원가에 몇 % 이상의 이익을 붙여 정가를 정해야 하는지 구하시오.

18 A지점에서 13 km 떨어진 B지점까지 가는데 처음에는 시속 4 km로 걷다가 도중에 시속 5 km로 걸어서 3시간 이내에 B지점에 도착하였다. 이때 시속 4 km로 걸은 거리는 몇 km 이하인지 구하시오.

19 등산을 하는데 올라갈 때는 시속 2.4 km로 걷고, 내려올 때는 같은 길을 시속 4 km로 걸어서 6시간 이내로 등산을 마치려고 한다. 이때 최대 몇 km까지 올라갔다 내려올 수 있는지 구하시오.

8 농도에 대한 문제

필수 ✔

22 8 %의 설탕물과 14 %의 설탕물을 섞어서 농도가 12 % 이하인 설탕물 300 g을 만들려고 한다. 이때 8 %의 설탕물은 몇 g 이상 섞어야 하는지 구하시오.

서술형 ✎

20 기차가 출발하기 전까지 1시간의 여유가 있어서 이 시간 동안 서점에 가서 책을 사오려고 한다. 책을 사는 데 15분이 걸리고, 갈 때에는 시속 2 km로 걷고 올 때에는 시속 4 km로 걸을 때, 역에서 몇 km 이내에 있는 서점을 이용할 수 있는지 구하시오.

23 5 %의 소금물 200 g에서 물을 증발시켜 농도가 8 % 이상인 소금물을 만들려고 한다. 이때 증발시켜야 하는 물의 양은 몇 g 이상인지 구하시오.

21 수빈이와 우영이가 같은 지점에서 동시에 출발하여 서로 반대 방향으로 직선 도로를 따라 걷고 있다. 수빈이는 시속 3 km로 걷고, 우영이는 시속 4 km로 걸을 때, 수빈이와 우영이가 2.8 km 이상 떨어지려면 몇 분 이상 걸어야 하는지 구하시오.

24 5 %의 소금물 400 g이 있다. 이 소금물에서 물을 증발시키고 증발시킨 물의 양만큼 소금을 더 넣어 농도가 10 % 이상인 소금물을 만들려고 한다. 이때 최소 몇 g의 물을 증발시켜야 하는지 구하시오.

01 어느 피겨 스케이트 선수가 A대회에서 6명의 심판에게 받은 가산점의 평균은 $\frac{11}{6}$ 점이었다. 이 선수가 B대회에서 9명의 심판에게 가산점을 받았을 때, A, B 두 대회에서 받은 가산점의 평균이 2점 이상이 되려면 B대회에서 받은 가산점의 평균은 몇 점 이상이어야 하는지 구하시오.

해결 Plus⁺

02 서로 다른 숫자가 쓰여진 카드가 들어 있는 주머니에서 건우와 지수가 동시에 각각 한 장씩 카드를 꺼내어 큰 수를 뽑은 사람에게는 4점, 작은 수를 뽑은 사람에게는 2점을 주는 게임을 하였다. 총 20회에 걸쳐 게임을 한 결과 지수가 15점 이상의 차로 이겼을 때, 지수가 이긴 횟수는 최소 몇 회인지 구하시오.

(지수가 이긴 횟수)
=(건우가 진 횟수)
(지수가 진 횟수)
=(건우가 이긴 횟수)

03 어느 미술관의 1인당 입장료는 1200원이고 30명 이상 50명 미만의 단체인 경우에는 입장료의 10 %를 할인해 주고, 50명 이상의 단체인 경우에는 입장료의 20 %를 할인해 준다고 한다. 30명 이상 50명 미만의 단체가 입장하려고 할 때, 몇 명 이상이면 50명의 단체 입장료를 내는 것이 유리한지 구하시오.

창의력 ⚡

04 유정이는 인터넷 쇼핑몰에서 한 개에 5000원인 학용품을 여러 개 구입하려고 한다. 이 쇼핑몰에서는 구입 가격의 6 %를 할인해 주는 쿠폰과 구입 가격에서 4000원을 할인해 주는 쿠폰 중에서 한 가지 쿠폰을 사용할 수 있다. 학용품을 몇 개 이상 구입할 때, 6 %를 할인해 주는 쿠폰을 사용하는 것이 유리한지 구하시오.

05 남자 1명이 하면 10일이 걸리고, 여자 1명이 하면 7일이 걸려서 끝낼 수 있는 일이 있다. 남자와 여자가 합하여 8명이 이 일을 하루에 끝내려고 할 때, 여자는 몇 명 이상 필요한지 구하시오.

━ **해결 Plus⁺**

전체 일의 양을 1로 놓는다.

06 지훈이는 자전거를 타고 할머니 댁에 가려고 한다. 집에서 출발하여 할머니 댁에 도착하기까지 시속 50 km로 달리면 시속 40 km로 달릴 때보다 15분 이상 시간이 단축된다고 한다. 집에서 할머니 댁까지 시속 25 km로 달리면 최소 몇 시간이 걸리는지 구하시오.

15분을 시간으로 바꾼 후 부등식을 세운다.

III

일차부등식

서술형 🖉
07 정지한 물에서의 속력이 시속 12 km인 배가 시속 8 km로 흐르는 강물을 거슬러 올라갔다가 내려오려고 한다. 걸리는 시간을 3시간 이내로 하려면 최대 몇 km까지 거슬러 올라갔다 내려올 수 있는지 구하시오.
(단, 배와 강물의 속력은 각각 일정하다.)

08 4 %의 소금물과 8 %의 소금물을 섞어서 소금물 300 g을 만들었다. 이 소금물과 5 %의 소금물을 섞어서 농도가 6 % 이상인 소금물 500 g을 만들려고 한다. 이때 4 %의 소금물은 최대 몇 g 섞어야 하는지 구하시오.

(4 %의 소금물의 양)
+(8 %의 소금물의 양)
+(5 %의 소금물의 양)
=500 g

01

오른쪽 그림과 같이 밑면의 지름의 길이가 14 cm이고 높이가 8 cm인 원기둥 안에 밑면의 지름의 길이가 1 cm인 원기둥 모양의 구멍을 뚫으려고 한다. 구멍끼리 겹치지 않도록 하여 처음 원기둥의 내부에 구멍을 여러 개 뚫는다고 할 때, 구멍을 뚫은 입체도형의 겉넓이가 처음 원기둥의 겉넓이의 2배 이상이 되려면 구멍을 몇 개 이상 뚫어야 하는지 구하시오.

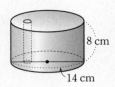

8 cm

14 cm

02

어느 댐에서는 홍수에 대비하여 댐에 고여 있는 3000톤의 물과 1분 동안에 150톤씩 유입되는 물을 3개의 수문을 동시에 열어 20분 만에 모두 흘려보냈다. 다음날 내린 비로 5000톤의 물이 고였고 1분 동안에 300톤씩 물이 유입되고 있다고 할 때, 이 댐의 물을 30분 이내에 모두 흘려보내려면 최소 몇 개의 수문을 열어야 하는지 구하시오. (단, 각 수문이 1분 동안 흘려보내는 물의 양은 동일하다.)

03

28 m 간격으로 전신주가 세워져 있는 도로가 있다. 두 사람 A, B가 이 도로를 따라 걷는데 A가 첫 번째 전신주에서 분속 35 m로 출발한 지 30분 후에 B가 분속 45 m로 첫 번째 전신주에서 출발하여 A를 뒤따라갔다. 두 전신주 사이를 구간이라 하고 n번째 구간은 n번째 전신주는 포함하고 $(n+1)$번째 전신주는 포함하지 않는다고 할 때, 처음으로 두 사람 A, B가 같은 구간에 있게 되는 것은 B가 출발한 지 몇 분 몇 초 후인지 구하시오.

01 서로 다른 여섯 개의 자연수 a_1, a_2, a_3, b_1, b_2, b_3이 다음 두 조건을 모두 만족시킬 때, a_1, a_2, a_3의 대소 관계를 부등호를 사용하여 나타내시오.

> ┌ 조건 ┐
> (가) $a_1+a_2+b_3=a_1+b_2+a_3=b_1+a_2+a_3$
> (나) $b_1<b_2<b_3$

생각 Plus⁺

두 수 x, y에 대하여
$x-y<0$이면 $x<y$이다.

풀이▶

답▶

02 $A\triangle B=A-B+1$이라 약속할 때, 부등식 $(2x+1)\triangle(5x-2)>3\triangle k$를 만족시키는 x의 값 중 가장 큰 정수는 4이다. 이때 상수 k의 값의 범위를 구하시오.

부등식을 기호 $\triangle$를 사용하지 않은 식으로 나타낸 후 $x<(수)$, $x>(수)$, $x\le(수)$, $x\ge(수)$ 중 어느 하나의 꼴로 나타낸다.

풀이▶

답▶

03 어느 꽃집에서 한 송이에 800원인 장미꽃을 3송이씩 묶어 한 묶음에 2000원으로 할인하여 판매하고 있는데 묶음으로 판매하는 장미꽃은 2묶음밖에 없었다. 장미꽃 한 송이의 가격이 700원 이하가 되게 하려면 장미꽃을 최대 몇 송이까지 살 수 있는지 구하시오.

생각 Plus⁺

묶음으로 살 수 있는 장미꽃의 수와 가격을 확인한다.

풀이▶

답▶

04 어느 상인이 도매상에서 달걀 2700개를 구입하여 운반하던 중 200개를 깨뜨렸다. 이 상인이 깨지지 않은 달걀을 모두 팔아서 달걀 구매 비용의 25 % 이상의 이익을 얻으려고 할 때, 달걀 한 개의 도매가격에 몇 % 이상의 이익을 붙여 판매가격을 정해야 하는지 구하시오. (단, 운반비는 생각하지 않는다.)

이익을 x % 붙인다고 하면

(판매 가격)=(도매가격)$\times\left(1+\dfrac{x}{100}\right)$

풀이▶

답▶

IV

연립일차방정식

1 연립일차방정식

1 미지수가 2개인 일차방정식

→ 항에서 문자가 곱해진 개수

(1) **미지수가 2개인 일차방정식** 미지수가 2개이고, 차수가 모두 1인 방정식

➡ $ax+by+c=0$(단, a, b, c는 상수, $a \neq 0, b \neq 0$)

(2) **미지수가 2개인 일차방정식의 해** 미지수가 2개인 일차방정식이 참이 되게 하는 x, y의 값 또는 순서쌍 (x, y)

(3) **일차방정식을 푼다** 일차방정식의 해를 모두 구하는 것

2 미지수가 2개인 연립일차방정식

(1) **미지수가 2개인 연립일차방정식** 미지수가 2개인 두 일차방정식을 한 쌍으로 묶어 놓은 것

(2) **연립방정식의 해** 연립방정식에서 두 방정식을 동시에 만족시키는 x, y의 값 또는 순서쌍 (x, y)

(3) **연립방정식을 푼다** 연립방정식의 해를 구하는 것

3 연립일차방정식의 풀이 – 대입법

(1) **대입법** 연립방정식의 한 방정식을 $x=(y$에 대한 식$)$ 또는 $y=(x$에 대한 식$)$으로 바꾸어 다른 방정식에 대입하여 한 미지수를 없앤 후 연립방정식의 해를 구하는 방법

(2) **대입법을 이용한 연립방정식의 풀이 순서**

❶ 한 방정식에서 한 미지수를 다른 미지수의 식으로 나타낸다.

❷ ❶의 식을 다른 방정식에 대입하여 한 미지수를 없앤 후 일차방정식의 해를 구한다.

❸ ❷에서 구한 해를 ❶의 식에 대입하여 다른 미지수의 값을 구한다.

참고 두 일차방정식 중에서 어느 하나가 $x=(y$에 대한 식$)$ 또는 $y=(x$에 대한 식$)$의 꼴로 되어 있을 때에는 대입법을 이용하는 것이 편리하다.

4 연립일차방정식의 풀이 – 가감법

(1) **가감법** 연립방정식의 두 방정식을 변끼리 더하거나 빼어서 한 미지수를 없앤 후 연립방정식의 해를 구하는 방법

(2) **가감법을 이용한 연립방정식의 풀이 순서**

❶ 각 방정식의 양변에 적당한 수를 곱하여 없애려는 미지수의 계수의 절댓값이 같아지도록 한다.

❷ ❶의 두 식을 변끼리 더하거나 빼어서 미지수를 없앤 후 일차방정식의 해를 구한다.

❸ ❷에서 구한 해를 두 일차방정식 중 간단한 일차방정식에 대입하여 다른 미지수의 값을 구한다.

참고 가감법을 이용하여 연립방정식의 해를 구할 때, 없애려는 미지수의 계수의 절댓값을 같게 한 후
① 부호가 같으면 ➡ 한 방정식에서 다른 방정식을 뺀다.
② 부호가 다르면 ➡ 두 방정식을 더한다.

- 미지수가 1개인 일차방정식의 해는 한 개이지만 미지수가 2개인 일차방정식의 해는 여러 개일 수 있다.

- 연립일차방정식을 간단히 연립방정식이라 한다.

- 대입법과 가감법 중 어느 것을 이용하여 풀어도 연립방정식의 해는 같다.

5 여러 가지 연립일차방정식의 풀이

(1) 괄호가 있는 연립방정식
분배법칙을 이용하여 괄호를 풀고 동류항끼리 정리한 후 연립방정식을 푼다.

(2) 계수가 소수인 연립방정식
양변에 10, 100, 1000, …과 같이 적당한 수를 곱하여 계수를 모두 정수로 바꾼 후 연립방정식을 푼다.

(3) 계수가 분수인 연립방정식
양변에 분모의 최소공배수를 곱하여 계수를 모두 정수로 바꾼 후 연립방정식을 푼다.

양변에 같은 수를 곱할 때에는 모든 항에 빠짐없이 곱해야 해.

6 $A=B=C$ 꼴의 방정식의 풀이

$A=B=C$ 꼴의 방정식은 다음 세 연립방정식과 그 해가 모두 같으므로 이 중 하나를 선택하여 푼다.

$$\begin{cases} A=B \\ A=C \end{cases} \begin{cases} A=B \\ B=C \end{cases} \begin{cases} A=C \\ B=C \end{cases}$$

• 세 연립방정식 중에서 가장 간단한 것을 선택하여 풀면 된다. 특히 $A=B=C$ 꼴의 방정식에서 C가 상수이면 $\begin{cases} A=C \\ B=C \end{cases}$ 를 푸는 것이 가장 간단하다.

개념 Plus⁺

(1) 분모에 미지수가 들어 있는 연립방정식의 풀이
❶ 분모에 미지수가 들어 있는 식을 X, Y로 놓고 X, Y에 대한 연립방정식을 만든다.
❷ X, Y에 대한 연립방정식을 푼 후 처음 연립방정식의 해를 구한다.

(2) 미지수가 3개인 연립방정식의 풀이
❶ 주어진 일차방정식을 변끼리 더하거나 빼서 한 미지수를 없앤다.
❷ 미지수가 2개인 연립방정식의 해를 구한다.
❸ 구한 해를 원래의 방정식에 대입하여 없앤 미지수의 값을 구한다.

7 해가 특수한 연립일차방정식

(1) 해가 무수히 많은 연립방정식 두 일차방정식을 변형하였을 때, 두 일차방정식이 일치하면 연립방정식의 해는 무수히 많다.
└▶ x, y의 계수와 상수항이 각각 같다.

(2) 해가 없는 연립방정식 두 일차방정식을 변형하였을 때, x, y의 계수는 각각 같으나 상수항이 다르면 연립방정식의 해는 없다.

참고 연립방정식 $\begin{cases} ax+by=c \\ a'x+b'y=c' \end{cases}$ 에서

① $\dfrac{a}{a'}=\dfrac{b}{b'}=\dfrac{c}{c'}$ 일 때 ➡ 해가 무수히 많다.

② $\dfrac{a}{a'}=\dfrac{b}{b'}\neq\dfrac{c}{c'}$ 일 때 ➡ 해가 없다.

IV 연립일차방정식

입문하기

01 다음 보기 중 미지수가 2개인 일차방정식을 모두 고르시오.

> 보기
> ㉠ $x+2y-3$ ㉡ $3x+4y=7$
> ㉢ $xy+y=10$ ㉣ $4x+y-6=3y-4x$
> ㉤ $\dfrac{x}{4}-\dfrac{y}{2}=1$ ㉥ $x-2y=2(x-y)$

02 다음 중 $ax+3y-2=3(x-y)-4$가 미지수가 2개인 일차방정식이 되게 하는 상수 a의 값이 <u>아닌</u> 것은?

① -6 ② -3 ③ -2
④ 0 ⑤ 3

03 x, y가 자연수일 때, 일차방정식 $4x+3y=96$의 해는 모두 몇 개인지 구하시오.

04 x, y의 순서쌍 $(3, 6)$, $(b, 11)$이 일차방정식 $ax-2y=3$의 해일 때, $a+b$의 값을 구하시오.
(단, a는 상수)

05 x, y가 자연수일 때, 연립방정식 $\begin{cases} 2x+y=10 \\ 3x-2y=1 \end{cases}$의 해를 x, y의 순서쌍 (x, y)로 나타내시오.

06 x, y의 순서쌍 $(p-1, -1)$이 연립방정식 $\begin{cases} 2x+(p-2)y=3 \\ qx-2y=8 \end{cases}$의 해일 때, $p-q$의 값을 구하시오. (단, p, q는 상수)

07 연립방정식 $\begin{cases} y=11-x & \cdots \text{㉠} \\ 3x-2y=-2 & \cdots \text{㉡} \end{cases}$에서 ㉠을 ㉡에 대입하여 y를 없앴더니 $ax=20$이었다. 이때 상수 a의 값을 구하시오.

08 연립방정식 $\begin{cases} 2x+y=7 \\ x-2y=1 \end{cases}$을 만족시키는 x, y에 대하여 $x-y$의 값을 구하시오.

필수 ✔
09 연립방정식 $\begin{cases} 2x+5y=-9 \\ ax-3y=7 \end{cases}$의 해가 일차방정식 $x-4y=2$를 만족시킬 때, 상수 a의 값을 구하시오.

10 x, y의 순서쌍 $(1, -2)$, $(5, -4)$가 일차방정식 $ax+by=3$의 해일 때, $a-b$의 값을 구하시오. (단, a, b는 상수)

11 연립방정식 $\begin{cases} ax+by=2 \\ bx-ay=10 \end{cases}$의 해가 $x=2$, $y=3$일 때, ab의 값을 구하시오. (단, a, b는 상수)

3 여러 가지 연립일차방정식의 풀이

12 연립방정식 $\begin{cases} 2(3x+y)+2y=10 \\ 2x+3(y-5)=-5 \end{cases}$의 해가 $x=a$, $y=b$일 때, $a+b$의 값을 구하시오.

IV

연립일차방정식

서술형 ✎

13 연립방정식 $\begin{cases} 3(x-2y)=2(1-2y) \\ 4(2x-y)-6=x+y \end{cases}$ 의 해가 일차방정식 $ax-y=-2$를 만족시킬 때, 상수 a의 값을 구하시오.

16 연립방정식 $\begin{cases} (x-1):(2x+y)=2:3 \\ 3x+2y=7 \end{cases}$ 의 해가 $x=m, y=n$일 때, $m-n$의 값을 구하시오.

14 연립방정식 $\begin{cases} x-2(x-y)=-4 \\ \dfrac{x}{4}-\dfrac{y}{3}=\dfrac{1}{2} \end{cases}$ 의 해가 $x=a$, $y=b$일 때, $a+b$의 값을 구하시오.

17 다음 방정식을 푸시오.

$$\frac{x-1}{3}=\frac{2x+y}{4}=\frac{x-y+5}{6}$$

필수 ✔

15 연립방정식 $\begin{cases} \dfrac{x}{3}-\dfrac{y}{2}=\dfrac{5}{2} \\ 0.3x+0.4(y-3)=-1.5 \end{cases}$ 의 해가 일차방정식 $3x-y=k$를 만족시킬 때, 상수 k의 값을 구하시오.

18 방정식
$3(x-3)+2(y-1)=2x-(3-y)=5x-4y-11$
을 만족시키는 x, y의 순서쌍을 (a, b)라 할 때, $a-b$의 값을 구하시오.

19 방정식 $ax+by-2=3bx+ay-2=x+3y+4$ 의 해가 $x=2$, $y=-2$일 때, $a+b$의 값을 구하시오. (단, a, b는 상수)

22 연립방정식 $\begin{cases} \dfrac{1}{5}x+0.6y=k \\ x+2y=3 \end{cases}$ 을 만족시키는 y의 값이 x의 값보다 3만큼 클 때, 상수 k의 값을 구하시오.

---

4 해의 조건이 주어진 연립일차방정식

필수 ✔

20 연립방정식 $\begin{cases} ax-2y=3 \\ 2x-y=6 \end{cases}$ 을 만족시키는 x와 y의 값의 비가 $1:3$일 때, 상수 a의 값을 구하시오.

서술형 ✎

23 연립방정식 $\begin{cases} ax-y=4 \\ 3x+ay=6 \end{cases}$ 을 만족시키는 x의 값과 y의 값이 서로 같을 때, 상수 a의 값을 구하시오.

21 연립방정식 $\begin{cases} 3x+y=10 \\ x+3y=a+15 \end{cases}$ 를 만족시키는 y의 값이 x의 값의 2배라 할 때, 상수 a의 값을 구하시오.

24 연립방정식 $\begin{cases} 3x-y=2 & \cdots \text{㉠} \\ 2x+3y=-8 & \cdots \text{㉡} \end{cases}$ 에서 ㉡의 y의 계수 3을 잘못 보고 풀어서 $x=2$를 얻었다. 이때 y의 계수 3을 어떤 수로 잘못 보고 풀었는지 구하시오.

25 연립방정식 $\begin{cases} ax+by=1 \\ bx+ay=-5 \end{cases}$ 에서 잘못하여 a와 b를 서로 바꾸어 놓고 풀었더니 그 해가 $x=1$, $y=3$이었다. 이때 처음 연립방정식의 해를 구하시오.

(단, a, b는 상수)

26 다음 두 연립방정식의 해가 서로 같을 때, $a+b$의 값을 구하시오. (단, a, b는 상수)

$$\begin{cases} x+2y=9 \\ 3x+y=a \end{cases} \quad \begin{cases} x-y=3 \\ x+by=7 \end{cases}$$

서술형 ✎

27 다음 네 일차방정식이 한 쌍의 공통인 해를 가질 때, ab의 값을 구하시오. (단, a, b는 상수)

$$2x+3y=-5, \quad ax-y=3(a-1)$$
$$bx+(1-a)y=13, \quad 5x+2y=4$$

5 해가 특수한 연립일차방정식

28 연립방정식 $\begin{cases} 2x-y=a+4 \\ 6x-3y=-12 \end{cases}$ 의 해가 무수히 많을 때, 상수 a의 값을 구하시오.

29 연립방정식 $\begin{cases} (a-3)x+y=3 \\ 4x-2y=a+b \end{cases}$ 의 해가 없을 때, 상수 a, b의 조건을 각각 구하시오.

30 연립방정식 $\begin{cases} 2x+y=0 \\ 3x+2y=kx \end{cases}$ 가 $x=0$, $y=0$ 이외의 해를 가질 때, 상수 k의 값을 구하시오.

01 등식 $x^2+4x-y+5=ax^2-3x-by+1$이 미지수가 2개인 일차방정식이 되기 위한 상수 a, b의 조건을 각각 구하시오.

■ 해결 Plus⁺

02 일차방정식 $2x-3y=21$을 만족시키는 두 자연수 x, y의 최소공배수가 72일 때, $x-y$의 값을 구하시오.

x, y가 자연수임을 이용하여 x, y의 값을 각각 구한다.

창의력⚡
03 두 수 a, b에 대하여 $a*b=2a-3b+6$이라 약속하자. $2*x=y*3$을 만족시키는 자연수 x, y의 순서쌍 (x, y)를 모두 구하시오.

약속에 따라 식을 세워 본다.

융합형✎
04 연립방정식 $\begin{cases} 4x+3y=13 \\ ax+y=-1 \end{cases}$의 해가 $3^x \times 27^y=9^5$을 만족시킬 때, 상수 a의 값을 구하시오. (단, x, y는 자연수)

해결 Plus⁺

05 연립방정식 $\begin{cases} 4(x-1)=2x-3y+4 \\ 6x-4y+3=x-3(y-2) \end{cases}$ 의 해가 일차방정식 $x+ay+7=0$ 을 만족시킬 때, 상수 a 의 값을 구하시오.

06 연립방정식 $\begin{cases} (a-6)x+(3-a)y=-2 \\ 2ax-3(a-2)y=-4 \end{cases}$ 의 해가 $x=p,\ y=2p$ 일 때, 상수 a 의 값을 구하시오.

주어진 해를 연립방정식에 대입한다.

서술형 ✎

07 연립방정식 $\begin{cases} 0.\dot{2}x-0.\dot{3}y=1.\dot{1} \\ \dfrac{x-1}{8}-\dfrac{y+1}{4}=\dfrac{1}{8} \end{cases}$ 을 만족시키는 $x,\ y$ 에 대하여

$3(x-2y)-2(x+3y)$ 의 값을 구하시오.

순환소수를 분수로 나타낸 후 계수를 정수로 바꾼다.

08 연립방정식 $\begin{cases} \dfrac{x-2}{2}=\dfrac{x+y}{3} \\ y+2=2(x-2) \end{cases}$ 의 해와 연립방정식 $\begin{cases} ax+by=4 \\ bx-ay=6 \end{cases}$ 의 해는 $x,\ y$ 의

값이 절댓값은 각각 같고 부호는 서로 다를 때, $\dfrac{a}{b}$ 의 값을 구하시오.

(단, $a,\ b$ 는 상수)

09 연립방정식 $\begin{cases} 2x+1=y+a \\ (2x-a):(y-3)=5:3 \end{cases}$ 을 만족시키는 x의 값과 y의 값의 차가 3일 때, 상수 a의 값을 구하시오. (단, $x>y$)

— **해결 Plus⁺**

$x>y$이므로 $x-y=3$이다.

10 방정식 $2x+ay=3x+2y+7=19$를 만족시키는 x의 값과 y의 값의 비가 $2:3$ 일 때, 상수 a의 값을 구하시오.

11 방정식 $\dfrac{x-2y+4}{2}=\dfrac{2x+y+a}{3}=y+a$를 만족시키는 x의 값이 $\dfrac{2}{3}$일 때, 상 수 a의 값을 구하시오.

12 연립방정식 $\begin{cases} \dfrac{3}{x}+\dfrac{2}{y}=8 \\ \dfrac{1}{x}-\dfrac{4}{y}=-2 \end{cases}$ 의 해가 $x=p,\ y=q$일 때, $2p+q$의 값을 구하시오.

$\dfrac{1}{x}=A,\ \dfrac{1}{y}=B$로 놓고 A, B에 대한 연립방정식을 푼다.

IV

연립일차방정식

13 연립방정식 $\begin{cases} x+y=1 \\ y+z=2 \\ z+x=3 \end{cases}$ 을 푸시오.

— **해결 Plus$^+$**

x, y, z 중 한 문자를 없애 미지수가 2개인 연립방정식을 만든다.

14 〔융합형〕 연립방정식 $\begin{cases} 2^x+3^{y+2}=85 \\ 2^{x+1}-3^y=-1 \end{cases}$ 을 만족시키는 자연수 x, y에 대하여 xy의 값을 구하시오.

15 〔서술형〕 연립방정식 $\begin{cases} x+3y=-a \\ 3x-by=6 \end{cases}$ 의 해는 무수히 많고, 연립방정식 $\begin{cases} cx+6y=-2 \\ 2x+3y=-4 \end{cases}$ 의 해는 없을 때, $a-b+c$의 값을 구하시오. (단, a, b, c는 상수)

연립방정식의 해가 무수히 많을 조건과 해가 없을 조건을 각각 생각해 본다.

16 연립방정식 $\begin{cases} ax-by=a \\ bx-ay=-a \end{cases}$ 의 해가 무수히 많을 때, 이 연립방정식을 만족시키는 x, y에 대하여 $x+y$의 값을 구하시오. (단, a, b는 상수이고 $ab \neq 0$)

01 세 자연수 x, y, a에 대하여 x, y에 대한 일차방정식 $x+3y=3a$를 만족시키는 순서쌍 (x, y)의 개수를 a의 식으로 나타내시오.

창의력 ⚡

02 서로 다른 두 수 x, y에 대하여 $\max(x, y)$는 x, y 중에서 큰 것을 나타내고 $\min(x, y)$는 x, y 중에서 작은 것을 나타낸다. 이때 연립방정식 $\begin{cases} \max(x, y)=2x+3y-1 \\ \min(x, y)=-2x-y-6 \end{cases}$ 을 푸시오.

03 연립방정식 $\begin{cases} ax+by=-5 \\ 2x+7y=35 \end{cases}$ 의 해가 연립방정식 $\begin{cases} x-3y=-9 \\ 6x+ay=10 \end{cases}$ 의 해보다 x, y의 값이 각각 3만큼 크다고 할 때, $a-b$의 값을 구하시오. (단, a, b는 상수)

04
연립방정식 $\begin{cases} x+4y-3z=0 \\ 4x-8y+3z=0 \end{cases}$ 을 만족시키는 세 자연수 x, y, z의 최소공배수가 200일 때, $x+y+z$의 값을 구하시오.

05 연립방정식 $\begin{cases} \dfrac{2}{x+y}-\dfrac{2}{x-y}=5 \\ \dfrac{3}{x+y}+\dfrac{2}{x-y}=15 \end{cases}$ 의 해가 일차방정식 $2x-\dfrac{2}{5}py=1$을 만족시킬 때, 상수 p의 값을 구하시오.

06
연립방정식 $\begin{cases} |x-1|+y=5 \\ x-3y=-6 \end{cases}$ 을 푸시오.

2 연립일차방정식의 활용

최·고·수·준·수·학

1 연립일차방정식의 활용 문제 풀이 순서

(1) **미지수 정하기** 문제의 뜻을 이해하고 구하려고 하는 것을 미지수 x, y로 놓는다.

(2) **연립방정식 세우기** 주어진 조건을 이용하여 수량 사이의 관계를 찾아 연립방정식을 세운다.

(3) **연립방정식 풀기** 연립방정식을 푼다.

(4) **확인하기** 구한 해가 문제의 뜻에 맞는지 확인한다.

> 나이, 개수 등을 구하는 문제에서 방정식의 해는 자연수이어야 해!

2 여러 가지 연립일차방정식의 활용 문제

(1) **자연수에 대한 문제**

십의 자리의 숫자가 x, 일의 자리의 숫자가 y인 두 자리의 자연수 ➡ $10x+y$

> ↑ xy로 나타내지 않도록 주의한다.

참고 십의 자리의 숫자 x와 일의 자리의 숫자 y를 바꾸어 만든 두 자리의 자연수 ➡ $10y+x$

(2) **물건의 개수와 가격에 대한 문제**

① (가격)=(물건 한 개의 가격)×(물건의 개수)

② (거스름돈)=(낸 돈)-(물건의 가격)

(3) **나이에 대한 문제**

현재 x세인 사람의 $\begin{cases} a년 \ 전의 \ 나이 ⟹ (x-a)세 \\ b년 \ 후의 \ 나이 ⟹ (x+b)세 \end{cases}$

(4) **증가, 감소에 대한 문제**

① x가 $a\,\%$ 증가했을 때

➡ 증가량 : $\dfrac{a}{100}x$, 증가한 후 전체의 양 : $\left(1+\dfrac{a}{100}\right)x$

② x가 $b\,\%$ 감소했을 때

➡ 감소량 : $\dfrac{b}{100}x$, 감소한 후 전체의 양 : $\left(1-\dfrac{b}{100}\right)x$

(5) **일에 대한 문제**

전체 일의 양을 1로 놓고 단위 시간 동안 할 수 있는 일의 양을 구한다.

(6) **거리, 속력, 시간에 대한 문제**

(거리)=(속력)×(시간), (속력)=$\dfrac{(거리)}{(시간)}$, (시간)=$\dfrac{(거리)}{(속력)}$

(7) **농도에 대한 문제**

(소금물의 농도)=$\dfrac{(소금의 양)}{(소금물의 양)}\times 100\,(\%)$

(소금의 양)=$\dfrac{(소금물의 농도)}{100}\times(소금물의 양)$

참고 농도가 다른 두 소금물 A, B를 섞을 때

① (소금물 A의 양)+(소금물 B의 양)=(전체 소금물의 양)

② (소금물 A의 소금의 양)+(소금물 B의 소금의 양)=(전체 소금의 양)

- **몫과 나머지**
  a를 b로 나누면 몫이 q이고, 나머지가 r이다.
  ➡ $a=bq+r$ (단, $0 \leq r < b$)

- **원가, 정가에 대한 문제**
  ① (정가)=(원가)+(이익)
  　　　=(원가)×{1+(이익률)}
  ② (할인 판매 가격)
  　　=(정가)×{1-(할인율)}

- **거리, 속력, 시간에 대한 문제**
  각각의 단위가 다른 경우에는 방정식을 세우기 전에 단위를 통일한다.
  ① a분=$\dfrac{a}{60}$시간
  ② b km=$1000b$ m

- **일정한 속력으로 터널 또는 다리를 통과하는 기차에 대한 문제**
  (기차가 터널 또는 다리를 완전히 통과할 때까지 달린 거리)
  =(터널 또는 다리의 길이)
  　　　　+(기차의 길이)

- **흐르는 강물에서의 배의 속력에 대한 문제**
  ① (강을 거슬러 올라갈 때의 배의 속력)
  　=(정지한 물에서의 배의 속력)
  　　　　⊖(강물의 속력)
  ② (강을 따라 내려갈 때의 배의 속력)
  　=(정지한 물에서의 배의 속력)
  　　　　⊕(강물의 속력)

1 자연수에 대한 문제

01 두 자연수에 대하여 큰 수를 작은 수로 나누면 몫은 4이고 나머지는 2이다. 또, 작은 수의 10배를 큰 수로 나누면 몫은 2이고 나머지는 12일 때, 두 수의 합을 구하시오.

02 두 자리의 자연수가 있다. 이 자연수는 각 자리의 숫자의 합의 6배와 같고, 이 자연수의 십의 자리의 숫자와 일의 자리의 숫자를 바꾼 수는 처음 수보다 9만큼 작다고 한다. 이때 처음 두 자리의 자연수를 구하시오.

2 개수, 가격, 나이에 대한 문제

03 연필 2자루와 공책 1권의 가격은 1900원이고, 연필 4자루와 공책 3권의 가격은 5000원일 때, 연필 1자루와 공책 1권의 가격을 각각 구하시오.

04 어느 박물관의 어른 3명과 어린이 5명의 입장료는 7600원이고, 어른 2명의 입장료와 어린이 3명의 입장료는 서로 같을 때, 어른 1명의 입장료를 구하시오.

05 한 개에 600원 하는 사과와 한 개에 1000원 하는 배를 합하여 12개를 사서 2000원짜리 바구니에 넣어 포장하였더니 총 금액이 11200원이었다. 이때 배를 몇 개 샀는지 구하시오.

06 현재 어머니와 아들의 나이의 합은 60세이고, 6년 전에는 어머니의 나이가 아들의 나이의 5배였다고 한다. 현재 어머니의 나이를 구하시오.

07 다음은 유클리드의 '그리스 시화집'에 나온 이야기이다. 노새와 당나귀가 진 짐은 각각 몇 자루인지 구하시오.

> 노새와 당나귀가 짐을 운반하고 있다. 너무 무거워서 당나귀가 한탄하자, 노새가 당나귀에게 말하였다. "네가 진 짐 중에서 한 자루만 내 등에 옮겨 놓으면 내 짐은 네 짐의 두 배가 되지. 또, 내 짐 한 자루를 네 등에다 옮기면 나와 너는 같은 수의 짐을 운반하게 돼."

---

3 점수, 계단, 도형에 대한 문제

08 주희네 반 학생 30명이 수학 시험을 보았는데 남학생의 평균은 65점, 여학생의 평균은 60점, 반 전체의 평균은 63점이었다. 이때 주희네 반 남학생과 여학생은 각각 몇 명인지 구하시오.

09 정민이네 학교 영어 시험은 객관식 문제가 20문제, 서술형 문제가 3문제로 되어 있다. 객관식 문제는 3점짜리와 5점짜리 문제가 있고, 서술형 문제는 모두 8점으로 100점 만점이다. 이때 객관식 문제 중 5점짜리 문제의 수를 구하시오.

서술형 ✎

10 둘레의 길이가 22 cm인 직사각형이 있다. 이 직사각형의 세로의 길이를 2배로 늘이고, 가로의 길이를 2 cm 줄였더니 둘레의 길이가 26 cm가 되었다. 처음 직사각형의 넓이를 구하시오.

11 20문제가 출제된 퀴즈 프로그램에서 한 문제를 맞히면 5점을 얻고, 틀리면 3점을 잃는다고 한다. 현성이는 20문제를 모두 풀어서 44점을 얻었다고 할 때, 현성이가 틀린 문제의 수를 구하시오.

12 수경이와 동환이는 가위바위보를 하여 이긴 사람은 2계단을 올라가고, 진 사람은 1계단을 내려가기로 하였다. 얼마 후 수경이는 처음의 위치보다 14계단 올라가 있었고, 동환이는 처음의 위치보다 4계단 내려가 있었다. 이때 수경이가 이긴 횟수를 구하시오. (단, 비기는 경우는 없다.)

IV

연립일차방정식

4 증가, 감소에 대한 문제

13 어느 중학교의 작년 전체 학생 수는 1000명이었다. 올해는 작년보다 남학생은 5 % 증가하고, 여학생은 10 % 감소하여 전체적으로 10명이 감소하였다. 올해의 남학생 수를 구하시오.

14 A, B 두 제품을 생산하는 어느 공장의 지난달 생산량은 A, B 두 제품을 합하여 500개였다. 이번 달 생산량은 지난달에 비해 A제품은 12 % 감소하고, B제품은 28 % 증가하여 전체적으로 지난달 생산량과 같았다. A제품의 이번 달 생산량을 구하시오.

15 진희의 이번 달 통신 요금은 지난달에 비하여 휴대전화 사용 요금은 15 % 증가하고, 인터넷 사용 요금은 24 % 증가하여 전체적으로 지난달보다 20 % 증가한 금액인 43200원이 되었다. 진희의 이번 달 휴대전화 사용 요금을 구하시오.

5 원가, 정가에 대한 문제

16 어느 가게에서 두 종류의 티셔츠를 원가에 각각 10 %의 이익을 붙여 정가를 정하였다. 두 티셔츠의 정가의 합은 22000원이고 원가의 차는 4000원일 때, 두 티셔츠의 정가를 각각 구하시오.

17 두 상품 A와 B의 한 개당 원가는 각각 300원, 700원이다. 상품 A는 원가의 50 %, 상품 B는 원가의 30 %의 이익을 붙여 판매하였더니 상품 A와 B를 합하여 54개가 판매되었고, 9900원의 이익이 생겼다. 상품 A를 몇 개 판매하였는지 구하시오.

6 일에 대한 문제

서술형

18 세준이와 재환이 두 사람이 6일 동안 함께 하면 끝마칠 수 있는 일이 있다. 이 일을 세준이가 9일 동안 작업한 뒤 나머지를 재환이가 4일 동안 작업하여 끝마쳤다고 할 때, 재환이가 혼자서 이 일을 끝마치려면 며칠이 걸리는지 구하시오.

19 어느 물탱크에 물을 채우는 데 수도꼭지 A로만 20분 동안 물을 넣은 후 두 수도꼭지 A, B를 모두 사용하여 12분 동안 물을 넣으면 물이 가득 찬다고 한다. 또, 이 물탱크에 수도꼭지 A로만 30분 동안 물을 넣은 후 수도꼭지 B로만 15분 동안 물을 넣으면 물이 가득 찬다고 한다. 이때 이 물탱크에 수도꼭지 B로만 물을 가득 채우는 데 몇 분이 걸리는지 구하시오.

7 거리, 속력, 시간에 대한 문제

필수 ✓

20 하윤이는 집에서 183 km 떨어진 외할머니 댁까지 가는데 처음에는 시속 60 km인 버스를 타고 가다가 도중에 내려서 시속 3 km로 걸어갔더니 총 4시간이 걸렸다. 이때 하윤이가 버스를 타고 간 거리를 구하시오.

21 건우는 집에서 서점에 갔다 오는데 갈 때에는 시속 4 km로 걷고, 올 때에는 갈 때보다 500 m 더 먼 길을 시속 3 km로 걸었더니 총 1시간 30분이 걸렸다. 서점에서 책을 사는 데 10분이 걸렸을 때, 건우가 걸은 총 거리는 몇 km인지 구하시오.

서술형 ✎

22 2.1 km 떨어진 두 지점에서 성준이와 미영이가 동시에 마주 보고 출발하여 도중에 만났다. 성준이는 분속 80 m로 걷고, 미영이는 분속 60 m로 걸었을 때, 두 사람이 만날 때까지 걸린 시간은 몇 분인지 구하시오.

23 형이 학교를 향해 분속 50 m로 출발한 지 20분 후에 같은 길을 따라 동생이 분속 150 m로 자전거를 타고 출발하였다. 학교 정문에 형과 동생이 동시에 도착하였을 때, 동생이 출발한 후 학교 정문에 도착할 때까지 걸린 시간은 몇 분인지 구하시오.

24 둘레의 길이가 2 km인 호수의 둘레를 승호와 연주가 같은 지점에서 동시에 출발하여 반대 방향으로 돌면 10분 후에 처음으로 만나고, 같은 방향으로 돌면 50분 후에 처음으로 만난다고 한다. 승호가 연주보다 빠르게 걷는다고 할 때, 두 사람의 속력은 각각 분속 몇 m인지 구하시오.

IV

연립일차방정식

25 속력이 일정한 배를 타고 길이가 40 km인 강을 거슬러 올라가는 데 3시간, 내려오는 데 2시간이 걸렸다. 이때 정지한 물에서의 배의 속력과 강물의 속력을 각각 구하시오. (단, 강물의 속력은 일정하다.)

26 길이가 180 m인 화물 열차가 어느 다리를 완전히 통과하는 데 50초가 걸리고, 길이가 120 m인 특급 열차가 화물 열차의 2배의 속력으로 이 다리를 완전히 통과하는 데 23초가 걸린다고 한다. 이때 다리의 길이를 구하시오.

(단, 두 열차의 속력은 각각 일정하다.)

8 농도, 합금에 대한 문제

27 3 %의 설탕물과 6 %의 설탕물을 섞어서 4 %의 설탕물 750 g을 만들려고 한다. 이때 3 %의 설탕물과 6 %의 설탕물은 각각 몇 g을 섞으면 되는지 구하시오.

서술형 ✐

28 5 %의 소금물과 10 %의 소금물을 섞은 후 물을 더 넣어 3 %의 소금물 500 g을 만들었다. 5 %의 소금물과 더 넣은 물의 양의 비가 1 : 2일 때, 더 넣은 물의 양을 구하시오.

29 두 그릇 A, B에 농도가 다른 소금물이 들어 있다. 그릇 A의 소금물 100 g과 그릇 B의 소금물 200 g을 섞었더니 8 %의 소금물이 되었고, 그릇 A의 소금물 200 g과 그릇 B의 소금물 100 g을 섞었더니 6 %의 소금물이 되었다. 이때 그릇 B에 들어 있는 소금물의 농도를 구하시오.

30 오른쪽 표는 두 합금 A, B에 들어 있는 구리와 아연의 비율을 백

	A	B
구리(%)	15	10
아연(%)	15	30

분율로 나타낸 것이다. 두 합금 A, B를 합하여 구리 300 g, 아연 450 g을 포함하는 합금을 만들려고 할 때, 두 합금 A, B는 각각 몇 g이 필요한지 구하시오.

01 각 자리의 숫자의 합이 9인 세 자리의 자연수가 있다. 십의 자리의 숫자와 일의 자리의 숫자의 합은 백의 자리의 숫자의 2배이고, 숫자의 배열을 거꾸로 하여 만든 수는 처음 수보다 99만큼 클 때, 처음 수의 각 자리의 숫자의 곱을 구하시오.

해결 **Plus**⁺

02 한 개에 800원 하는 사과와 한 개에 1000원 하는 복숭아를 합하여 15개를 주문하였다. 그런데 사과와 복숭아의 개수가 서로 바뀌어 배달이 와서 예상했던 금액보다 600원이 적게 들었다. 처음 주문한 사과와 복숭아의 개수는 각각 몇 개인지 구하시오.

03 10명을 뽑는 뮤지컬 오디션에 60명이 지원하였다. 합격자의 최저 점수는 전체 지원자의 평균보다 1점이 높고, 합격자의 평균보다 5점이 낮았다. 또, 불합격자의 평균의 3배는 합격자의 평균의 2배보다 10점이 높았다. 이때 합격자의 최저 점수를 구하시오.

10명을 뽑는데 60명이 지원하였으므로 합격자는 10명, 불합격자는 50명이다.

서술형 ✎

04 다음은 어느 대학 신문 기사의 일부이다. 이 대학의 수시 모집에서 합격자의 수가 100명일 때, 남자 지원자의 수를 구하시오.

(남자 지원자의 수)
$=\dfrac{5}{8}\times$(전체 지원자의 수)

> 올해 우리 대학은 수시 모집으로 입학 정원의 80 %를 선발하였다. 학교 생활기록부, 면접, 실기, 서류 전형 등 4개 요소를 주로 활용한 이번 수시 모집에서 입학 지원자의 남녀의 비는 5 : 3이고, 합격자의 남녀의 비는 3 : 2, 불합격자의 남녀의 비는 7 : 4이다.

05 어느 고등학교에는 A, B 두 개의 기숙사가 있다. 매년 A기숙사 학생의 30 %는 B기숙사로 옮기고, B기숙사 학생의 40 %는 A기숙사로 옮긴다고 한다. 올해 A기숙사에 있는 학생이 580명, B기숙사에 있는 학생이 420명이라 할 때, 작년에 A기숙사에 있던 학생 수를 구하시오.

해결 Plus⁺

올해 A기숙사에 있는 학생 수는 작년에 A기숙사에 있던 학생의 70 %와 작년에 B기숙사에 있던 학생의 40 %를 합한 수이고, 올해 B기숙사에 있는 학생 수는 작년에 A기숙사에 있던 학생의 30 %와 작년에 B기숙사에 있던 학생의 60 %를 합한 수이다.

06 A, B 두 상품을 합하여 8000원에 사서 두 상품에 똑같이 30 %의 이익을 붙여서 정가를 정하였더니 잘 팔리지 않아 상품 A는 정가의 10 %를 할인하여 팔고, 상품 B는 정가의 20 %를 할인하여 팔았다. 총 이익이 1100원일 때, 상품 A와 상품 B의 원가는 각각 얼마인지 구하시오.

07 어떤 일을 소희가 혼자서 하면 x일, 유이가 혼자서 하면 y일이 걸리고 소희와 유이가 같이 하면 하루에 전체 일의 양의 $\frac{13}{84}$만큼 할 수 있다고 한다. 이 일을 소희와 유이가 함께 5일 동안 하고 나머지를 소희가 혼자서 2일 동안, 유이가 혼자서 1일 동안 하여 끝냈다. 이때 $x+y$의 값을 구하시오.

소희는 하루에 $\frac{1}{x}$만큼, 유이는 하루에 $\frac{1}{y}$만큼 일을 한다.

창의력⚡

08 A, B, C 세 사람이 방을 도배하려고 한다. A, B, C 세 사람이 모두 같이 하면 1시간이 걸리고 A, B 두 사람이 같이 하면 1시간 30분, B, C 두 사람이 같이 하면 2시간이 걸린다고 한다. A, C 두 사람이 같이 도배를 할 때, 걸리는 시간을 구하시오.

09 둘레의 길이가 9 km인 호수의 둘레를 준석이와 시연이가 같은 장소에서 동시에 출발하여 반대 방향으로 걸으면 40분 후에 두 번째로 다시 만나고, 준석이가 출발한 지 10분 후에 시연이가 출발하여 같은 방향으로 걸으면 준석이가 출발한 지 50분 후에 처음으로 다시 만난다고 한다. 준석이가 시연이보다 빠르게 걷는다고 할 때, 준석이와 시연이의 속력은 각각 분속 몇 m인지 구하시오.

— 해결 Plus⁺

10 A열차가 길이가 500 m인 다리를 완전히 지나가는 데 16초가 걸리고, 이 열차보다 길이가 40 m 짧은 B열차가 A열차의 속력보다 초속 10 m 더 빠른 속력으로 이 다리를 완전히 지나가는 데 12초가 걸린다고 한다. 이때 A열차의 길이를 구하시오. (단, 두 열차의 속력은 각각 일정하다.)

11 5 %의 소금물과 10 %의 소금물을 섞어서 7 %의 소금물을 만들려고 했는데 잘못하여 두 소금물의 양을 바꾸어 넣었다. 이때 만들어지는 소금물의 농도를 구하시오.

두 소금물의 양을 바꾸어 넣었을 때 만들어지는 소금물의 농도를 a %로 놓고 연립방정식을 세운다.

서술형 ✏️

12 다음 표는 두 식품 A, B의 100 g에 들어 있는 철분의 양과 열량, 가격을 나타낸 것이다. 두 식품 A, B의 철분의 양의 합이 13.6 g이 되도록 두 식품을 구매하였더니 식품 A와 식품 B의 가격의 비가 1 : 3이 되었다. 이때 구매한 두 식품 A, B의 열량의 합을 구하시오.

먼저 구매한 두 식품 A, B의 양을 구해 본다.

식품	철분(g)	열량(kcal)	가격(원)
A	0.4	32	380
B	0.8	20	950

IV

연립일차방정식

01　8분짜리 곡과 6분짜리 곡을 섞어서 총 1시간 45분 동안 연주하기로 계획했었던 음악회가 8분짜리 곡과 6분짜리 곡의 수가 바뀌어서 연주되었다. 이때 걸린 시간이 1시간 57분이었을 때, 처음에 연주하려고 계획했었던 6분짜리 곡은 모두 몇 곡이었는지 구하시오. (단, 곡과 곡 사이에는 1분 동안의 쉬는 시간이 있다.)

02　융합형 ✎
어느 해 유준이네 집의 9월, 10월 도시가스 사용량과 요금은 각각 $89\,m^3$에 44000원, $102\,m^3$에 50500원이었다. 도시가스 요금을 계산하는 방법은 (도시가스 요금)=(기본요금)+(추가 요금)이고 기본요금은 일정한 사용량 $a\,m^3$까지는 3500원이 부과되고, 추가 요금은 $a\,m^3$ 초과 사용량에 대하여 $1\,m^3$ 당 b원씩 부과된다고 한다. 이때 a, b의 값을 각각 구하시오.

03　어느 공사장에서는 목수, 미장공, 철근공이 일을 한다. 목수, 미장공, 철근공이 3일 전에는 각각 5명, 3명, 2명이 일하고 총 임금을 78만 원 받았고, 2일 전에는 각각 6명, 1명, 5명이 일하고 총 임금을 91만 원 받았다. 또, 어제는 각각 4명, 5명, 2명이 일하고 총 임금을 89만 원 받았다. 오늘은 각각 5명, 4명, 3명이 일을 하러 왔을 때, 오늘 받을 총 임금은 얼마인지 구하시오.

(단, 목수, 미장공, 철근공의 1일 임금은 각각 일정하다.)

04 A, B 두 지점 사이를 민수는 뛰고, 희영이는 걸어서 계속 왕복한다. A지점에서 동시에 출발하여 출발한 지 40분 후 민수가 B지점에서 A지점으로 돌아오는 길에 처음으로 희영이를 만났고, 만난 지 20분 후 민수가 다시 A지점에서 B지점으로 갈 때, B지점으로 가고 있는 희영이를 두 번째로 만났다. 이때 희영이가 A지점에서 B지점까지 가는 데 걸리는 시간은 몇 분인지 구하시오.

(단, 민수와 희영이의 속력은 각각 일정하다.)

05 20 km 떨어진 강의 두 지점을 왕복하는 배가 있다. 강물을 거슬러 올라가다가 중간에 배가 고장이 나서 20분간 떠내려가는 바람에 다시 거슬러 올라갔다가 내려오는 데 2시간 20분이 걸렸다. 떠내려간 시간을 제외하면 거슬러 올라가는 데 걸린 시간은 내려가는 데 걸린 시간의 2배였다. 이때 정지한 물에서의 배의 속력을 구하시오.

(단, 강물과 배의 속력은 일정하고, 배가 고장이 났을 때의 배의 속력은 시속 0 km이다.)

STEP UP ✏

06 두 비커 A, B에는 각각 농도가 a %, b %인 소금물이 800 g씩 들어 있다. 비커 A에 들어 있는 소금물의 반을 비커 B에 넣고 섞은 후, 다시 비커 B에 들어 있는 소금물의 반을 비커 A에 넣고 섞었더니 비커 A에 들어 있는 소금물의 농도는 14 %, 비커 B에 들어 있는 소금물의 농도는 10 %가 되었다. 이때 a, b의 값을 각각 구하시오.

교과서 속 창의 사고력

01 연립방정식 $\begin{cases} 2x_1+x_2+x_3+x_4+x_5=6 \\ x_1+2x_2+x_3+x_4+x_5=12 \\ x_1+x_2+2x_3+x_4+x_5=24 \\ x_1+x_2+x_3+2x_4+x_5=48 \\ x_1+x_2+x_3+x_4+2x_5=96 \end{cases}$ 의 해 x_1, x_2, x_3, x_4, x_5에 대하여

$3x_4+2x_5$의 값을 구하시오.

풀이▶

답▶

생각 Plus⁺

계수의 규칙성을 이용하여 미지수가 여러 개인 연립방정식의 해를 구한다.

02 오른쪽 식은 네 자리의 자연수의 덧셈을 한 것이다. ㉠, ㉡에 알맞은 수를 각각 구하시오.
(단, A, B는 한 자리의 자연수)

```
    1  ㉠  B  A
 +  B  0  1  A
 ───────────────
    A  4  ㉡  B
```

천의 자리의 덧셈과 일의 자리의 덧셈을 이용하여 연립방정식을 세운다.

풀이▶

답▶

03

1개는 짝수이고, 3개는 홀수인 서로 다른 4개의 자연수가 있다. 이들 중에서 서로 다른 두 수의 합을 모두 나열하면 다음과 같을 때, 짝수를 구하시오.

$$15, \quad 20, \quad 25, \quad 30, \quad 35, \quad 40$$

생각 Plus⁺

(짝수)+(홀수)=(홀수),
(홀수)+(홀수)=(짝수)임을 이용한다.

풀이▶

답▶

04

영준이네 반 학생 34명이 봉사활동을 하려고 한다. 각자 월요일부터 금요일 중 하루를 정해서 봉사활동을 하고, 토요일은 반 전체 학생이 봉사활동을 하고 일요일은 봉사활동을 하지 않는다. 학생들이 각자 희망하는 요일을 신청한 결과 월요일 또는 수요일을 신청한 학생은 17명, 월요일 또는 금요일을 신청한 학생은 13명, 화요일 또는 수요일 또는 목요일을 신청한 학생은 21명, 목요일 또는 금요일을 신청한 학생은 9명이었다. 이때 화요일을 신청한 학생 수를 구하시오.

(단, 학생들은 희망하는 요일을 하루만 신청할 수 있다.)

월요일, 화요일, 수요일, 목요일, 금요일을 신청한 학생 수를 각각 a명, b명, c명, d명, e명으로 놓는다.

풀이▶

답▶

05 어느 강의 선착장에서 속력이 일정한 배를 타고 하류로 30 km를 내려가는 데 3시간, 다시 상류로 선착장까지 30 km를 올라오는 데 4시간이 걸린다고 한다. 이 배를 타고 이 강을 구경하기 위하여 왕복하는 데 3시간 30분이 걸리는 관광 코스를 짜려고 할 때, 선착장에서 배를 타고 하류로 몇 km를 내려갔다가 돌아오면 되는지 구하시오. (단, 강물의 속력은 일정하다.)

생각 Plus⁺

하류로 내려갈 때의 속력과 상류로 올라올 때의 속력을 먼저 구한다.

풀이▶

답▶

06 원료 a와 원료 b의 양의 비가 3 : 2인 약품 A와 원료 a와 원료 b의 양의 비가 5 : 2인 약품 B를 섞어서 원료 a와 원료 b의 양의 비가 7 : 3인 약품을 200 g 만들려고 한다. 이때 두 약품 A와 B는 각각 몇 g이 필요한지 구하시오.

먼저 만들려고 하는 약품 200 g에 들어 있는 원료 a와 원료 b의 양을 각각 구해 본다.

풀이▶

답▶

V

함수

1 일차함수와 그래프 (1)

1 함수와 함숫값

(1) 함수 → 여러 가지로 변하는 값을 나타내는 문자
① 두 변수 x, y에 대하여 x의 값이 변함에 따라 y의 값이 하나씩 정해지는 대응 관계가 있을 때, y를 x의 함수라 한다.
② y가 x의 함수일 때, 기호로 $y=f(x)$와 같이 나타낸다.
  참고 x의 값 하나에 대하여 y의 값이 정해지지 않거나 두 개 이상으로 정해지면 y는 x의 함수가 아니다.

(2) 함숫값 함수 $y=f(x)$에서 x의 값이 정해지면 그에 따라 정해지는 y의 값, 즉 $f(x)$를 x의 함숫값이라 한다.

- $y=f(x)$에서 f는 함수를 뜻하는 function의 첫 글자이다.

- 함수 $y=f(x)$에서
  $f(a) \Rightarrow x=a$일 때의 함숫값
  $\Rightarrow x=a$일 때, y의 값
  $\Rightarrow f(x)$에 x 대신 a를 대입하여 얻은 값

2 일차함수의 뜻과 그래프

(1) 일차함수 함수 $y=f(x)$에서 y가 x에 대한 일차식 $y=ax+b\,(a, b$는 상수, $a \neq 0)$로 나타날 때, 이 함수를 x에 대한 일차함수라 한다.
  └→ $f(x)=ax+b$로 나타내기도 한다.
  참고 특별한 언급이 없으면 x의 값의 범위는 수 전체로 본다.

(2) 일차함수의 그래프
① 함수의 그래프 : 함수 $y=f(x)$에서 x의 값에 대한 함숫값 y의 순서쌍 (x, y)를 좌표로 하는 모든 점을 좌표평면 위에 나타낸 것
② 평행이동 : 한 도형을 일정한 방향으로 일정한 거리만큼 옮기는 것
③ 일차함수 $y=ax+b$의 그래프 : 일차함수 $y=ax$의 그래프를 y축의 방향으로 b만큼 평행이동한 직선
  참고 일차함수 $y=ax+b$의 그래프를 y축의 방향으로 m만큼 평행이동한 그래프를 나타내는 식
  $\Rightarrow y=ax+b+m$
    └→ 평행이동한만큼 더한다.

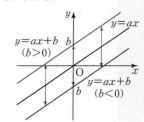

- a, b는 상수이고 $a \neq 0$일 때
  ① x에 대한 일차식
    $\Rightarrow ax+b$
  ② x에 대한 일차방정식
    $\Rightarrow ax+b=0$
  ③ x에 대한 일차함수 y
    $\Rightarrow y=ax+b$

- 평행이동하여도 그래프의 모양은 변화가 없다.

- 일차함수 $y=ax\,(a \neq 0)$의 그래프
  ① 원점을 지난다.
  ② $a>0$일 때 오른쪽 위로 향하는 직선이고, $a<0$일 때 오른쪽 아래로 향하는 직선이다.

3 일차함수의 그래프의 절편

(1) 일차함수의 그래프의 x절편, y절편
① x절편 : 일차함수의 그래프가 x축과 만나는 점의 x좌표
  $\Rightarrow y=0$일 때의 x의 값
② y절편 : 일차함수의 그래프가 y축과 만나는 점의 y좌표
  $\Rightarrow x=0$일 때의 y의 값
③ 일차함수 $y=ax+b$의 그래프에서

$$(x\text{절편})=-\frac{b}{a}, \ (y\text{절편})=b$$

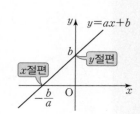

- 일차함수의 그래프가 x축과 만나는 점의 좌표는 (x절편, 0)이고, y축과 만나는 점의 좌표는 ($0, y$절편)이다.

(2) x절편과 y절편을 이용하여 일차함수의 그래프 그리기
❶ x절편과 y절편을 각각 구한다.
❷ 그래프가 x축 및 y축과 만나는 점의 좌표를 구한다.
❸ 두 점을 직선으로 연결한다.

- 일차함수의 그래프는 직선이므로 그래프 위의 서로 다른 두 점을 알면 그 그래프를 그릴 수 있다.

4 일차함수의 그래프의 기울기

(1) 일차함수의 그래프의 기울기

일차함수 $y=ax+b$에서 x의 값의 증가량에 대한 y의 값의 증가량의 비율은 항상 일정하며, 그 비율은 x의 계수 a와 같다.

이 증가량의 비율 a를 일차함수 $y=ax+b$의 그래프의 기울기라 한다.

➡ $(\text{기울기})=\dfrac{(y\text{의 값의 증가량})}{(x\text{의 값의 증가량})}=a$ ← x의 계수

(2) 기울기와 y절편을 이용하여 일차함수의 그래프 그리기

❶ y절편을 좌표평면 위에 나타낸다.

❷ 기울기를 이용하여 그래프가 지나는 다른 한 점을 찾는다.

❸ 두 점을 직선으로 연결한다.

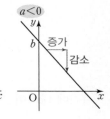

$y=ax+b$
기울기 y절편

• 두 점 (x_1, y_1), (x_2, y_2)를 지나는 일차함수의 그래프의 기울기

➡ $\dfrac{y_2-y_1}{x_2-x_1}=\dfrac{y_1-y_2}{x_1-x_2}$ (단, $x_1 \neq x_2$)

5 일차함수 $y=ax+b$의 그래프의 성질

(1) a의 부호   그래프의 모양 결정

① $a>0$일 때, x의 값이 증가하면 y의 값도 증가한다.

➡ 그래프는 오른쪽 위로 향하는 직선

② $a<0$일 때, x의 값이 증가하면 y의 값은 감소한다.

➡ 그래프는 오른쪽 아래로 향하는 직선

(2) b의 부호   그래프가 y축과 만나는 부분 결정

① $b>0$일 때, y축과 양의 부분에서 만난다. ➡ y절편이 양수

② $b<0$일 때, y축과 음의 부분에서 만난다. ➡ y절편이 음수

참고 일차함수 $y=ax+b$의 그래프가 지나는 사분면

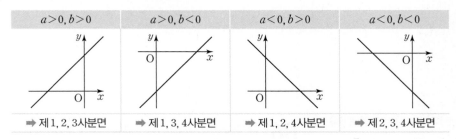

$a>0, b>0$	$a>0, b<0$	$a<0, b>0$	$a<0, b<0$
➡ 제1, 2, 3사분면	➡ 제1, 3, 4사분면	➡ 제1, 2, 4사분면	➡ 제2, 3, 4사분면

• 일차함수 $y=ax+b$의 그래프에서 b의 값이 일정할 때, $|a|$가 클수록 그래프는 y축에 가깝고, $|a|$가 작을수록 그래프는 x축에 가깝다.

• $b=0$이면 원점을 지난다.

6 일차함수의 그래프의 평행과 일치

(1) 기울기가 같은 두 일차함수의 그래프는 서로 평행하거나 일치한다.

두 일차함수 $y=ax+b$, $y=cx+d$에서

① $a=c$, $b \neq d$이면 두 그래프는 평행하다. → 기울기는 같고 y절편은 다르다.

② $a=c$, $b=d$이면 두 그래프는 일치한다. → 기울기도 같고 y절편도 같다.

(2) 서로 평행한 두 일차함수의 그래프의 기울기는 같다.

• $a \neq c$, 즉 기울기가 다르면 두 그래프는 한 점에서 만난다.

V

함수

1 함수와 함숫값

01 다음 중 y가 x의 함수가 <u>아닌</u> 것을 모두 고르면?

(정답 2개)

① 자연수 x를 2로 나눈 나머지 y

② 자연수 x의 약수 y

③ 한 개에 100원 하는 물건 x개의 값 y원

④ 넓이가 16 cm²인 삼각형의 밑변의 길이가 x cm일 때, 높이 y cm

⑤ 절댓값이 x인 수 y

필수 ✓

02 두 함수 $f(x)=3x$, $g(x)=\dfrac{6}{x}+2$에 대하여 $f(2)-f(3)=k$일 때, $g(k)$의 값을 구하시오.

03 함수 $f(x)=ax+2-(a+x)$가 $f(4)=7$을 만족시킬 때, $f(3)$의 값을 구하시오. (단, a는 상수)

04 $1 \le x \le 10$인 자연수 x에 대하여 함수 $f(x)=(x$의 약수의 개수)일 때, $f(x)$의 최댓값 M과 최솟값 m을 각각 구하시오.

2 일차함수의 뜻과 그래프

05 다음 중 y가 x에 대한 일차함수가 <u>아닌</u> 것을 모두 고르면? (정답 2개)

① 시속 60 km로 x시간 동안 간 거리 y km

② 한 변의 길이가 x cm인 정사각형의 넓이 y cm²

③ 하루 중 낮의 길이를 x시간이라 할 때, 밤의 길이 y시간

④ 100 L의 물통에 1분에 x L씩 물을 넣을 때, 물통을 가득 채우는 데 걸리는 시간 y분

⑤ 가로, 세로의 길이가 각각 5 cm, x cm인 직사각형의 둘레의 길이 y cm

06 함수 $y=x(ax+3)-bx+8$이 x에 대한 일차함수가 되도록 하는 상수 a, b의 조건을 각각 구하시오.

07 일차함수 $f(x)=ax+b$에 대하여 $f(1)=-2$, $f(3)=6$일 때, $f(2)+f(0)$의 값을 구하시오. (단, a, b는 상수)

10 일차함수 $y=-3x+k$의 그래프가 점 $(-2, 10)$을 지날 때, 이 그래프 위의 점 중에서 x좌표와 y좌표가 같은 점의 좌표를 구하시오. (단, k는 상수)

08 두 일차함수 $f(x)=ax+4$, $g(x)=\dfrac{3}{2}x+b$에 대하여 $f(2)=-2$, $g(4)=5$일 때, $f(-1)-2g(1)$의 값을 구하시오. (단, a, b는 상수)

3 일차함수의 그래프의 x절편, y절편

11 일차함수 $y=\dfrac{2}{3}x-1$의 그래프를 y축의 방향으로 5만큼 평행이동한 그래프의 x절편을 a, y절편을 b라 할 때, $b-a$의 값을 구하시오.

09 일차함수 $y=3x-1$의 그래프를 y축의 방향으로 3만큼 평행이동한 그래프가 점 $(-k, k)$를 지날 때, k의 값을 구하시오.

12 일차함수 $y=ax+7$의 그래프는 일차함수 $y=2x+6$의 그래프와 x절편이 같고, 일차함수 $y=-\dfrac{1}{3}x+b$의 그래프와 y절편이 같다. 이때 a, b의 값을 각각 구하시오. (단, a, b는 상수)

V

함수

4 일차함수의 그래프의 기울기

13 일차함수 $y=ax-5$의 그래프가 점 $(3, -3)$을 지난다. 이 일차함수에서 x의 값이 -2에서 7까지 증가할 때, y의 값의 증가량을 구하시오.

(단, a는 상수)

14 일차함수 $y=f(x)$에 대하여 $f(b)-4b=f(a)-4a$일 때, $\dfrac{f(2)-f(-2)}{2-(-2)}$의 값을 구하시오. (단, $a \neq b$)

15 일차함수 $y=ax+1$의 그래프가 두 점 $(-1, k+1)$, $(4, k)$를 지날 때, $a-k$의 값을 구하시오. (단, a는 상수)

16 세 점 $(-1, -2)$, $(2, 7)$, $(k, 2k+5)$가 한 직선 위에 있을 때, k의 값을 구하시오.

5 일차함수의 그래프와 좌표축으로 둘러싸인 도형의 넓이

필수 ✓

17 오른쪽 그림과 같이 두 일차함수 $y=\dfrac{5}{3}x-5$, $y=-x+3$의 그래프와 y축으로 둘러싸인 △ACB의 넓이를 구하시오.

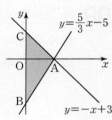

18 일차함수 $y=ax+4$의 그래프와 x축 및 y축으로 둘러싸인 도형의 넓이가 10일 때, 상수 a의 값을 구하시오. (단, $a>0$)

6 일차함수 $y=ax+b$의 그래프의 성질

19 다음 보기 중 일차함수 $y=2x-5$의 그래프에 대한 설명으로 옳은 것을 모두 고르시오.

> 보기
>
> ㉠ 일차함수 $y=2x+1$의 그래프를 y축의 방향으로 -4만큼 평행이동한 것이다.
> ㉡ x의 값이 2만큼 증가할 때, y의 값은 4만큼 증가한다.
> ㉢ 점 $(2, -1)$을 지나고, 오른쪽 위로 향하는 직선이다.
> ㉣ 일차함수 $y=-2x-5$의 그래프와 x축 위에서 만난다.

서술형

20 일차함수 $y=-ax+b$의 그래프가 오른쪽 그림과 같을 때, 일차함수 $y=\dfrac{a}{b}x-\dfrac{1}{b}$의 그래프가 지나지 않는 사분면을 구하시오.
（단, a, b는 상수)

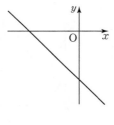

21 $a<0$, $b<0$일 때, 일차함수 $y=(a+b)x+ab$의 그래프가 지나지 않는 사분면을 구하시오.

7 일차함수의 그래프의 평행과 일치

22 두 일차함수 $y=2ax-4$, $y=-3x+b$의 그래프가 서로 만나지 않도록 하는 상수 a, b의 조건을 구하시오.

23 일차함수 $y=(a-b)x+(2a+b)$의 그래프는 일차함수 $y=-6x+3$의 그래프와 평행하고 점 $(-1, 3)$을 지난다. 이때 $a+b$의 값을 구하시오.
（단, a, b는 상수)

24 점 $(1, 4)$를 지나는 일차함수 $y=ax+3$의 그래프를 y축의 방향으로 b만큼 평행이동하였더니 일차함수 $y=cx-4$의 그래프와 일치하였다. 이때 $a+b+c$의 값을 구하시오. (단, a, c는 상수)

V

함수

완성하기

01 함수 $y=f(x)$가 다음 조건을 모두 만족시킬 때, $f(2)+f(4)+f(5)$의 값을 구하시오.

> 조건
> (가) $f(1)=2$
> (나) 두 수 a, b에 대하여 $f(a+b)=f(a)+f(b)-ab$

02 함수 $f\left(\dfrac{3x+2}{x-1}\right)=-3x+1$일 때, $f(1)$의 값을 구하시오.

03 오른쪽 그림에서 두 점 A, D는 각각 일차함수 $y=\dfrac{3}{2}x$, $y=-2x+6$의 그래프 위에 있다. 사각형 ABCD가 정사각형일 때, 점 D의 좌표를 구하시오.

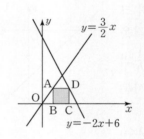

04 좌표평면 위의 네 점 $A(-2, 1)$, $B\left(-\dfrac{5}{2}, -2\right)$, $C(3, -2)$, $D(1, 3)$을 꼭짓점으로 하는 사각형 ABCD가 있다. 일차함수 $y=\dfrac{1}{2}x+k$의 그래프가 사각형 ABCD와 만날 때, 상수 k의 최댓값과 최솟값의 합을 구하시오.

05 일차함수 $y=-\dfrac{a}{b}x+\dfrac{c}{b}$의 그래프의 x절편이 -2이고 y절편이 3일 때,

$\dfrac{c}{a+b}$의 값을 구하시오. (단, a, b, c는 상수)

해결 Plus⁺

06 두 일차함수 $y=-\dfrac{3}{2}x+6$, $y=2x+a$의 그래프가 x축과 만나는 점을 각각 P, Q라 할 때, $\overline{\mathrm{PQ}}=3$을 만족시키는 상수 a의 값을 모두 구하시오.

점 P의 좌표를 구한 후 $\overline{\mathrm{PQ}}=3$을 만족시키는 점 Q의 좌표를 모두 구한다.

07 일차함수 $y=f(x)$에 대하여 $f(x)=ax+b$이다. 일차함수 $y=f(x)$가 다음 조건을 모두 만족시킬 때, $a+b+c-k$의 값을 구하시오. (단, a, b는 상수, $a\neq0$)

> ╱ 조건 ╱
> ㈎ 일차함수 $y=f(x)$에 대하여 $f(2p)+4p=f(2q)+4q$이다.
> ㈏ 일차함수 $y=f(x)$의 그래프는 두 점 $(2, 3)$, $(c, 9)$를 지난다.
> ㈐ 일차함수 $y=f(x)$에서 x의 값이 2만큼 증가할 때, y의 값은 k만큼 증가한다.

창의력 ⚡

08 좌표평면 위의 점 (x, y)를 점 $(x+y, ax-y)$로 옮기는 규칙이 있다. 이 규칙에 따라 세 점 $(0, 0)$, $(1, 4)$, $(3, 0)$을 이동시켰더니 이동한 점들이 한 직선 위에 있었다. 이때 a의 값을 구하시오.

함수

09 일차함수 $y=ax+b$의 그래프를 그리는데 서영이는 a를, 호준이는 b를 잘못 보고 그려서 오른쪽 그림과 같이 그렸다. 일차함수 $y=ax+b$의 그래프를 바르게 그렸을 때, 그래프가 지나지 않는 사분면을 구하시오. (단, a, b는 상수)

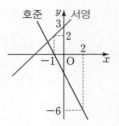

해결 Plus⁺

서영이는 b를 바르게 보았고, 호준이는 a를 바르게 보았다.

융합형 ✎

10 오른쪽 그림과 같이 x축과 점 A에서 만나는 두 일차함수 $y=ax+b$, $y=-\dfrac{1}{3}x+2$의 그래프가 y축과 만나는 점을 각각 B, C라 하자. △ABC의 넓이와 △ACO의 넓이의 비가 $2:1$일 때, $a+b$의 값을 구하시오.

(단, a, b는 상수)

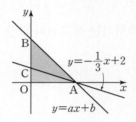

11 두 일차함수 $y=ax+b$, $y=cx+d$의 그래프가 오른쪽 그림과 같을 때, 다음 보기 중 옳은 것을 모두 고르시오.

(단, a, b, c, d는 상수)

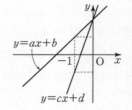

┌ 보기 ┐
ㄱ $a<c$ ㄴ $a-b>0$
ㄷ $c-d<0$ ㄹ $\dfrac{b}{a}>\dfrac{d}{c}$

그래프를 이용하여 $x=-1$일 때 y의 값의 부호를 확인한다.

서술형 ✎

12 일차함수 $y=ax-5$의 그래프가 일차함수 $y=-2x+5$의 그래프와 평행하고, 일차함수 $y=\dfrac{1}{2}x-b$의 그래프와 x축 위에서 만날 때, $a+b$의 값을 구하시오.

(단, a, b는 상수)

01

두 양수 a, b에 대하여 함수 $y=f(x)$는 오른쪽 조건을 모두 만족시킨다고 한다. $f(1)=0$, $f(2)=0.30$, $f(3)=0.47$, $f(10)=1$이고 $f(3.24)=a$일 때, $100a$의 값을 구하시오.

조건

(가) $f(ab)=f(a)+f(b)$

(나) $f\left(\dfrac{a}{b}\right)=f(a)-f(b)$

(다) $f(a^n)=nf(a)$ (단, n은 자연수)

02 다음 보기 중 일차함수 $y=-\dfrac{a}{b}x-\dfrac{c}{b}$의 그래프에 대한 설명으로 옳은 것을 모두 고르시오.

(단, a, b, c는 상수)

보기

㉠ $ac>0$, $bc<0$이면 제 1, 2, 3사분면을 지난다.

㉡ $ab<0$, $bc>0$이면 제 2, 3, 4사분면을 지난다.

㉢ $ab>0$, $bc=0$이면 제 2, 4사분면을 지난다.

03 일차함수 $y=ax+b$ $(b<0)$의 그래프 위를 움직이는 점 P와 두 점 O$(0, 0)$, A$(-3, 2)$를 꼭짓점으로 하는 △OAP의 넓이가 항상 9일 때, ab의 값을 구하시오. (단, a, b는 상수)

2 일차함수와 그래프 (2)

1 일차함수의 식 구하기

(1) 기울기와 y절편을 알 때

기울기가 a이고 y절편이 b인 직선을 그래프로 하는 일차함수의 식은

$$y = ax + b$$

(2) 기울기와 한 점의 좌표를 알 때

기울기가 a이고 점 (x_1, y_1)을 지나는 직선을 그래프로 하는 일차함수의 식은 다음과 같은 순서로 구한다.

❶ 구하는 일차함수의 식을 $y = ax + b$로 놓는다.

❷ $x = x_1$, $y = y_1$을 $y = ax + b$에 대입하여 b의 값을 구한다.

(3) 서로 다른 두 점의 좌표를 알 때

두 점 (x_1, y_1), (x_2, y_2)를 지나는 직선을 그래프로 하는 일차함수의 식은 다음과 같은 순서로 구한다. (단, $x_1 \neq x_2$)

[방법 1] ❶ 기울기 a를 구한다. $\Rightarrow a = \dfrac{y_2 - y_1}{x_2 - x_1} = \dfrac{y_1 - y_2}{x_1 - x_2}$

❷ 구하는 일차함수의 식을 $y = ax + b$로 놓는다.

❸ 두 점 중 한 점의 좌표를 $y = ax + b$에 대입하여 b의 값을 구한다.

[방법 2] ❶ 구하는 일차함수의 식을 $y = ax + b$로 놓는다.

❷ 두 점의 좌표를 $y = ax + b$에 각각 대입한다.

❸ ❷의 두 방정식을 연립하여 a, b의 값을 구한다.

(4) x절편과 y절편을 알 때

x절편이 m, y절편이 n인 직선을 그래프로 하는 일차함수의 식은 두 점 $(m, 0)$,

$(0, n)$을 지나므로 기울기가 $\dfrac{n-0}{0-m} = -\dfrac{n}{m}$이고, y절편이 n이다.

$$\Rightarrow y = -\dfrac{n}{m}x + n \ (단, m \neq 0)$$

* 기울기가 a이고 점 (x_1, y_1)을 지나는 직선을 그래프로 하는 일차함수의 식은
$y - y_1 = a(x - x_1)$

* 두 점 (x_1, y_1), (x_2, y_2)를 지나는 직선을 그래프로 하는 일차함수의 식은
$y - y_1 = \dfrac{y_2 - y_1}{x_2 - x_1}(x - x_1)$
(단, $x_1 \neq x_2$)

2 일차함수의 활용

┌→ 먼저 변하는 양을 x라 하고 x에 따라 변하는 양을 y라 한다.

(1) 문제의 뜻을 파악하여 변수 x, y를 정한다.

(2) 두 변수 x와 y 사이의 관계를 일차함수 $y = ax + b$로 나타낸다.

(3) 함숫값이나 그래프를 이용하여 구하는 값을 찾는다.

(4) 구한 값이 문제의 뜻에 맞는지 확인한다.

최고 수준 입문하기

1 일차함수의 식 구하기

01 일차함수 $y=-3x+4$의 그래프와 평행하고 y절편이 k인 일차함수의 그래프가 점 $(-2, 11)$을 지날 때, k의 값을 구하시오.

02 일차함수 $y=f(x)$에서 x의 값의 증가량에 대한 y의 값의 증가량의 비율이 $\dfrac{1}{2}$이고, $f(-2)=1$일 때, $f(k)=-1$을 만족시키는 k의 값을 구하시오.

03 필수✔
오른쪽 그림과 같은 일차함수의 그래프와 평행하고 일차함수 $y=x+5$의 그래프와 y축 위에서 만나는 직선을 그래프로 하는 일차함수의 식을 구하시오.

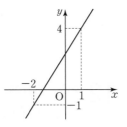

04 두 점 $(-2, 6)$, $(3, -4)$를 지나는 일차함수의 그래프의 x절편과 y절편을 각각 구하시오.

05 두 점 $(3k-5, -k)$, $(3k+1, -k+2)$를 지나는 직선과 평행하고 점 $(3, 3)$을 지나는 직선을 그래프로 하는 일차함수의 식을 구하시오.

06 서술형✎
두 점 $(-3, 1)$, $(2, 6)$을 지나는 일차함수의 그래프를 y축의 방향으로 -7만큼 평행이동하면 점 $(k, 5)$를 지난다. 이때 k의 값을 구하시오.

함수

07 일차함수 $y=ax+b$의 그래프는 일차함수 $y=-\dfrac{1}{2}x+4$의 그래프와 점 $(2, k)$에서 만나고 점 $(-1, -6)$을 지날 때, $a+b+k$의 값을 구하시오. (단, a, b는 상수)

08 일차함수 $y=ax+b$의 그래프가 일차함수 $y=\dfrac{3}{4}x-\dfrac{3}{2}$의 그래프와 x축 위에서 만나고 점 $(0, 4)$를 지날 때, $a+b$의 값을 구하시오.
(단, a, b는 상수)

09 오른쪽 그림과 같은 직선과 y축 위에서 만나고 x절편이 -3인 직선을 그래프로 하는 일차함수의 식을 구하시오.

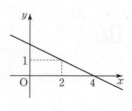

2 일차함수의 활용

10 1 L의 휘발유로 12 km를 이동할 수 있는 자동차에 휘발유 50 L를 넣었다. 다음 물음에 답하시오.

(1) 자동차로 x km를 이동한 후 남아 있는 휘발유의 양을 y L라 할 때, x와 y 사이의 관계를 식으로 나타내시오.

(2) 자동차가 360 km를 이동하였을 때, 남아 있는 휘발유의 양은 몇 L인지 구하시오.

11 길이가 20 cm인 용수철 저울에 추를 매달면 추의 무게가 3 g 늘어날 때마다 용수철의 길이는 1 cm씩 늘어난다. 이 저울에 무게가 12 g인 물건을 매달았을 때, 용수철의 길이를 구하시오.

12 어느 동굴에는 10년에 4 cm씩 자라는 종유석이 있다. 현재 이 종유석의 길이가 38 cm일 때, 길이가 52 cm가 되는 것은 몇 년 후인지 구하시오.

13 지면으로부터 10 km까지는 100 m 높아질 때마다 기온은 0.5 °C씩 내려간다고 한다. 지면의 기온이 13 °C일 때, 기온이 −10 °C인 곳의 높이는 지면으로부터 몇 m인지 구하시오.

14 현재 서울에서 620 km 떨어진 제주도 남쪽 해상에 있는 태풍이 시속 25 km로 서울로 이동하고 있다. 태풍이 제주도에서 서울에 도달할 때까지 걸리는 시간을 구하시오. (단, 태풍은 제주도에서 서울로 직선거리로 이동한다.)

서술형 ✎

15 다음 표는 기온의 변화에 따른 소리의 속력을 나타낸 것이다. 소리의 속력이 초속 345.4 m일 때의 기온을 구하시오.

기온 (°C)	⋯	0	5	10	15	20	⋯
소리의 속력 (m/초)	⋯	331	334	337	340	343	⋯

16 1분에 4 mL씩 주사약이 들어가는 링거 주사가 있다. 이 링거 주사의 주사약의 양은 500 mL이고 링거 주사를 다 맞은 시각이 오후 7시일 때, 링거 주사를 맞기 시작한 시각을 구하시오.

17 다음 그림과 같이 정사각형 모양의 타일을 붙여 나갈 때, 10단계에서 필요한 타일의 개수를 구하시오.

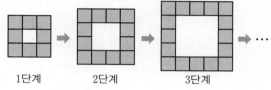

1단계 2단계 3단계

필수 ✔

18 오른쪽 그림과 같은 직사각형 ABCD에서 점 P가 꼭짓점 B를 출발하여 $\overline{BC}$를 따라 꼭짓점 C까지 매초 3 cm씩 움직이고 있다. 이때 사각형 APCD의 넓이가 36 cm²가 되는 것은 점 P가 꼭짓점 B를 출발한 지 몇 초 후인지 구하시오.

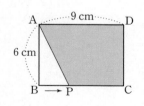

완성하기

해결 Plus⁺

융합형 ✎

01 오른쪽 그림에서 사각형 OABC는 평행사변형이다. 이때 두 점 A, B를 지나는 직선을 그래프로 하는 일차함수의 식을 구하시오. (단, 점 O는 원점)

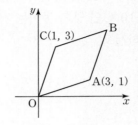

$\overline{\text{OC}} \parallel \overline{\text{AB}}$이므로 먼저 두 점 O, C를 지나는 직선의 기울기를 구한다.

02 규진이와 성현이가 일차함수 $y=ax+b$의 그래프를 그리는데 규진이는 a를 잘못 보고 두 점 $(1, -6)$, $(2, -4)$를 지나도록 그렸고, 성현이는 b를 잘못 보고 두 점 $(-3, 4)$, $(0, 8)$을 지나도록 그렸다. 일차함수 $y=ax+b$의 그래프가 점 $(18, k)$를 지날 때, k의 값을 구하시오. (단, a, b는 상수)

03 일차함수 $y=ax+b$의 그래프가 다음 조건을 모두 만족시킬 때, $a-b$의 값을 구하시오. (단, a, b는 상수)

┌ 조건
⑴ x절편과 y절편은 절댓값이 같고 부호가 반대이다.
⑵ 점 $(2, 4)$를 지난다.

04 오른쪽 그림과 같이 좌표평면 위에 중심이 원점인 원 O가 있다. 색칠한 부분의 넓이가 $\dfrac{9}{4}\pi - \dfrac{9}{2}$일 때, 두 점 A, B를 지나는 직선을 그래프로 하는 일차함수의 식을 구하시오.

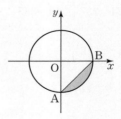

(색칠한 부분의 넓이)
=(부채꼴 BOA의 넓이)
   $-\triangle$OAB

05 압력이 일정할 때, 기체의 부피는 온도가 $1\,^\circ\text{C}$ 올라갈 때마다 $0\,^\circ\text{C}$일 때의 부피의 $\dfrac{1}{273}$만큼 증가한다고 한다. 압력이 일정할 때, $0\,^\circ\text{C}$일 때의 부피가 $1638\,\text{cm}^3$인 어떤 기체의 부피가 $1830\,\text{cm}^3$가 되는 온도를 구하시오.

06 물이 가득 차 있는 원기둥 모양의 물통에서 일정한 속력으로 물이 빠져나가고 있다. 5분 후와 10분 후의 수면의 높이를 각각 재었더니 $50\,\text{cm}$와 $35\,\text{cm}$이었을 때, 물통에서 물이 다 빠져나갈 때까지 걸리는 시간은 몇 분인지 구하시오.

■ 해결 Plus⁺

(5분 동안 줄어든 수면의 높이)
＝(5분 후 수면의 높이)
　－(10분 후 수면의 높이)

서술형 ✒

07 알코올 램프로 물을 데우면 4분마다 물의 온도가 $6\,^\circ\text{C}$씩 올라가고, 알코올 램프에서 내려놓으면 3분마다 물의 온도가 $4\,^\circ\text{C}$씩 내려간다. $20\,^\circ\text{C}$의 물을 알코올 램프로 $65\,^\circ\text{C}$까지 데웠다가 알코올 램프에서 내려놓아 $37\,^\circ\text{C}$까지 식혔다. 이때 걸린 시간은 총 몇 분인지 구하시오.

$20\,^\circ\text{C}$의 물을 $65\,^\circ\text{C}$까지 데우는 데 걸리는 시간과 $65\,^\circ\text{C}$의 물을 $37\,^\circ\text{C}$까지 식히는 데 걸리는 시간을 각각 구한다.

08 오른쪽 그림과 같은 직사각형 ABCD에서 점 P가 꼭짓점 D를 출발하여 $\overline{\text{DC}},\ \overline{\text{CB}},\ \overline{\text{BA}}$를 지나 꼭짓점 A까지 움직인다. 점 P가 움직인 거리를 $x\,\text{cm}$, $\triangle\text{APD}$의 넓이를 $y\,\text{cm}^2$라 할 때, x와 y 사이의 관계를 식으로 나타내시오. (단, $0<x<20$)

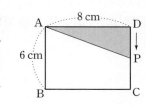

V

함수

01 창의력 ⚡

오른쪽 그림과 같이 좌표평면 위에 두 점 A(3, 4), B(9, 4)가 있다. x축과 y축 위에 각각 점 P, Q를 잡아 $\overline{AQ}+\overline{QP}+\overline{PB}$의 길이가 최소가 되게 하려고 할 때, 두 점 P, Q의 좌표를 각각 구하시오.

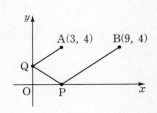

02

오른쪽 그림과 같이 좌표평면 위에 합동인 두 정사각형 ABCD와 BEFG가 있다. 두 점 C, F를 지나는 직선을 그래프로 하는 일차함수의 식을 구하시오.

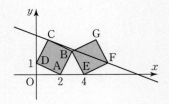

03 STEP UP ✔

원기둥 모양의 빈 물탱크에 펌프로 1시간에 $10 \, \mathrm{m}^3$씩 물을 넣고 있다. 물을 넣기 시작한 지 1시간 후에 펌프가 고장이 나서 물을 넣는 것을 중단하고 50분 동안 펌프를 수리하였다. 수리 후에는 1시간에 넣는 물의 양을 고장이 나기 전보다 20 % 증가시켰더니 처음 예정되었던 것보다 10분 늦게 물탱크에 물이 가득 찼다. 물탱크에 물이 가득 찼을 때의 물의 부피를 구하시오.

3 일차함수와 일차방정식의 관계

1 일차함수와 일차방정식

미지수가 2개인 일차방정식 $ax+by+c=0$ $(a, b, c$는 상수, $a\neq0, b\neq0)$의 그래프는 일차함수 $y=-\dfrac{a}{b}x-\dfrac{c}{b}$의 그래프와 같다.

$$\boxed{ax+by+c=0\ (a\neq0, b\neq0)}\ \underset{\text{일차방정식}}{\overset{\text{일차함수}}{\rightleftarrows}}\ \boxed{y=-\dfrac{a}{b}x-\dfrac{c}{b}}$$

• **미지수가 2개인 일차방정식의 그래프**
미지수가 2개인 일차방정식 $ax+by+c=0$ $(a, b, c$는 상수, $a\neq0, b\neq0)$의 해를 좌표평면 위에 나타낸 것을 일차방정식의 그래프라 한다.

2 일차방정식 $x=p, y=q$의 그래프

(1) 일차방정식 $x=p(p\neq0)$의 그래프
   점 $(p, 0)$을 지나고 y축에 평행한 직선
   └─ x축에 수직

(2) 일차방정식 $y=q(q\neq0)$의 그래프
   점 $(0, q)$를 지나고 x축에 평행한 직선
   └─ y축에 수직

(3) 직선의 방정식
   x, y의 값의 범위가 수 전체일 때, 일차방정식 $ax+by+c=0(a, b, c$는 상수, $a\neq0$ 또는 $b\neq0)$의 해는 무수히 많고, 이 해를 좌표평면 위에 나타내면 직선이 된다.
   이때 일차방정식 $ax+by+c=0$을 직선의 방정식이라 한다.

• 일차방정식 $x=0$의 그래프는 y축을, 일차방정식 $y=0$의 그래프는 x축을 나타낸다.

3 일차함수의 그래프와 연립일차방정식의 해

(1) 일차함수의 그래프와 연립일차방정식의 해

연립일차방정식 $\begin{cases} ax+by+c=0 \\ a'x+b'y+c'=0 \end{cases}$의 해는 두 일차방정식 $ax+by+c=0$, $a'x+b'y+c'=0$의 그래프의 교점의 좌표와 같다.

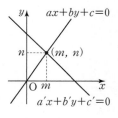

$$\boxed{\begin{array}{c}\text{연립일차방정식의 해}\\x=m, y=n\end{array}} \longleftrightarrow \boxed{\begin{array}{c}\text{두 일차방정식의 그래프의}\\\text{교점의 좌표 } (m, n)\end{array}}$$

• 연립일차방정식의 해
  ➡ 두 일차방정식의 공통인 해
  ➡ 두 일차방정식의 그래프의 교점의 좌표
  ➡ 두 일차함수의 그래프의 교점의 좌표

(2) 연립일차방정식의 해의 개수와 그래프

연립일차방정식 $\begin{cases} ax+by+c=0 \\ a'x+b'y+c'=0 \end{cases}$의 해의 개수는 두 일차방정식 $ax+by+c=0$, $a'x+b'y+c'=0$의 그래프의 교점의 개수와 같다.

• 연립일차방정식
$\begin{cases} ax+by+c=0 \\ a'x+b'y+c'=0 \end{cases}$에서
① 한 쌍의 해를 갖는다.
  ➡ $\dfrac{a}{a'}\neq\dfrac{b}{b'}$
② 해가 없다.
  ➡ $\dfrac{a}{a'}=\dfrac{b}{b'}\neq\dfrac{c}{c'}$
③ 해가 무수히 많다.
  ➡ $\dfrac{a}{a'}=\dfrac{b}{b'}=\dfrac{c}{c'}$

두 일차방정식의 그래프의 위치 관계			
	한 점에서 만난다.	평행하다.	일치한다.
두 그래프의 교점의 개수	한 개	없다.	무수히 많다.
연립방정식의 해의 개수	한 쌍의 해	해가 없다.	해가 무수히 많다.
기울기와 y절편	기울기가 다르다.	기울기는 같고 y절편은 다르다.	기울기와 y절편이 각각 같다.

V

함수

1 일차함수와 일차방정식

01 다음 보기 중 일차방정식 $2x-3y+12=0$의 그래프에 대한 설명으로 옳은 것을 모두 고르시오.

> ┌ 보기 ┐
> ㉠ x절편은 -6이다.
> ㉡ y절편은 6이다.
> ㉢ 제 1, 2, 4사분면을 지난다.
> ㉣ 일차함수 $y=\dfrac{2}{3}x$의 그래프와 평행하다.
> ㉤ x의 값이 증가할 때, y의 값은 감소한다.

02 일차방정식 $ax-by-8=0$의 그래프의 기울기가 $-\dfrac{3}{4}$, y절편이 2일 때, $3a+b$의 값을 구하시오.

(단, a, b는 상수)

03 일차방정식 $3x-4y-a=0$의 그래프가 오른쪽 그림과 같을 때, 이 그래프의 y절편을 구하시오. (단, a는 상수)

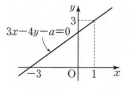

04 일차방정식 $x-ay-20=0$의 그래프가 일차함수 $y=\dfrac{1}{5}x+3$의 그래프와 평행하고, 점 $(10,\ b)$를 지날 때, $a-b$의 값을 구하시오. (단, a는 상수)

2 일차방정식 $x=p, y=q$의 그래프

05 두 점 $(-a-4,\ -2)$, $(a+2,\ 4)$를 지나고 y축에 평행한 직선의 방정식을 구하시오.

06 다음 네 직선으로 둘러싸인 도형의 넓이가 25일 때, 양수 m의 값을 구하시오.

> $x+1=0,\ x=m,\ y-3=0,\ 2y+4=0$

3 일차방정식 $ax+by+c=0$의 그래프와 a, b, c의 부호

07 일차방정식 $ax-by-c=0$의 그래프가 오른쪽 그림과 같을 때, 일차방정식 $cx+by+a=0$의 그래프가 지나지 않는 사분면을 구하시오. (단, a, b, c는 상수)

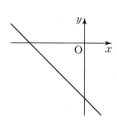

08 일차방정식 $ax+by-3=0$의 그래프가 x축에 수직이고, 제 1, 4사분면만을 지나도록 하는 상수 a, b의 조건은?

① $a=0, b>0$ ② $a=0, b<0$

③ $a>0, b=0$ ④ $a<0, b=0$

⑤ $a<0, b<0$

서술형 ✎

09 점 $(ab, a-b)$가 제 3사분면 위의 점일 때, 일차방정식 $ax+by-1=0$의 그래프가 지나는 사분면을 모두 구하시오.

4 직선의 방정식

10 일차방정식 $4x-5y+8=0$의 그래프와 x절편이 같고, 일차방정식 $5x+3y-9=0$의 그래프와 y절편이 같은 직선의 방정식을 구하시오.

11 오른쪽 그림과 같이 좌표평면 위에 두 점 A$(1, 4)$, B$(3, 1)$이 있다. 직선 $y=ax-1$이 선분 AB와 만나도록 하는 상수 a의 값의 범위를 구하시오.

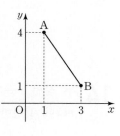

5 연립일차방정식의 해와 그래프

12 두 일차방정식 $ax+y=-1$, $x+2y=4$의 그래프가 오른쪽 그림과 같을 때, 상수 a의 값을 구하시오.

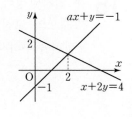

13 두 직선 $2x-3y=2a$, $x+y=3b$가 오른쪽 그림과 같을 때, 두 직선이 x축과 만나는 두 점 사이의 거리를 구하시오.

(단, a, b는 상수)

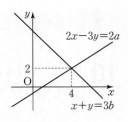

14 두 직선 $x-3y=4$, $2x+y=1$의 교점을 지나며 x축에 평행한 직선의 방정식을 구하시오.

서술형 ✎

15 두 일차방정식 $2x-y+7=0$, $x+4y-10=0$의 그래프의 교점과 점 $(-1,\ 6)$을 지나는 직선의 x절편을 구하시오.

16 두 직선 $y=-x+4$, $y=ax+2$의 교점이 직선 $y=2x+10$ 위에 있을 때, 상수 a의 값을 구하시오.

필수 ✔

17 다음 세 직선에 의하여 삼각형이 만들어지지 않을 때, 상수 a의 값을 구하시오.

$$x-3y=4,\ 2x+y=1,\ 5x-y=a$$

6 연립일차방정식의 해의 개수와 그래프

18 두 직선 $(2-a)x+y=6$, $3x+2y=4b$의 교점이 존재하지 않도록 하는 상수 a, b의 조건을 각각 구하시오.

19 연립방정식 $\begin{cases} (a-1)x+y=2 \\ ax-3y=b \end{cases}$ 의 각 일차방정식을 그래프로 그렸더니 두 그래프가 일치하였다. 이때 상수 a, b의 값을 각각 구하시오.

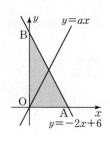

필수 ✓

22 오른쪽 그림과 같이 직선 $y=-2x+6$이 x축, y축과 만나는 점을 각각 A, B라 하자. 직선 $y=ax$가 △BOA의 넓이를 이등분할 때, 상수 a의 값을 구하시오.

---

7 직선으로 둘러싸인 도형의 넓이

20 오른쪽 그림과 같이 두 직선 $3x+y-5=0$, $x-y-3=0$과 y축으로 둘러싸인 △ABC의 넓이를 구하시오.

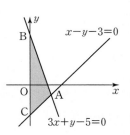

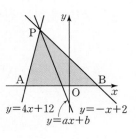

23 오른쪽 그림과 같이 직선 $y=ax+b$가 두 직선 $y=4x+12$, $y=-x+2$의 교점 P를 지나면서 △PAB의 넓이를 이등분할 때, $a+b$의 값을 구하시오. (단, a, b는 상수)

---

8 직선의 방정식의 활용

21 세 직선 $x-y+4=0$, $x+2y-8=0$, $y=1$로 둘러싸인 도형의 넓이를 구하시오.

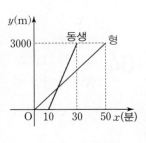

24 집에서 3000 m 떨어진 학교까지 가는데 형이 먼저 출발하고 10분 후에 동생이 출발하였다. 오른쪽 그림은 형이 출발한 지 x분 후에 형과 동생이 간 거리를 y m라 할 때, x와 y 사이의 관계를 각각 그래프로 나타낸 것이다. 형이 출발한 지 몇 분 후에 형과 동생이 만나는지 구하시오.

V

함수

— 해결 Plus⁺

01 점 $(1, -4)$를 지나는 일차방정식 $ax-y-b=0$의 그래프가 제1사분면을 지나지 않도록 하는 정수 a의 개수를 구하시오. (단, a, b는 상수)

창의력 ⚡

02 좌표평면 위의 세 점 $A(1, 3)$, $B(-2, -3)$, $C(6, -1)$을 꼭짓점으로 하는 $\triangle ABC$와 x축에 평행한 직선이 두 점 P, Q에서 만날 때, $\overline{PQ}$의 길이가 최대가 되도록 하는 직선의 방정식을 구하시오.

먼저 $\triangle ABC$를 좌표평면 위에 나타낸다.

03 다음 네 직선으로 둘러싸인 도형과 일차방정식 $kx-y+1=0$의 그래프가 만나도록 하는 상수 k의 값의 범위를 구하시오.

$$x-3=0,\ y-2=0,\ 2x=10,\ 3y-12=0$$

서술형 ✎

04 오른쪽 그림과 같이 세 직선 l, m, $y=2ax+2$가 한 점에서 만날 때, 상수 a의 값을 구하시오.

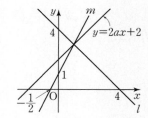

두 직선 l, m의 교점의 좌표를 구한다.

05 세 직선 $x+3y-4=0$, $x-2y+2=0$, $ax-y-2=0$에 의하여 삼각형이 만들어지지 않을 때, 모든 상수 a의 값의 곱을 구하시오.

■ 해결 Plus⁺

06 연립방정식 $\begin{cases} y=-ax+4 \\ 3x-by=2 \end{cases}$의 해가 무수히 많을 때, 두 직선 $x+ay-b=0$, $kx-2y=0$은 평행하다고 한다. 이때 상수 k의 값을 구하시오. (단, a, b는 상수)

연립방정식의 해가 무수히 많다.
➡ 두 일차방정식의 그래프는 일치한다.

━ 서술형 ━

07 세 직선 $x-y+2=0$, $4x-y-4=0$, $2x+y+4=0$으로 둘러싸인 도형의 넓이를 구하시오.

세 직선을 좌표평면 위에 나타내어 세 직선으로 둘러싸인 도형을 그려 본다.

08 오른쪽 그림과 같이 두 직선 $y=\frac{1}{2}x+1$, $y=2x-2$의 교점을 P라 하고, 두 직선이 x축과 만나는 점을 각각 Q, R라 하자. 직선 $y=\frac{1}{2}x+1$과 만나는 직선 $y=ax$가 △PQR의 넓이를 이등분할 때, 상수 a의 값을 구하시오.

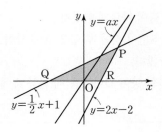

함수

융합형 ✐

09 좌표평면 위의 네 점 A$(2, 0)$, B$(6, 0)$, C$(0, 3)$, D$(0, 5)$에 대하여 $\overline{\text{AD}}$와 $\overline{\text{BC}}$의 교점을 P라 하자. $\triangle\text{PAB}$를 x축을 회전축으로 하여 1회전 시킬 때 생기는 입체도형의 부피를 구하시오.

■ **해결 Plus⁺**

원뿔의 밑면의 반지름의 길이가 r, 높이가 h일 때

(원뿔의 부피)$=\dfrac{1}{3}\pi r^2 h$

10 두 직선 $y=ax+2b$, $y=bx+2a$의 교점의 y좌표가 7이고, 두 직선과 y축으로 둘러싸인 부분의 넓이가 6일 때, 상수 a, b의 값을 각각 구하시오. (단, $0<a<b$)

11 두 물통 A, B에 120 L, 80 L의 물이 각각 들어 있다. 오른쪽 그림은 두 물통 A, B에서 동시에 물을 빼내기 시작한 지 x분 후 남아 있는 물의 양을 y L라 할 때, x와 y 사이의 관계를 그래프로 나타낸 것이다. 다음 보기 중 옳은 것을 모두 고르시오.

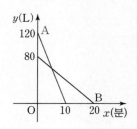

두 물통에 남아 있는 물의 양이 같아지는 시간은 두 물통 A, B의 그래프의 교점의 x좌표이다.

보기
ㄱ. 두 물통에 남아 있는 물의 양이 같아지는 시간은 물을 빼내기 시작한 지 4분 후이다.
ㄴ. 물통 A가 물통 B보다 물이 빠르게 빠진다.
ㄷ. 물을 빼내기 시작한 지 8분이 지난 후 물통 A에 남아 있는 물의 양이 물통 B에 남아 있는 물의 양보다 많다.
ㄹ. 두 물통에 남아 있는 물의 양이 같아졌을 때 물통 A에 남아 있는 물의 양은 60 L이다.

뛰어넘기

01 오른쪽 그림과 같이 두 일차방정식 $5x-3y+6=0$, $3x-4y+4=0$의 그래프와 점 P를 지나고 x축, y축에 각각 평행한 직선이 만나는 네 점을 각각 A, B, C, D라 하자. $\overline{AB}=\dfrac{31}{15}$, $\overline{CD}=\dfrac{23}{12}$일 때, 점 P의 좌표를 구하시오.

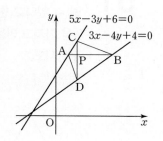

STEP UP

02 함수 $y=f(x)$가 다음과 같을 때, $f(x)$의 최댓값을 구하시오.

(단, $\min\{a, b, c\}$는 a, b, c 중 가장 작은 수를 나타낸다.)

$$f(x)=\min\left\{x+4, \frac{1}{2}x+3, -x+3\right\}$$

융합형

03 오른쪽 그림에서 사각형 ABCD는 한 변의 길이가 4인 정사각형이고, 두 점 M, N은 각각 $\overline{BC}$, $\overline{CD}$의 중점이다. 이때 사각형 PQCN의 넓이를 구하시오.

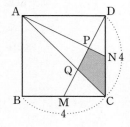

교과서 속 창의 사고력

01 세 변 중 가장 긴 변의 길이가 나머지 두 변의 길이의 합보다 작으면 삼각형을 그릴 수 있다고 한다. 이를 이용하여 자연수 n에 대하여 n 이하의 자연수 2개와 n을 가지고 만들 수 있는 삼각형의 개수를 $f(n)$이라 하자. 이때 $f(30)$의 값을 구하시오.

생각 Plus⁺

주어진 조건을 이용하여 규칙을 찾는다.

$f(1)$	$f(2)$		$f(3)$

풀이▶

답▶

02 유리수 x에 대하여 $[x]$는 x보다 크지 않은 최대의 정수를 나타낸다. 예를 들면 $[1.4]=1$, $[2]=2$이다. 자연수 n에 대하여 함수 $y=f_n(x)$를

$$f_n(x)=\left[\frac{x}{n}\right]$$

라 할 때, $f_2(a)=1$, $f_3(b)=a$, $f_4(c)=b$를 만족시키는 정수 c의 최댓값을 M, 최솟값을 m이라 하자. 이때 $M+m$의 값을 구하시오.

주어진 함수의 뜻에 따라 a, b, c의 값의 범위를 각각 구한다.

풀이▶

답▶

03 일차함수 $y=f(x)$의 그래프는 x의 값이 4만큼 증가할 때 y의 값은 3만큼 감소하고, 일차함수 $y=g(x)$의 그래프는 y절편이 2이다. $f(1)=4$, $g(1)=-3$일 때, $f(x) \le g(x)$를 만족시키는 x의 값의 범위를 구하시오.

생각 Plus⁺

$(기울기) = \dfrac{(y의\ 값의\ 증가량)}{(x의\ 값의\ 증가량)}$

풀이▶

답▶

04 오른쪽 그림과 같이 좌표평면 위에 직사각형 OABC가 있다. 점 P는 점 A를 출발하여 $\overline{AO}$를 따라 점 O까지 일정한 속력으로 움직이고, 점 Q는 점 A를 출발하여 $\overline{AB}$를 따라 점 B까지 일정한 속력으로 움직인다. 점 P의 좌표가 $(2, 0)$일 때, 두 점 P, Q를 지나는 직선을 그래프로 하는 일차함수의 식을 구하시오. (단, 점 P와 점 Q는 점 A에서 동시에 출발하여 각각 점 O, 점 B에 동시에 도착한다.)

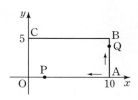

점 P가 점 A를 출발하여 점 O에 도착하는 데 걸리는 시간과 점 Q가 점 A를 출발하여 점 B에 도착하는 데 걸리는 시간이 같음을 이용한다.

풀이▶

답▶

05 15 km를 가는 데 2 L의 연료가 필요한 자동차가 있다. 이 자동차에 들어 있는 연료의 양은 연료통의 부피의 $\frac{1}{5}$이었고, 20 L의 연료를 더 넣었더니 연료통의 부피의 $\frac{3}{5}$이 되었다. 자동차를 타고 60 km를 이동하였을 때, 남아 있는 연료의 양은 몇 L인지 구하시오.

풀이▶

답▶

생각 Plus⁺

자동차에 들어 있는 연료는 연료통의 부피의 $\frac{1}{5}$이었고, 연료를 더 넣어 연료통의 부피의 $\frac{3}{5}$이 되었으므로 더 넣은 연료의 양은 연료통의 부피의 $\frac{3}{5} - \frac{1}{5} = \frac{2}{5}$임을 이용한다.

06 서로 다른 세 직선 $px+y-1=0$, $x+py-3=0$, $x+2y-3=0$에 의하여 좌표평면이 여섯 부분으로 나누어지도록 하는 모든 상수 p의 값의 합을 구하시오.

풀이▶

답▶

서로 다른 세 직선에 의하여 좌표평면이 여섯 부분으로 나누어지는 경우를 모두 생각해 본다.

배움으로 행복한 내일을 꿈꾸는
천재교육 커뮤니티 안내

교재 안내부터 구매까지 한 번에!
천재교육 홈페이지

천재교육 홈페이지에서는 자사가 발행하는 참고서,
교과서에 대한 소개는 물론 도서 구매도 할 수 있습니다.
회원에게 지급되는 별을 모아 다양한 상품 응모에도
도전해 보세요.

구독, 좋아요는 필수! 핵유용 정보 가득한
천재교육 유튜브 <천재TV>

신간에 대한 자세한 정보가 궁금하세요?
참고서를 어떻게 활용해야 할지 고민인가요?
공부 외 다양한 고민을 해결해 줄 채널이 필요한가요?
학생들에게 꼭 필요한 콘텐츠로 가득한 천재TV로 놀러 오세요!

다양한 교육 꿀팁에 깜짝 이벤트는 덤!
천재교육 인스타그램

천재교육의 새롭고 중요한 소식을 가장 먼저 접하고 싶다면?
천재교육 인스타그램 팔로우가 필수!
누구보다 빠르고 재미있게 천재교육의 소식을 전달합니다.
깜짝 이벤트도 수시로 진행되니 놓치지 마세요!

최고
수준
수학

최고
수준

수학

천재교육

정답과
풀이

중학
수학 **2·1**

천재교육

정답 시스템 활용법

강점 01
Action

문제 해결을 위한 실마리를 정확하게 짚어준다.

강점 02
명쾌한 풀이

실력파 학생을 위해 군더더기 없고 명쾌한 풀이 방법을 제시한다.

강점 03
다른 풀이

다른 풀이 방법을 제시하여 다각적인 수학적 해결력을 강화시킨다.

강점 04
Lecture

풀이 방법과 관련된 핵심 내용과 헷갈리기 쉬운 부분을 강의하는 것처럼 짚어준다.

정답과 풀이

중학 수학 2·1

I. 유리수와 순환소수

1. 유리수와 순환소수

01 ④	**02** ⑤	**03** 10	**04** 18
05 3개	**06** 35	**07** $\dfrac{14}{35}, \dfrac{21}{35}$	**08** 1
09 12	**10** ③	**11** 5개	**12** 38
13 2개	**14** 10개	**15** ⑤	**16** ②
17 $1.8\dot{3}$	**18** $\dfrac{139}{99}$	**19** $1.08\dot{3}$	**20** 38
21 $0.8\dot{3}$	**22** $x=5.6\dot{3}$	**23** 9	**24** ②, ⑤

01 Action 순환소수를 간단히 나타낼 때, 첫 번째 순환마디의 양 끝의 숫자 위에 점을 찍어 나타낸다.

① $0.444\cdots=0.\dot{4}$

② $0.162162162\cdots=0.\dot{1}6\dot{2}$

③ $3.283283283\cdots=3.\dot{2}8\dot{3}$

⑤ $30.303030\cdots=30.\dot{3}\dot{0}$

02 Action 분자를 분모로 나누어 소수로 나타낸다.

① $\dfrac{7}{3}=2.333\cdots=2.\dot{3}$이므로 순환마디는 3

② $\dfrac{7}{12}=0.58333\cdots=0.58\dot{3}$이므로 순환마디는 3

③ $\dfrac{2}{15}=0.1333\cdots=0.1\dot{3}$이므로 순환마디는 3

④ $\dfrac{43}{30}=1.4333\cdots=1.4\dot{3}$이므로 순환마디는 3

⑤ $\dfrac{56}{45}=1.2444\cdots=1.2\dot{4}$이므로 순환마디는 4

따라서 순환마디가 나머지 넷과 다른 하나는 ⑤이다.

03 Action 순환마디의 숫자의 개수를 세어 본다.

$\dfrac{10}{27}=0.370370\cdots=0.\dot{3}7\dot{0}$에서 순환마디의 숫자의 개수는 3개이므로 $a=3$ …… 40%

$50=3\times16+2$에서 소수점 아래 50번째 자리의 숫자는 순환마디의 2번째 숫자이므로 $b=7$ …… 40%

$\therefore a+b=3+7=10$ …… 20%

04 Action $\dfrac{5}{13}$를 소수로 나타낸 후 순환마디를 구한다.

$\dfrac{5}{13}=0.384615384615\cdots=0.\dot{3}8461\dot{5}$이므로 순환마디의 숫자의 개수는 6개이다.

이때 소수점 아래 두 번째 자리의 숫자는 8이므로 $x_2=8$

$9=6\times1+3$에서 소수점 아래 9번째 자리의 숫자는 순환마디의 3번째 숫자이므로 $x_9=4$

$16=6\times2+4$에서 소수점 아래 16번째 자리의 숫자는 순환마디의 4번째 숫자이므로 $x_{16}=6$

$\therefore x_2+x_9+x_{16}=8+4+6=18$

05 Action 주어진 분수를 기약분수로 나타내었을 때, 분모의 소인수가 2 또는 5뿐인 것을 찾는다.

㉠ $\dfrac{7}{2\times3\times5}$ ㉡ $\dfrac{3}{2^2}$ ㉢ $\dfrac{1}{7}$

㉣ $\dfrac{3}{2\times5}$ ㉤ $\dfrac{1}{2^2}$ ㉥ $\dfrac{1}{3\times5}$

따라서 유한소수로 나타낼 수 있는 것은 ㉡, ㉣, ㉤의 3개이다.

> ◀ Lecture
>
> 유한소수로 나타낼 수 있는 유리수
>
> ❶ 주어진 분수를 기약분수로 나타낸다.
>
> ❷ 분모를 소인수분해한다.
>
> ❸ 분모의 소인수가 2 또는 5뿐이면 유한소수로 나타낼 수 있다.

06 Action 기약분수의 분모를 소인수분해하였을 때, 소인수 2와 5의 지수가 같아지도록 분모, 분자에 2 또는 5의 거듭제곱을 곱한다.

$\dfrac{4}{125}=\dfrac{4}{5^3}=\dfrac{4\times2^3}{5^3\times2^3}=\dfrac{32}{10^3}$

이때 n의 값이 커지면 a의 값도 커지므로 $a+n$의 값은 $a=32$, $n=3$일 때 가장 작다.

따라서 $a+n$의 최솟값은 $32+3=35$

07 Action 구하는 분수를 $\dfrac{a}{35}$로 놓고 a의 조건을 찾는다.

$35=5\times7$이므로 구하는 분수를 $\dfrac{a}{35}$라 할 때, $\dfrac{a}{35}$가 유한소수로 나타내어지려면 a는 7의 배수이어야 한다.

이때 $\dfrac{2}{7}=\dfrac{10}{35}$, $\dfrac{4}{5}=\dfrac{28}{35}$이므로 10과 28 사이에 있는 7의 배수는 14, 21이다.

따라서 구하는 분수는 $\dfrac{14}{35}$, $\dfrac{21}{35}$이다.

08 Action 분수를 기약분수로 나타내었을 때

분모의 소인수가 { 2 또는 5 ➡ 유한소수로 나타낼 수 있다.
2 또는 5 이외의 소인수 ➡ 유한소수로 나타낼 수 없다.

$\dfrac{7}{56}=\dfrac{1}{8}=\dfrac{1}{2^3}$이므로 유한소수로 나타낼 수 있다.

$\therefore 7\diamondsuit56=-1$

$\dfrac{15}{108}=\dfrac{5}{36}=\dfrac{5}{2^2\times3^2}$이므로 유한소수로 나타낼 수 없다.

$\therefore 15\diamondsuit108=1$

$\dfrac{36}{200}=\dfrac{9}{50}=\dfrac{9}{2\times5^2}$ 이므로 유한소수로 나타낼 수 있다.

$\therefore 36\diamond200=-1$

$\therefore (7\diamond56)+(15\diamond108)-(36\diamond200)=-1+1-(-1)$
$\qquad\qquad\qquad\qquad\qquad\qquad\qquad\qquad =1$

09 Action $\dfrac{21}{180}$ 을 기약분수로 나타낸 후 분모를 소인수분해하여 2 또는 5 이외의 소인수를 찾는다.

$\dfrac{21}{180}=\dfrac{7}{60}=\dfrac{7}{2^2\times3\times5}$ 이므로 $\dfrac{21}{180}\times A$ 가 유한소수가 되려면 A는 3의 배수이어야 한다.

따라서 A의 값이 될 수 있는 가장 작은 두 자리의 자연수는 12이다.

10 Action 먼저 $\dfrac{42}{50}$ 를 기약분수로 나타낸 후 보기의 각 수를 대입해 본다.

$\dfrac{42}{50\times x}=\dfrac{21}{25\times x}=\dfrac{3\times7}{5^2\times x}$

③ $x=18$일 때, $\dfrac{3\times7}{2\times3^2\times5^2}=\dfrac{7}{2\times3\times5^2}$ 이므로 유한소수로 나타낼 수 없다.

11 Action 두 분수의 분모를 소인수분해하여 A의 값이 될 수 있는 조건을 알아본다.

$\dfrac{7}{170}\times A=\dfrac{7}{2\times5\times17}\times A$ 가 유한소수가 되려면 A는 17의 배수이어야 한다. **20%**

또, $\dfrac{3}{220}\times A=\dfrac{3}{2^2\times5\times11}\times A$ 가 유한소수가 되려면 A는 11의 배수이어야 한다. **20%**

즉 A는 17과 11의 공배수이다. **20%**

이때 17과 11의 최소공배수는 $17\times11=187$이므로 세 자리의 자연수 A는 187, 374, 561, 748, 935의 5개이다. **40%**

12 Action $\dfrac{a}{280}$ 가 유한소수가 되도록 하는 a의 값을 구한 후 b의 값을 구한다.

$\dfrac{a}{280}=\dfrac{a}{2^3\times5\times7}$ 가 유한소수가 되려면 a는 7의 배수이어야 한다.

이때 $20<a<30$이므로 $a=21$ 또는 $a=28$

(i) $a=21$일 때,

$\dfrac{3\times7}{2^3\times5\times7}=\dfrac{3}{40}=\dfrac{1}{b}$ $\quad\therefore b=\dfrac{40}{3}$

이때 b는 자연수가 아니므로 조건을 만족시키지 않는다.

(ii) $a=28$일 때,

$\dfrac{2^2\times7}{2^3\times5\times7}=\dfrac{1}{10}=\dfrac{1}{b}$ $\quad\therefore b=10$

(i), (ii)에 의하여 $a=28$, $b=10$이므로

$a+b=28+10=38$

13 Action $\dfrac{30}{2^2\times5\times x}$ 을 기약분수로 나타내었을 때, 분모에 2 또는 5 이외의 소인수가 있으면 순환소수로 나타낼 수 있다.

$\dfrac{30}{2^2\times5\times x}=\dfrac{3}{2\times x}$ 이 순환소수가 되려면 기약분수로 나타내었을 때 분모에 2 또는 5 이외의 소인수가 있어야 한다.

이때 x는 10 이하의 자연수이므로 $x=3, 6, 7, 9$

$x=3$일 때, $\dfrac{3}{2\times3}=\dfrac{1}{2}$

$x=6$일 때, $\dfrac{3}{2\times6}=\dfrac{1}{2^2}$

따라서 x의 값은 7, 9의 2개이다.

14 Action 기약분수의 분모를 소인수분해하였을 때, 소인수 중에 2 또는 5 이외의 수가 있는지 확인한다.

14개의 점에 대응하는 유리수는 $\dfrac{1}{15}, \dfrac{2}{15}, \dfrac{3}{15}, \cdots, \dfrac{14}{15}$ 이다.

이때 $15=3\times5$이므로 순환소수로 나타내어지려면 분자가 3의 배수가 아니어야 한다.

따라서 순환소수로 나타낼 수 있는 수는 $\dfrac{1}{15}, \dfrac{2}{15}, \dfrac{4}{15}, \dfrac{5}{15},$ $\dfrac{7}{15}, \dfrac{8}{15}, \dfrac{10}{15}, \dfrac{11}{15}, \dfrac{13}{15}, \dfrac{14}{15}$ 의 10개이다.

15 Action 소수점 아래 첫째 자리부터 똑같이 순환마디가 시작되도록 등식의 양변에 10의 거듭제곱을 곱한다.

$$\begin{array}{r} 1000x=5128.888\cdots \\ -)\ 100x=\ \ 512.888\cdots \\ \hline 900x=4616 \end{array}$$

16 Action 순환소수를 분수로 나타내는 공식을 이용한다.

① $0.0\dot{5}=\dfrac{5}{90}=\dfrac{1}{18}$

② $1.\dot{1}\dot{2}=\dfrac{112-1}{99}=\dfrac{111}{99}=\dfrac{37}{33}$

③ $0.2\dot{7}=\dfrac{27-2}{90}=\dfrac{25}{90}=\dfrac{5}{18}$

④ $1.8\dot{3}\dot{5}=\dfrac{1835-18}{990}=\dfrac{1817}{990}$

⑤ $1.\dot{0}4\dot{8}=\dfrac{1048-1}{999}=\dfrac{1047}{999}=\dfrac{349}{333}$

따라서 순환소수를 분수로 나타낸 것으로 옳은 것은 ②이다.

Lecture

순환소수를 분수로 나타내는 방법

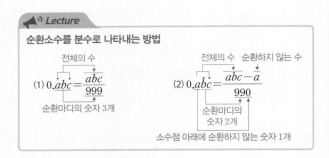

(1) $0.\dot{a}b\dot{c} = \dfrac{abc}{999}$

(2) $0.a\dot{b}\dot{c} = \dfrac{abc-a}{990}$

17 Action $0.5\dot{4}$를 분수로 나타내어 본다.

$0.5\dot{4} = \dfrac{54}{99} = \dfrac{6}{11}$이므로 $a=11$, $b=6$

$\therefore \dfrac{a}{b} = \dfrac{11}{6} = 1.8333\cdots = 1.8\dot{3}$

18 Action 분수를 모두 소수로 나타내어 계산한 후 기약분수로 나타낸다.

(주어진 식) $= 1 + 0.4 + 0.004 + 0.00004 + \cdots$

$\qquad = 1.404040\cdots = 1.\dot{4}\dot{0} = \dfrac{140-1}{99} = \dfrac{139}{99}$

19 Action 나윤이는 분자를 제대로 보았고, 재석이는 분모를 제대로 보았다.

$1.\dot{1}\dot{8} = \dfrac{118-1}{99} = \dfrac{117}{99} = \dfrac{13}{11}$에서 나윤이는 분자를 제대로 보았으므로 처음 기약분수의 분자는 13이다. ······ 40%

$1.91\dot{6} = \dfrac{1916-191}{900} = \dfrac{1725}{900} = \dfrac{23}{12}$에서 재석이는 분모를 제대로 보았으므로 처음 기약분수의 분모는 12이다. ······ 40%

따라서 처음 기약분수는 $\dfrac{13}{12}$이고 이를 순환소수로 나타내면

$\dfrac{13}{12} = 1.08333\cdots = 1.08\dot{3}$ ······ 20%

20 Action $5.\dot{2}\dot{7}$, $0.\dot{8}\dot{1}$을 모두 분수로 나타낸 후 계산한다.

$5.\dot{2}\dot{7} = \dfrac{527-5}{99} = \dfrac{522}{99} = \dfrac{58}{11}$, $0.\dot{8}\dot{1} = \dfrac{81}{99} = \dfrac{9}{11}$

$5.\dot{2}\dot{7} - 0.\dot{8}\dot{1} = \dfrac{58}{11} - \dfrac{9}{11} = \dfrac{49}{11}$이므로 $a=11$, $b=49$

$\therefore b-a = 49-11 = 38$

21 Action $0.5\dot{3}$, $0.\dot{4}$를 모두 분수로 나타낸 후 계산한다.

$0.5\dot{3} = \dfrac{53-5}{90} = \dfrac{48}{90} = \dfrac{8}{15}$, $0.\dot{4} = \dfrac{4}{9}$

$0.5\dot{3} \times x = 0.\dot{4}$에서 $\dfrac{8}{15} \times x = \dfrac{4}{9}$

$\therefore x = \dfrac{4}{9} \times \dfrac{15}{8} = \dfrac{5}{6}$

따라서 $\dfrac{5}{6}$를 순환소수로 나타내면 $\dfrac{5}{6} = 0.8333\cdots = 0.8\dot{3}$

22 Action 계수와 상수항을 모두 분수로 나타낸 후 일차방정식의 해를 구한다.

$0.\dot{6}x + 0.1\dot{7} = 0.4\dot{2}x + 1.\dot{5}$에서

$\dfrac{6}{9}x + \dfrac{17-1}{90} = \dfrac{42-4}{90}x + \dfrac{15-1}{9}$

$60x + 16 = 38x + 140$, $22x = 124$

$\therefore x = \dfrac{124}{22} = \dfrac{62}{11} = 5.6363\cdots = 5.\dot{6}\dot{3}$

23 Action 순환소수를 기약분수로 나타낸 후, 분모를 소인수분해한다.

$1.1\dot{5} = \dfrac{115-11}{90} = \dfrac{104}{90} = \dfrac{52}{45} = \dfrac{2^2 \times 13}{3^2 \times 5}$

따라서 $1.1\dot{5} \times x$가 유한소수가 되려면 x는 3^2, 즉 9의 배수이어야 하므로 x의 값이 될 수 있는 가장 작은 자연수는 9이다.

24 Action 유리수와 순환소수의 관계를 이해한다.

① 무한소수 중 순환소수는 유리수이다.

③ 순환소수가 아닌 무한소수는 유리수가 아니다.

④ 순환소수는 모두 유리수이므로 항상 분모와 분자가 정수인 분수로 나타낼 수 있다.

따라서 옳은 것은 ②, ⑤이다.

최고수준 완성하기

ℙ 11 ~ **ℙ** 13

01 8	**02** 171	**03** 222	**04** 30개
05 27개	**06** 462	**07** 14개	**08** 64개
09 12	**10** 6	**11** 15	**12** 10

01 Action 순환마디의 숫자의 개수를 이용하여 a, b, c, d, e, f의 값을 각각 구한다.

$0.\dot{a}bcde\dot{f}$의 순환마디는 $abcdef$이고, 순환마디의 숫자의 개수는 6개이다.

이때 $101 = 6 \times 16 + 5$이므로 소수점 아래 101번째 자리의 숫자는 순환마디 $abcdef$ 중 5번째 숫자인 $e=4$이다.

따라서 $f=3$, $a=2$, $b=1$, $c=5$, $d=6$이므로

$a+d = 2+6 = 8$

02 Action $\dfrac{13}{60}$을 순환소수로 나타내고 $x_1, x_2, x_3, \cdots, x_{30}$의 값을 각각 구한다.

$\dfrac{13}{60} = 0.21666\cdots = 0.21\dot{6}$

$\qquad = \dfrac{2}{10} + \dfrac{1}{10^2} + \dfrac{6}{10^3} + \dfrac{6}{10^4} + \cdots$

$\therefore x_1 + x_2 + x_3 + \cdots + x_{30} = 2 + 1 + 6 \times 28 = 171$

03 Action 분수를 순환소수로 나타내고 순환마디의 숫자의 개수를 구한다.

$\dfrac{3}{7}=0.428571428571\cdots=0.\dot{4}2857\dot{1}$이므로 순환마디의 숫자의 개수는 6개이다. …… 30%

이때 $50=6\times8+2$이므로 순환마디가 8번 반복되고 소수점 아래 49번째 자리의 숫자와 50번째 자리의 숫자는 각각 4, 2이다. …… 40%

따라서 구하는 합은

$(4+2+8+5+7+1)\times8+4+2=222$ …… 30%

04 Action 분모인 30을 소인수분해하면 $2\times3\times5$이므로 유한소수가 되려면 분자는 3의 배수이어야 한다.

$\dfrac{x}{30}=\dfrac{x}{2\times3\times5}$가 유한소수가 되려면 x는 3의 배수이어야 한다.

이때 x는 100 이하의 자연수이므로 3의 배수인 수는 33개이고, 이 중 $\dfrac{x}{30}$를 정수로 만드는 30, 60, 90을 제외하면 x의 개수는 30개이다.

05 Action 조건 (나), (다)를 동시에 만족시키는 n의 조건을 알아본다.

(나)에서 n은 15의 배수가 아니다. …… 20%

(다)에서 $\dfrac{n}{15}=\dfrac{n}{3\times5}$이 유한소수가 되려면 n은 3의 배수이어야 한다. …… 30%

이때 100 이하의 자연수 중에서 3의 배수는 33개이고, 15의 배수는 6개이므로 (나), (다)를 만족시키는 자연수 n의 개수는 $33-6=27$(개) …… 50%

06 Action 세 분수 $\dfrac{a}{70},\dfrac{5a}{264},\dfrac{9a}{110}$의 분모를 각각 소인수분해한 후 유한소수가 되도록 하는 a의 조건을 알아본다.

$\dfrac{a}{70}=\dfrac{a}{2\times5\times7},\dfrac{5a}{264}=\dfrac{5a}{2^3\times3\times11},\dfrac{9a}{110}=\dfrac{9a}{2\times5\times11}$

가 모두 유한소수가 되려면 세 분수의 분모의 소인수 중 2 또는 5 이외의 수는 모두 약분되어야 하므로 a는 7, 3, 11의 공배수이어야 한다.

7, 3, 11의 최소공배수는 $7\times3\times11=231$이므로 a의 값이 될 수 있는 두 번째로 작은 세 자리의 자연수는 462이다.

07 Action $\dfrac{9}{210}=\dfrac{3}{70}$이므로 분모인 70을 소인수분해한 후 조건을 만족시키는 a,b의 값을 각각 구한다.

$\dfrac{9}{210}=\dfrac{3}{70}=\dfrac{3}{2\times5\times7}$이므로 $\dfrac{3}{2\times5\times7}\times\dfrac{b}{a}$가 유한소수가 되려면 a는 소인수가 2 또는 5뿐이거나 거기에 3을 곱한 수이고, b는 7의 배수이어야 한다.

이때 두 수 a,b는 2 이상 20 이하의 자연수이므로

$a=2,3,4,5,6,8,10,12,15,16,20$

$b=7,14$

그런데 다음의 경우에 분수 $\dfrac{b}{a}$는 기약분수가 아니다.

$\dfrac{14}{2}=\dfrac{7}{1},\dfrac{14}{4}=\dfrac{7}{2},\dfrac{14}{6}=\dfrac{7}{3},\dfrac{14}{8}=\dfrac{7}{4},\dfrac{14}{10}=\dfrac{7}{5},\dfrac{14}{12}=\dfrac{7}{6},$

$\dfrac{14}{16}=\dfrac{7}{8},\dfrac{14}{20}=\dfrac{7}{10}$

따라서 분수 $\dfrac{b}{a}$는 $11\times2-8=14$(개)

08 Action a,b는 한 자리의 자연수임을 이용하여 a의 값을 기준으로 주어진 분수가 순환소수가 되도록 하는 b의 값을 찾아본다.

(i) $a=1,2,4,5,8$일 때, b는 3의 배수가 아니어야 하므로

$b=1,2,4,5,7,8$

따라서 순서쌍 (a,b)의 개수는 $5\times6=30$(개)

(ii) $a=3,6$일 때, b는 9가 아니어야 하므로

$b=1,2,3,\cdots,8$

따라서 순서쌍 (a,b)의 개수는 $2\times8=16$(개)

(iii) $a=7,9$일 때, b의 값에 관계없이 항상 순환소수가 되므로

$b=1,2,3,\cdots,9$

따라서 순서쌍 (a,b)의 개수는 $2\times9=18$(개)

(i)~(iii)에 의하여 $30+16+18=64$(개)

09 Action 주어진 조건에 맞는 식을 세운 후 순환소수를 분수로 나타내어 계산한다.

$1.3x=1.\dot{3}x-0.3$이므로 $\dfrac{13}{10}x=\dfrac{13-1}{9}x-\dfrac{3}{10}$

$39x=40x-9$ $\therefore x=9$

따라서 바르게 계산한 답은

$9\times1.\dot{3}=9\times\dfrac{4}{3}=12$

10 Action $0.\dot{a}\dot{b}=\dfrac{10a+b}{99}$임을 이용한다.

$0.\dot{a}\dot{b}+0.\dot{b}\dot{a}=0.\dot{5}$에서 $\dfrac{10a+b}{99}+\dfrac{10b+a}{99}=\dfrac{5}{9}$

$\dfrac{11(a+b)}{99}=\dfrac{5}{9},\dfrac{a+b}{9}=\dfrac{5}{9}$ $\therefore a+b=5$

이때 a,b는 한 자리의 자연수이므로 $a=1,b=4$ 또는 $a=2,b=3$ 또는 $a=3,b=2$ 또는 $a=4,b=1$

따라서 ab의 값은 $a=2,b=3$ 또는 $a=3,b=2$일 때 가장 크므로 ab의 최댓값은 6이다.

◀》 Lecture

순환소수를 분수로 나타내기

$0.\dot{a}\dot{b}$를 분수로 나타낼 때, 분자는 ab가 아니라 $10a+b$로 나타내어야 한다.

즉 $0.\dot{a}\dot{b}=\dfrac{10a+b}{99}$로 나타내어야 한다.

11 Action 약속에 따라 $[5, 4, 2]$, $[3, 2, 1]$을 각각 소수로 나타낸다.

$[5, 4, 2] = 0.\dot{5} + 0.0\dot{4} + 0.00\dot{2}$

$\qquad = \dfrac{5}{9} + \dfrac{4}{90} + \dfrac{2}{900} = \dfrac{542}{900}$

$[3, 2, 1] = 0.\dot{3} + 0.0\dot{2} + 0.00\dot{1}$

$\qquad = \dfrac{3}{9} + \dfrac{2}{90} + \dfrac{1}{900} = \dfrac{321}{900}$

$0.3\dot{6} = \dfrac{36-3}{90} = \dfrac{11}{30}$이므로

$[5, 4, 2] + [3, 2, 1] = 0.3\dot{6} \times x$에서

$\dfrac{542}{900} + \dfrac{321}{900} = \dfrac{11}{30} \times x$, $\dfrac{863}{900} = \dfrac{11}{30} \times x$

$\therefore x = \dfrac{863}{900} \times \dfrac{30}{11} = \dfrac{863}{330} = 2.6151515\cdots = 2.6\dot{1}\dot{5}$

따라서 순환소수 x의 순환마디는 15이다.

12 Action x를 분수로 나타낸 후 주어진 식에 대입하여 간단히 한다.

$x = 0.\dot{4} = \dfrac{4}{9}$이므로 $\dfrac{2}{x} = 2 \times \dfrac{1}{x} = 2 \times \dfrac{9}{4} = \dfrac{9}{2}$

$\therefore 1 + \dfrac{1}{1 + \dfrac{2}{x}} = 1 + \dfrac{1}{1 + \dfrac{9}{2}} = 1 + \dfrac{1}{\dfrac{11}{2}}$

$\qquad = 1 + \dfrac{2}{11} = \dfrac{13}{11} = 1.181818\cdots$

$\qquad = 1.\dot{1}\dot{8} = a.\dot{b}\dot{c}$

따라서 $a = 1$, $b = 1$, $c = 8$이므로

$a + b + c = 1 + 1 + 8 = 10$

> **Lecture**
>
> $\dfrac{\frac{d}{c}}{\frac{b}{a}}$ 는 다음과 같이 계산한다.
>
> $\dfrac{\frac{d}{c}}{\frac{b}{a}} = \dfrac{d}{c} \div \dfrac{b}{a} = \dfrac{d}{c} \times \dfrac{a}{b} = \dfrac{ad}{bc}$ (단, $abc \neq 0$)
>
> 특히 $\dfrac{1}{\frac{b}{a}} = 1 \div \dfrac{b}{a} = 1 \times \dfrac{a}{b} = \dfrac{a}{b}$이다. (단, $ab \neq 0$)

최고수준 **뛰어넘기** ℗ 14 – ℗ 15

01 ㉡, ㉢ **02** 123101 **03** 567 **04** $0.\dot{4}$
05 18 **06** $\left(\dfrac{500}{99}, \dfrac{50}{99} \right)$

01 Action $\dfrac{7}{13}$을 순환소수로 나타낸 후 순환마디를 구한다.

$\dfrac{7}{13} = 0.538461538461\cdots = 0.\dot{5}3846\dot{1}$이므로 순환마디의 숫자의 개수는 6개이다.

㉠ $31 = 6 \times 5 + 1$에서 소수점 아래 31번째 자리의 숫자는 순환마디의 첫 번째 숫자이므로 5이다.

$\therefore f(31) = 5$

㉡ 순환마디의 숫자의 개수는 6개이므로 $f(n) = f(n+6)$

㉢ 순환마디의 숫자 중에 0이 없으므로 $f(n) = 0$을 만족시키는 자연수 n은 없다.

따라서 옳은 것은 ㉡, ㉢이다.

02 Action 주어진 조건을 만족시키는 a_1, a_2, a_3, $\cdots$, a_n의 값을 구하여 규칙을 찾는다.

$a_1 = 1$, $a_2 = 2$이고

$a_3 = \{(1+2)를 4로 나눈 나머지\} = 3$

$a_4 = \{(2+3)를 4로 나눈 나머지\} = 1$

$a_5 = \{(3+1)을 4로 나눈 나머지\} = 0$

$a_6 = \{(1+0)을 4로 나눈 나머지\} = 1$

$a_7 = \{(0+1)을 4로 나눈 나머지\} = 1$

$a_8 = \{(1+1)을 4로 나눈 나머지\} = 2$

$a_9 = \{(1+2)를 4로 나눈 나머지\} = 3$

$\qquad\qquad \vdots$

즉 주어진 조건을 모두 만족시키는 수는

$0.123101123101\cdots = 0.\dot{1}2310\dot{1}$이므로 순환마디는 123101이다.

03 Action 먼저 조건 ㈏를 이용하여 N의 조건을 구한다.

㈏에서 $\dfrac{N}{630} = \dfrac{N}{2 \times 3^2 \times 5 \times 7}$이 유한소수가 되려면 N은 $3^2 \times 7 = 63$의 배수이어야 한다.

$N = 63n$(n은 자연수)이라 하면

㈎에서 $N = 63n$은 세 자리의 홀수이므로 가능한 n의 값은 $n = 3, 5, 7, 9, 11, 13, 15$

㈐에서 $M = \dfrac{N}{630} \times 40 = \dfrac{63n}{630} \times 40 = 4n$

즉 $M = 4n$이 어떤 자연수의 제곱이고 $4 = 2^2$이므로 n은 어떤 자연수의 제곱이다.

따라서 n의 값 중 제곱인 수는 3^2, 즉 9뿐이므로 $n = 9$

$\therefore N = 63n = 63 \times 9 = 567$

04 Action 분모 360을 소인수분해한 후 조건에 맞는 x, y의 값을 각각 구한다.

$\dfrac{A}{360} = \dfrac{A}{2^3 \times 3^2 \times 5}$가 유한소수가 되려면 A는 3^2, 즉 9의 배수이어야 한다.

따라서 A의 값이 될 수 있는 가장 작은 자연수는 9이므로 $x = 9$

한편, $\dfrac{A}{360}$ 가 소수점 아래 둘째 자리부터 순환마디가 시작되는 순환소수가 되려면 분수로 나타내었을 때, 분모는 9가 계속되다가 일의 자리의 숫자만 0이어야 하므로 기약분수로 나타내었을 때, 분모의 소인수에 2 또는 5가 1개씩만 있어야 한다.

(ⅰ) 분모의 소인수에 2만 1개 있을 때,
　　A의 값이 될 수 있는 가장 작은 자연수는 $2^2 \times 5 = 20$

(ⅱ) 분모의 소인수에 5만 1개 있을 때,
　　A의 값이 될 수 있는 가장 작은 자연수는 $2^3 = 8$

(ⅲ) 분모의 소인수에 2, 5가 각각 1개씩 있을 때,
　　A의 값이 될 수 있는 가장 작은 자연수는 $2^2 = 4$

(ⅰ)~(ⅲ)에 의하여 A의 값이 될 수 있는 가장 작은 자연수는 4이므로 $y = 4$

$$\therefore \frac{y}{x} = \frac{4}{9} = 0.444\cdots = 0.\dot{4}$$

📣 Lecture

(1) 소수점 아래 첫째 자리부터 순환마디가 시작되는 순환소수
➡ 분모가 9, 99, 999, … 의 꼴이다.
➡ 분모의 소인수에 2와 5가 없다.

(2) 소수점 아래 첫째 자리부터 순환마디가 시작되지 않는 순환소수
➡ 분모가 90, 900, 990, … 의 꼴이다.
➡ 분모의 소인수에 2 또는 5가 있다.

---

05 **Action** 1보다 작은 두 순환소수의 합이 자연수이므로 그 합은 1이다.

두 순환소수 $0.\dot{a}bc\dot{d}$, $0.\dot{c}da\dot{b}$는 각각 1보다 작은 소수이고, 이 두 순환소수의 합이 자연수이므로 그 합은 1이다.

$0.\dot{a}bc\dot{d} + 0.\dot{c}da\dot{b}$

$$= \frac{1000a + 100b + 10c + d}{9999} + \frac{1000c + 100d + 10a + b}{9999}$$

$$= \frac{1010a + 101b + 1010c + 101d}{9999}$$

$$= \frac{101(10a + b + 10c + d)}{9999}$$

$$= \frac{10(a + c) + b + d}{99} = 1$$

$\therefore 10(a + c) + b + d = 99$

이때 a, b, c, d가 서로 다른 한 자리의 자연수이므로
$a + c = 9$, $b + d = 9$

$\therefore a + b + c + d = (a + c) + (b + d) = 9 + 9 = 18$

📣 Lecture

$a + c = 9$, $b + d = 9$인 이유

$10(a + c)$의 일의 자리의 숫자는 0이므로 $b + d$의 일의 자리의 숫자는 9이어야 한다. 이때 b, d는 서로 다른 한 자리의 자연수이므로 $b + d$의 최댓값은 17이다.
따라서 $b + d = 9$이므로 $a + c = 90$이다.

---

06 **Action** 점 A의 x좌표와 y좌표의 규칙성을 각각 찾는다.

점 A의 x좌표가 가까워지는 값을 살펴보면 원점에서 출발하여 오른쪽으로 $a_1 = 5$만큼, 다시 오른쪽으로

$a_3 = \dfrac{1}{10}a_2 = \dfrac{1}{100}a_1 = \dfrac{5}{100}$만큼, 다시 오른쪽으로

$a_5 = \dfrac{1}{10}a_4 = \dfrac{1}{100}a_3 = \dfrac{1}{1000}a_2 = \dfrac{1}{10000}a_1 = \dfrac{5}{10000}$만큼,

…과 같이 움직이므로 점 A의 x좌표가 가까워지는 값은

$$5 + \frac{5}{100} + \frac{5}{10000} + \cdots = 5 + 0.05 + 0.0005 + \cdots$$

$$= 5.0505\cdots = 5.\dot{0}\dot{5}$$

$$= \frac{505 - 5}{99} = \frac{500}{99}$$

또, 점 A의 y좌표가 가까워지는 값을 살펴보면 원점에서 출발하여 위로 $a_2 = \dfrac{1}{10}a_1 = \dfrac{5}{10}$만큼, 다시 위로

$a_4 = \dfrac{1}{10}a_3 = \dfrac{1}{100}a_2 = \dfrac{1}{1000}a_1 = \dfrac{5}{1000}$만큼, 다시 위로

$a_6 = \dfrac{1}{10}a_5 = \dfrac{1}{100}a_4 = \dfrac{1}{1000}a_3$

$$= \frac{1}{10000}a_2 = \frac{1}{100000}a_1 = \frac{5}{100000}$$

만큼, …과 같이 움직이므로 점 A의 y좌표가 가까워지는 값은

$$\frac{5}{10} + \frac{5}{1000} + \frac{5}{100000} + \cdots = 0.5 + 0.005 + 0.00005 + \cdots$$

$$= 0.50505\cdots = 0.\dot{5}\dot{0} = \frac{50}{99}$$

따라서 점 A가 가까워지는 점의 좌표는 $\left(\dfrac{500}{99}, \dfrac{50}{99} \right)$이다.

교과서 속 **창의 사고력** 　　　　　📄 16~ 📄 18

01 4	**02** 10개	**03** $(-11, -3)$
03 $\dfrac{37}{99}$	**05** $\dfrac{900}{11}$	**06** (1) 풀이 참조 (2) $\dfrac{5}{36}$

01 **Action** $(1^2 + 2^2 + 3^2 + \cdots + 10^2)$의 일의 자리의 숫자는 $(11^2 + 12^2 + 13^2 + \cdots + 20^2)$의 일의 자리의 숫자와 같다.

$\{(11^2 + 12^2 + 13^2 + \cdots + 20^2)$의 일의 자리의 숫자$\}$
$= \{(1^2 + 2^2 + 3^2 + \cdots + 10^2)$의 일의 자리의 숫자$\} = 5$이므로
$\{(1^2 + 2^2 + 3^2 + \cdots + 20^2)$의 일의 자리의 숫자$\} = 0$

따라서 $n = 21$ 이후로는 1^2, $1^2 + 2^2$, $1^2 + 2^2 + 3^2$, …의 일의 자리의 숫자가 다시 반복된다.

즉 $a_{21} = a_1$, $a_{22} = a_2$, $a_{23} = a_3$, …이므로

$0.a_1 a_2 a_3 \cdots a_n \cdots = 0.\dot{a_1} a_2 a_3 \cdots \dot{a}_{20}$

이때 순환마디의 숫자는 $a_1, a_2, a_3, \cdots, a_{20}$의 20개이고, $2008 = 20 \times 100 + 8$이므로 소수점 아래 2008번째 자리의 숫자는 a_8의 값과 같다.

따라서 $0.a_1 a_2 a_3 \cdots a_n \cdots$의 소수점 아래 2008번째 자리의 숫자는 $1^2 + 2^2 + 3^2 + \cdots + 8^2$의 일의 자리의 숫자인 4이다.

02 Action 분자, 분모에 올 수 있는 수를 각각 생각해 본다.

분자에 올 수 있는 수는 $1, 2, 3, 4(=2^2), 5, 6(=2 \times 3)$
분모에 올 수 있는 수는 11, 12, 13, 14, 21, 22, 23, 24, 31, 32, 33, 34, 41, 42, 43, 44

만들어진 분수를 소수로 나타내었을 때, 유한소수가 되는 분수는 다음과 같다.

(ⅰ) 분모가 $12(=2^2 \times 3)$일 때, $\dfrac{3}{12}, \dfrac{6}{12}$의 2개

(ⅱ) 분모가 $24(=2^3 \times 3)$일 때, $\dfrac{3}{24}, \dfrac{6}{24}$의 2개

(ⅲ) 분모가 $32(=2^5)$일 때,

$\dfrac{1}{32}, \dfrac{2}{32}, \dfrac{3}{32}, \dfrac{4}{32}, \dfrac{5}{32}, \dfrac{6}{32}$의 6개

(ⅰ)~(ⅲ)에 의하여 $2+2+6=10$(개)

03 Action $\dfrac{1323}{9999}$을 순환소수로 나타낸 후 순환마디를 구한다.

$\dfrac{1323}{9999} = 0.13231323\cdots = 0.\dot{1}32\dot{3}$이므로 순환마디의 숫자의 개수는 4개이다.

이때 점 A는 4회마다 일정한 이동을 반복하고, 매회 오른쪽으로 $90°$씩 회전하여 방향을 바꿔가며 이동한다.

이것을 좌표평면 위에 나타내면 오른쪽 그림과 같으므로 4회마다 원점에서 x축의 방향으로 -1만큼 이동하게 된다.
$50 = 4 \times 12 + 2$이므로 순환마디가 12회 반복되어 x축의 방향으로 -1만큼 12회 이동한 후 2회 더 이동한 위치가 50회 이동한 후의 점 A의 위치가 된다.

따라서 순환마디가 12회 반복된 후의 점 A의 좌표는 $(-12, 0)$이고 2회 더 이동하였으므로 $(-12, 0)$에서 x축의 방향으로 1만큼 전진하면 $(-11, 0)$, 그 다음은 다시 오른쪽으로 $90°$ 회전하여 3만큼 전진하면 $(-11, -3)$이다.

04 Action 어떤 수를 10으로 나눈 나머지는 그 수의 일의 자리의 숫자와 같다.

어떤 수를 10으로 나눈 나머지는 그 수의 일의 자리의 숫자와 같으므로
$A_n = \{(14^n + 19^n)$의 일의 자리의 숫자$\}$
$\quad\; = \{(4^n + 9^n)$의 일의 자리의 숫자$\}$

$n=1$일 때, 4의 일의 자리의 숫자는 4, 9의 일의 자리의 숫자는 9이고, 이 두 수를 더하면 13이므로 $A_1 = 3$
$n=2$일 때, 4^2의 일의 자리의 숫자는 6, 9^2의 일의 자리의 숫자는 1이고, 이 두 수를 더하면 7이므로 $A_2 = 7$
같은 방법으로 $A_3 = 3$, $A_4 = 7$, $\cdots$

$\therefore \dfrac{A_1}{10} + \dfrac{A_2}{10^2} + \dfrac{A_3}{10^3} + \dfrac{A_4}{10^4} + \cdots$

$= \dfrac{3}{10} + \dfrac{7}{10^2} + \dfrac{3}{10^3} + \dfrac{7}{10^4} + \cdots$

$= 0.3 + 0.07 + 0.003 + 0.0007 + \cdots$

$= 0.3737\cdots = 0.\dot{3}\dot{7} = \dfrac{37}{99}$

05 Action 첫 번째 원의 반지름의 길이를 이용하여 두 번째 원, 세 번째 원, $\cdots$의 반지름의 길이를 구한다.

첫 번째 원의 넓이를 S_1, 두 번째 원의 넓이를 S_2, 세 번째 원의 넓이를 S_3, $\cdots$이라 하면
첫 번째 원의 반지름의 길이는 9이므로
$S_1 = \pi \times 9^2 = 81\pi$
두 번째 원의 반지름의 길이는

$9 - 9 \times \dfrac{9}{10} = 9 - \dfrac{81}{10} = \dfrac{9}{10}$

$\therefore S_2 = \pi \times \left(\dfrac{9}{10}\right)^2 = 0.81\pi$

세 번째 원의 반지름의 길이는

$\dfrac{9}{10} - \dfrac{9}{10} \times \dfrac{9}{10} = \dfrac{9}{10} - \dfrac{81}{100} = \dfrac{9}{100}$

$\therefore S_3 = \pi \times \left(\dfrac{9}{100}\right)^2 = 0.0081\pi$

$\therefore S_1 + S_2 + S_3 + \cdots = 81\pi + 0.81\pi + 0.0081\pi + \cdots$

$= \pi \times 81.8181\cdots$

$= \pi \times 81.\dot{8}\dot{1} = \pi \times \dfrac{8181 - 81}{99}$

$= \pi \times \dfrac{8100}{99} = \dfrac{900}{11}\pi$

따라서 $S\pi = \dfrac{900}{11}\pi$이므로 $S = \dfrac{900}{11}$

06 Action 소수와 악보의 관계를 이해한다.

(1)

$\dfrac{8}{11} = 0.727272\cdots = 0.\dot{7}\dot{2}$이므로 출력되는 악보를 그리면 위의 그림과 같다.

(2) 악보에서 나타내는 음을 소수로 나타내면 $0.13\dot{8}$이므로 기계에 넣은 기약분수는

$0.13\dot{8} = \dfrac{138 - 13}{900} = \dfrac{125}{900} = \dfrac{5}{36}$

Ⅱ. 식의 계산

1. 단항식의 계산

최고수준 입문하기

🅟 21 – 🅟 24

01 2	**02** 5	**03** 1024	**04** 9
05 4	**06** ④	**07** 15	**08** 12
09 $a=4, b=8, c=6$		**10** 7	**11** ③
12 500초 후	**13** 3	**14** 29	**15** ④
16 ②	**17** 20	**18** 4	**19** 41
20 $-\dfrac{36}{xy}$	**21** -7	**22** $\dfrac{64x^2}{9yz^4}$	**23** $36b^{10}$
24 $8x^2y^2$			

---

01 [Action] 256을 소인수분해하여 2의 거듭제곱으로 나타낸다.

$256=2^8$이므로

$2 \times 2^5 \times 2^a = 2^{1+5+a} = 2^8$

따라서 $6+a=8$이므로 $a=2$

02 [Action] m, n이 자연수일 때, $a^m \times a^n = a^{m+n}$, $(a^m)^n = a^{mn}$임을 이용한다.

$(a^3)^\square \times a^2 \times a^4 = a^{3 \times \square + 2 + 4} = a^{3 \times \square + 6}$이므로

$a^{3 \times \square + 6} = a^{21}$

따라서 $3 \times \square + 6 = 21$이므로

$3 \times \square = 15$ ∴ $\square = 5$

03 [Action] $\dfrac{a}{b}$를 2의 거듭제곱으로 나타낸다.

$\dfrac{a}{b} = a \div b = 2^{5x} \div 2^{5y} = 2^{5x-5y} = 2^{5(x-y)} = 2^{10} = 1024$

04 [Action] 밑을 3으로 같게 만든 후 지수를 비교한다.

$9^{x+4} = (3^2)^{x+4} = 3^{2x+8}$이므로 ······ 50%

$3^{3x-1} = 3^{2x+8}$

따라서 $3x-1 = 2x+8$이므로 $x=9$ ······ 50%

05 [Action] $a \neq 0$이고, m, n이 자연수일 때,

$a^m \div a^n = \begin{cases} a^{m-n} & (m>n) \\ 1 & (m=n) \\ \dfrac{1}{a^{n-m}} & (m<n) \end{cases}$임을 이용한다.

$a^{20} \div a^4 \div a^{2x} = a^{20-4-2x} = a^{16-2x}$이므로

$a^{16-2x} = a^8$

따라서 $16-2x = 8$이므로

$2x = 8$ ∴ $x=4$

06 [Action] 지수법칙을 이용하여 간단히 한다.

① $a^7 \div a^4 \div a = a^{7-4-1} = a^2$

② $(a^3)^2 \div (a^2)^2 = a^6 \div a^4 = a^{6-4} = a^2$

③ $a \times a^5 \div a^4 = a^{1+5} \div a^4 = a^6 \div a^4 = a^{6-4} = a^2$

④ $a^4 \div (a^5 \div a^2) = a^4 \div a^{5-2} = a^4 \div a^3 = a^{4-3} = a$

⑤ $a^7 \div (a \times a^4) = a^7 \div a^{1+4} = a^7 \div a^5 = a^{7-5} = a^2$

따라서 계산 결과가 나머지 넷과 다른 하나는 ④이다.

07 [Action] 각각의 등식에서 밑을 같게 만든 후 지수를 비교한다.

$3^6 \div 3^a = \dfrac{1}{3^2}$에서 $a-6 = 2$ ∴ $a=8$ ······ 30%

$8 \times 2^b \div 64 = 16$에서 $2^3 \times 2^b \div 2^6 = 2^4$

$2^{3+b-6} = 2^4$

따라서 $b-3 = 4$이므로 $b=7$ ······ 50%

∴ $a+b = 8+7 = 15$ ······ 20%

08 [Action] 540을 소인수분해한다.

$540 = 2^2 \times 3^3 \times 5$이므로

$540^3 = (2^2 \times 3^3 \times 5)^3 = 2^6 \times 3^9 \times 5^3$

따라서 $x=6, y=9, z=3$이므로

$x+y-z = 6+9-3 = 12$

09 [Action] m이 자연수일 때, $\left(\dfrac{a}{b}\right)^m = \dfrac{a^m}{b^m}$ $(b \neq 0)$임을 이용한다.

$\left(\dfrac{2x^2y^a}{z}\right)^3 = \dfrac{8x^6y^{3a}}{z^3} = \dfrac{bx^cy^{12}}{z^3}$이므로

$3a = 12, 8 = b, 6 = c$

∴ $a=4, b=8, c=6$

10 [Action] 32, 16, 8을 각각 2의 거듭제곱으로 나타낸다.

$32^2 \times 16^3 \div 8^5 = (2^5)^2 \times (2^4)^3 \div (2^3)^5$

$= 2^{10} \times 2^{12} \div 2^{15} = 2^{10+12-15}$

$= 2^7 = 2^x$

∴ $x=7$

11 [Action] 지수법칙을 이용하여 간단히 한다.

① $(a^2b^\square)^3 = a^6b^{\square \times 3} = a^6b^{15}$이므로

$\square \times 3 = 15$ ∴ $\square = 5$

② $(a^3)^4 \div a^\square = a^{12-\square} = a^8$이므로

$12-\square = 8$ ∴ $\square = 4$

③ $\left(-\dfrac{b^2}{a^3}\right)^3 = -\dfrac{b^6}{a^9} = -\dfrac{b^6}{a^\square}$이므로 $\square = 9$

④ $a^5 \times a^4 \div (a^\square)^2 = a^{9-\square \times 2} = a$이므로

$9-\square \times 2 = 1$ ∴ $\square = 4$

⑤ $a^\square \div (a^2)^2 \div a = a^{\square-4-1} = a^{\square-5} = a^3$이므로

$\square-5 = 3$ ∴ $\square = 8$

따라서 $\square$ 안에 들어갈 수가 가장 큰 것은 ③이다.

12 Action $(시간)=\dfrac{(거리)}{(속력)}$임을 이용한다.

빛의 속력은 초속 3.0×10^5 km이므로 태양을 출발한 빛이 지구에 도달하는 데 걸리는 시간은

$\dfrac{1.5\times10^8}{3.0\times10^5}=\dfrac{10^3}{2}=500(초)$

따라서 태양을 출발한 빛은 500초 후에 지구에 도달한다.

13 Action $3^{x+2}=3^x\times3^2$임을 이용한다.

$3^{x+2}+3^{x+1}+3^x=3^x\times3^2+3^x\times3+3^x$
$\qquad\qquad\qquad\qquad=(9+3+1)\times3^x$
$\qquad\qquad\qquad\qquad=13\times3^x$

따라서 $13\times3^x=351$이므로

$3^x=27=3^3$ $\quad\therefore\ x=3$

14 Action 덧셈식은 곱셈식으로 바꾸어 간단히 한다.

$16^3+16^3+16^3+16^3=4\times16^3=2^2\times(2^4)^3$
$\qquad\qquad\qquad\qquad\qquad=2^2\times2^{12}=2^{14}$

이므로 $x=14$ ····· **30%**

$25^4\times125^3=(5^2)^4\times(5^3)^3=5^8\times5^9=5^{17}$이므로

$y=17$ ····· **30%**

$\{(-81)^2\}^4=(81^2)^4=\{(3^4)^2\}^4=(3^8)^4=3^{32}$이므로

$z=32$ ····· **30%**

$\therefore\ x-y+z=14-17+32=29$ ····· **10%**

> **Lecture**
>
> **밑과 지수가 같은 거듭제곱의 덧셈**
>
> 밑과 지수가 같은 거듭제곱의 덧셈은 곱셈으로 바꿀 수 있다.
>
> $\underbrace{a^m+a^m+a^m+\cdots+a^m}_{n개}=n\times a^m$
>
> 특히 밑이 a인 거듭제곱을 a번 더한 것은 다음과 같이 거듭제곱으로 나타낼 수 있다.
>
> $\underbrace{a^m+a^m+a^m+\cdots+a^m}_{a개}=a\times a^m=a^{m+1}$

15 Action $a^n=A$일 때, $a^{mn}=(a^n)^m=A^m$임을 이용한다.

$24^4=(2^3\times3)^4=(2^3)^4\times3^4$
$\qquad=(2^3)^4\times(3^2)^2=A^4B^2$

16 Action $2^{x+1}=2^x\times2$임을 이용하여 2^x을 A를 사용하여 나타낸다.

$A=2^{x+1}=2^x\times2$ $\quad\therefore\ 2^x=\dfrac{A}{2}$

$\therefore\ 16^x=(2^4)^x=2^{4x}=(2^x)^4$
$\qquad=\left(\dfrac{A}{2}\right)^4=\dfrac{A^4}{2^4}=\dfrac{A^4}{16}$

17 Action 주어진 수를 $a\times10^n$의 꼴로 나타낸다.

$2^{15}\times3\times5^{12}=2^3\times2^{12}\times3\times5^{12}=2^3\times3\times(2\times5)^{12}$
$\qquad\qquad\qquad\qquad=24\times10^{12}$

따라서 $2^{15}\times3\times5^{12}$은 14자리의 자연수이므로 $n=14$

또, 각 자리의 숫자의 합은 $2+4=6$이므로 $k=6$

$\therefore\ n+k=14+6=20$

> **Lecture**
>
> **지수법칙을 이용하여 자릿수 구하기**
>
> 주어진 수에서 소인수 2와 5의 지수를 같게 만들고 $2^n\times5^n=(2\times5)^n=10^n$임을 이용하여 주어진 수를 $a\times10^n$ (a, n은 자연수)의 꼴로 나타낸다.
>
> 이때 ($a\times10^n$의 자릿수)=(a의 자릿수)$+n$이다.

18 Action 주어진 수를 $a\times10^n$의 꼴로 나타낸다.

$4^x\times25^{x+1}=(2^2)^x\times(5^2)^{x+1}=2^{2x}\times5^{2x+2}$
$\qquad\qquad\qquad=2^{2x}\times5^{2x}\times5^2=5^2\times(2\times5)^{2x}$
$\qquad\qquad\qquad=25\times10^{2x}$

이때 $4^x\times25^{x+1}$이 10자리의 자연수이므로

$2x=8$ $\quad\therefore\ x=4$

19 Action 지수법칙을 이용하여 좌변을 간단히 한 후 우변과 비교한다.

$(2x^2y^a)^3\times(-xy^4)^b\times5x^3y^2$
$=8x^6y^{3a}\times(-1)^bx^by^{4b}\times5x^3y^2$
$=(-1)^b\times40x^{9+b}y^{3a+4b+2}$

즉 $(-1)^b\times40x^{9+b}y^{3a+4b+2}=cx^{11}y^{19}$이므로

$(-1)^b\times40=c,\ 9+b=11,\ 3a+4b+2=19$

따라서 $a=3$, $b=2$, $c=40$이므로

$a-b+c=3-2+40=41$

20 Action 역수를 이용하여 나눗셈을 곱셈으로 바꿔서 계산한다.

$(-3x^3y^4)^2\div2x^4y^3\div\left(-\dfrac{1}{2}xy^2\right)^3$

$=9x^6y^8\div2x^4y^3\div\left(-\dfrac{1}{8}x^3y^6\right)$

$=9x^6y^8\times\dfrac{1}{2x^4y^3}\times\left(-\dfrac{8}{x^3y^6}\right)$

$=-\dfrac{36}{xy}$

21 Action 지수법칙을 이용하여 괄호를 풀고, 역수를 이용하여 나눗셈을 곱셈으로 바꾼다.

$Ax^3y^5\div(-2xy^B)^4\times8x^Cy^3$

$=Ax^3y^5\times\dfrac{1}{16x^4y^{4B}}\times8x^Cy^3$

$=\dfrac{A}{2}x^{C-1}y^{8-4B}$

즉 $\dfrac{A}{2}x^{C-1}y^{8-4B}=-5xy^4$이므로

$\dfrac{A}{2}=-5,\ C-1=1,\ 8-4B=4$

따라서 $A=-10,\ B=1,\ C=2$이므로

$A+B+C=-10+1+2=-7$

22 [Action] $A\div\boxed{}\times B=C$에서 $\boxed{}=A\times B\div C$임을 이용한다.

$\boxed{}=(-3x^2y)^2\times\left(-\dfrac{1}{9}x^2z\right)^2\div\left(\dfrac{1}{4}x^2yz^2\right)^3$

$\quad=9x^4y^2\times\dfrac{1}{81}x^4z^2\times\dfrac{64}{x^6y^3z^6}$

$\quad=\dfrac{64x^2}{9yz^4}$

> **Lecture**
>
> □안에 알맞은 식 구하기
> $A\times B\div\boxed{}=C\ \Rightarrow\ \boxed{}=A\times B\div C$
> $\boxed{}\times A\div B=C\ \Rightarrow\ \boxed{}=C\div A\times B$

23 [Action] 어떤 식을 A라 하고, A를 먼저 구한다.

어떤 식을 A라 하면 $A\div\dfrac{2b^3}{a}=(3ab^2)^2$

$\therefore A=(3ab^2)^2\times\dfrac{2b^3}{a}=9a^2b^4\times\dfrac{2b^3}{a}$

$\quad=18ab^7$ 60%

따라서 바르게 계산하면

$18ab^7\times\dfrac{2b^3}{a}=36b^{10}$ 40%

24 [Action] (원기둥의 부피)=(밑넓이)×(높이)임을 이용한다.

$\pi\times(2x^2y)^2\times(높이)=32\pi x^6y^4$이므로

$(높이)=32\pi x^6y^4\times\dfrac{1}{(2x^2y)^2\pi}$

$\quad=32\pi x^6y^4\times\dfrac{1}{4\pi x^4y^2}$

$\quad=8x^2y^2$

최고수준 완성하기

[P] 25~[P] 27

01 2	**02** 4	**03** 0	**04** 13
05 5, 96	**06** $\dfrac{a^3}{40b}$	**07** 17	**08** $-72x^{12}$
09 11	**10** $-\dfrac{32}{5}a^8b^6$	**11** $64x^4y^6$	**12** $\dfrac{9}{8}a$

01 [Action] 16, 4, 64를 각각 2의 거듭제곱으로 나타낸다.

$16^{5x-1}\div4^{3x+6}=2^{4(5x-1)}\div2^{2(3x+6)}=2^{20x-4}\div2^{6x+12}$

$64^2=(2^6)^2=2^{12}$이므로

$2^{20x-4}\div2^{6x+12}=2^{12}$

따라서 $20x-4-(6x+12)=12$이므로

$14x-16=12,\ 14x=28$ $\therefore x=2$

02 [Action] d의 값이 될 수 있는 자연수는 $x,\ y,\ z$의 지수의 공약수임을 이용한다.

$(x^ay^bz^c)^d=x^{ad}y^{bd}z^{cd}=x^{16}y^{12}z^{28}$이므로

$ad=16,\ bd=12,\ cd=28$

이때 $a,\ b,\ c,\ d$는 모두 자연수이므로 d는 16, 12, 28의 공약수이어야 한다.

즉 가장 큰 자연수 d는 16, 12, 28의 최대공약수인 4이다.

따라서 $d=4$일 때 $a=4,\ b=3,\ c=7$이므로

$a+b-c+d=4+3-7+4=4$

03 [Action] 7의 거듭제곱에서 일의 자리의 숫자의 규칙성을 알아본다.

$\{7\}=7,\ \{7^2\}=9,\ \{7^3\}=3,\ \{7^4\}=1,\ \{7^5\}=7,\ \cdots$이므로 7^n의 일의 자리의 숫자는 7, 9, 3, 1의 4개의 숫자가 반복된다.

$17=4\times4+1$이므로 $\{7^{17}\}=\{7\}=7$

$83=4\times20+3$이므로 $\{7^{83}\}=\{7^3\}=3$

$\therefore \{7^{17}+7^{83}\}=\{7+3\}=0$

> **Lecture**
>
> 두 자연수의 합의 일의 자리의 숫자
> 두 자연수 $a,\ b$에 대하여 $a+b$의 일의 자리의 숫자는
> (a의 일의 자리의 숫자)+(b의 일의 자리의 숫자)의 일의 자리의 숫자와 같다.

04 [Action] 좌변의 덧셈식을 곱셈식으로 바꾼다.

$\dfrac{4^6+4^6+4^6}{3^6+3^6+3^6+3^6}\times\dfrac{5^6+5^6+5^6+5^6}{2^6+2^6+2^6}$

$=\dfrac{3\times4^6}{4\times3^6}\times\dfrac{4\times5^6}{3\times2^6}=\dfrac{2^6\times5^6}{3^6}$

$=\dfrac{(2\times5)^6}{3^6}=\left(\dfrac{10}{3}\right)^6$

따라서 $a=3,\ b=10$이므로

$a+b=3+10=13$

05 [Action] 각각의 수를 소인수분해한 후 지수법칙을 이용한다.

$\dfrac{2^{11}\times15^5\times12^3}{6^7\times10^x}=\dfrac{2^{11}\times(3\times5)^5\times(2^2\times3)^3}{(2\times3)^7\times(2\times5)^x}$

$\quad=\dfrac{2^{11}\times3^5\times5^5\times2^6\times3^3}{2^7\times3^7\times2^x\times5^x}$

$\quad=\dfrac{2^{10}\times3\times5^5}{2^x\times5^x}$

$x=5$일 때, 가장 작은 자연수가 되므로

$$\frac{2^{10}\times3\times5^5}{2^5\times5^5}=2^5\times3=96$$

따라서 가장 작은 자연수가 되도록 하는 자연수 x의 값은 5
이고, 그때의 자연수는 96이다.

06 Action 2^x과 5^x을 각각 a, b를 사용하여 나타낸다.

$a=2^{x+1}=2^x\times2$이므로 $2^x=\dfrac{a}{2}$

$b=5^{x-1}=5^x\div5=\dfrac{5^x}{5}$이므로 $5^x=5b$

$$\therefore (1.6)^x=\left(\frac{8}{5}\right)^x=\left(\frac{2^3}{5}\right)^x=\frac{2^{3x}}{5^x}=\frac{(2^x)^3}{5^x}$$

$$=\left(\frac{a}{2}\right)^3\div5b=\frac{a^3}{8}\times\frac{1}{5b}=\frac{a^3}{40b}$$

07 Action 덧셈식을 곱셈식으로 바꾼 후 $a\times10^n$의 꼴로 나타낸다.

$(6^3+6^3+6^3+6^3)^2\times(5^8+5^8)\div(15^2+15^2+15^2)$

$=(4\times6^3)^2\times(2\times5^8)\div(3\times15^2)$

$=\{2^2\times(2\times3)^3\}^2\times(2\times5^8)\div\{3\times(3\times5)^2\}$

$=(2^5\times3^3)^2\times(2\times5^8)\div(3^3\times5^2)$

$=2^{11}\times3^6\times5^8\times\dfrac{1}{3^3\times5^2}$

$=2^{11}\times3^3\times5^6=2^5\times2^6\times3^3\times5^6$

$=2^5\times3^3\times(2\times5)^6$

$=2^5\times3^3\times10^6$

$=864\times10^6$ 50%

따라서 주어진 수는 9자리의 자연수이므로

$m=9$ 20%

또, 이 수의 최고 자리의 숫자는 8이므로 $n=8$ 20%

$\therefore m+n=9+8=17$ 10%

08 Action $A\div C=\dfrac{A}{C}=\dfrac{A}{B}\times\dfrac{B}{C}$임을 이용한다.

$\dfrac{A}{B}=(-2x^2)^3=-8x^6$

$\dfrac{B}{C}=(3x^3)^2=9x^6$

$\therefore A\div C=\dfrac{A}{C}=\dfrac{A}{B}\times\dfrac{B}{C}$

$\qquad\quad=-8x^6\times9x^6=-72x^{12}$

09 Action 지수법칙을 이용하여 좌변을 간단히 한 후 우변과 비교한다.

$\left(-\dfrac{x^3}{y}\right)^a\times\left(\dfrac{y^2}{x^b}\right)^2\div\left(-\dfrac{x^2}{2y}\right)^2$

$=(-1)^a\times\dfrac{x^{3a}}{y^a}\times\dfrac{y^4}{x^{2b}}\times\dfrac{4y^2}{x^4}$ ...... ㉠

이때 (좌변)=(우변)이므로 $(-1)^a=-1$이고,

$1<a<5$이므로 $a=3$

$a=3$을 ㉠에 대입하면

$$-\frac{x^9}{y^3}\times\frac{y^4}{x^{2b}}\times\frac{4y^2}{x^4}=-\frac{4y^3}{x^{2b-5}}$$

따라서 $-\dfrac{4y^3}{x^{2b-5}}=-\dfrac{4y^{c-1}}{x^3}$이므로

$2b-5=3,\ 3=c-1$ $\quad\therefore b=4,\ c=4$

$\therefore a+b+c=3+4+4=11$

10 Action 약속에 따라 주어진 식을 계산한다.

(주어진 식)

$=<10\times a\times b^3>\times[-2\times a^3\times b]\div(5ab)^3$

$=(10ab^3)^2\times(-2a^3b)^3\div125a^3b^3$

$=100a^2b^6\times(-8a^9b^3)\times\dfrac{1}{125a^3b^3}$

$=-\dfrac{32}{5}a^8b^6$

11 Action 직사각형 ABCD의 세로의 길이가 정사각형 DCEF의 한 변의 길이이다.

$3xy^2\times\overline{DC}=24x^3y^5$이므로 $\overline{DC}=\dfrac{24x^3y^5}{3xy^2}=8x^2y^3$

$\therefore$ (정사각형 DCEF의 넓이)$=(8x^2y^3)^2=64x^4y^6$

12 Action (쇠공의 부피)=(원기둥의 밑넓이)×(높아진 물의 높이)이다.

높아진 물의 높이를 h라 하면 높아진 물의 높이만큼의 원기둥의 부피는 쇠공의 부피와 같으므로

$\pi\times(2a)^2\times h=\dfrac{4}{3}\pi\times\left(\dfrac{3}{2}a\right)^3,\ 4\pi a^2h=\dfrac{9}{2}\pi a^3$

$\therefore h=\dfrac{9}{2}\pi a^3\div4\pi a^2=\dfrac{9}{2}\pi a^3\times\dfrac{1}{4\pi a^2}=\dfrac{9}{8}a$

따라서 높아진 물의 높이는 $\dfrac{9}{8}a$이다.

최고수준 뛰어넘기

ⓟ 28-ⓟ 29

01 48	02 ⓛ, ㉣	03 1	04 9
05 1	06 14		

01 Action 1부터 100까지의 자연수 중 3의 배수, 9의 배수, 27의 배수, 81의 배수의 개수를 각각 구한다.

3^a과 자연수 b가 서로소이려면 자연수 b의 소인수 중에는 3이 없어야 한다.

즉 a는 $1\times2\times3\times\cdots\times100$을 소인수분해했을 때 소인수 3의 지수와 같다.

1부터 100까지의 자연수 중 3을 소인수로 가지는 수는 3의 배수이다. 이때 9의 배수는 3^2을 인수로, 27의 배수는 3^3을 인수로, 81의 배수는 3^4을 인수로 가지고 있으므로 a의 값은 (3의 배수의 개수)+(9의 배수의 개수)+(27의 배수의 개수)+(81의 배수의 개수)와 같다.

$\therefore a = 33 + 11 + 3 + 1 = 48$

02 **Action** 약속에 따라 좌변과 우변을 각각 간단히 한 후 비교한다.

㉠ $L[2^x \times 2^y] = L[2^{x+y}] = x+y$
$L[2^x] \times L[2^y] = xy$
$\therefore L[2^x \times 2^y] \neq L[2^x] \times L[2^y]$

㉡ $x > y$이므로 $L[2^x \div 2^y] = L[2^{x-y}] = x-y$
$L[2^x] - L[2^y] = x-y$
$\therefore L[2^x \div 2^y] = L[2^x] - L[2^y]$

㉢ $L[(2^x)^y] = L[2^{xy}] = xy$
$(L[2^x])^y = x^y$
$\therefore L[(2^x)^y] \neq (L[2^x])^y$

㉣ $L[A] = 3$이므로 $A = 2^3 = 8$

따라서 옳은 것은 ㉡, ㉣이다.

03 **Action** $2^{x+1} - 2^x = 2^x$임을 이용한다.

자연수 x에 대하여
$2^{x+1} - 2^x = 2^x(2-1) = 2^x$
$\therefore 2^{2019} - (1 + 2 + 2^2 + 2^3 + \cdots + 2^{2016} + 2^{2017} + 2^{2018})$
$= 2^{2019} - 2^{2018} - 2^{2017} - \cdots - 2^3 - 2^2 - 2 - 1$
$= (2^{2019} - 2^{2018}) - 2^{2017} - \cdots - 2^3 - 2^2 - 2 - 1$
$= 2^{2018} - 2^{2017} - \cdots - 2^3 - 2^2 - 2 - 1$
$= (2^{2018} - 2^{2017}) - \cdots - 2^3 - 2^2 - 2 - 1$
$= 2^{2017} - 2^{2016} - \cdots - 2^3 - 2^2 - 2 - 1$
$\vdots$
$= 2 - 1$
$= 1$

04 **Action** b^{1013}을 10으로 나눈 나머지는 b^{1013}의 일의 자리의 숫자와 같다.

$(ab)^{1013}$을 10으로 나눈 나머지가 3이므로 $(ab)^{1013}$의 일의 자리의 숫자는 3이다.
이때 $(ab)^{1013} = a^{1013}b^{1013}$이고 a^{1013}의 일의 자리의 숫자가 7이므로 b^{1013}의 일의 자리의 숫자는 9이어야 한다.
$n = 1, 2, 3, 4, 5, \cdots$일 때
$b = 2$이면 2^n의 일의 자리의 숫자는 2, 4, 8, 6, 2, $\cdots$
즉 2^{1013}의 일의 자리의 숫자가 9인 경우는 없다.
$b = 3$이면 3^n의 일의 자리의 숫자는 3, 9, 7, 1, 3, $\cdots$
이때 $1013 = 4 \times 253 + 1$이므로 3^{1013}의 일의 자리의 숫자는 3이다.

$b = 4$이면 4^n의 일의 자리의 숫자는 4, 6, 4, 6, 4, $\cdots$
즉 4^{1013}의 일의 자리의 숫자가 9인 경우는 없다.
$b = 5$이면 5^n의 일의 자리의 숫자는 5, 5, 5, 5, 5, $\cdots$
즉 5^{1013}의 일의 자리의 숫자가 9인 경우는 없다.
$b = 6$이면 6^n의 일의 자리의 숫자는 6, 6, 6, 6, 6, $\cdots$
즉 6^{1013}의 일의 자리의 숫자가 9인 경우는 없다.
$b = 7$이면 7^n의 일의 자리의 숫자는 7, 9, 3, 1, 7, $\cdots$
이때 $1013 = 4 \times 253 + 1$이므로 7^{1013}의 일의 자리의 숫자는 7이다.
$b = 8$이면 8^n의 일의 자리의 숫자는 8, 4, 2, 6, 8, $\cdots$
즉 8^{1013}의 일의 자리의 숫자가 9인 경우는 없다.
$b = 9$이면 9^n의 일의 자리의 숫자는 9, 1, 9, 1, 9, $\cdots$
이때 $1013 = 2 \times 506 + 1$이므로 9^{1013}의 일의 자리의 숫자는 9이다.
따라서 $b = 9$일 때, 조건을 만족시키고 같은 방법으로 $b = 19$, 29, 39, $\cdots$일 때, 조건을 만족시킨다.
그러므로 b를 10으로 나눈 나머지는 9이다.

Lecture

두 자연수의 곱의 일의 자리의 숫자
두 자연수 a, b에 대하여 ab의 일의 자리의 숫자는 (a의 일의 자리의 숫자)×(b의 일의 자리의 숫자)의 일의 자리의 숫자와 같다.

05 **Action** 비례식을 이용하여 x, y, z를 한 문자의 식으로 나타낸다.

$\left(\dfrac{1}{6}xyz^2\right)^2 \div \left(-\dfrac{1}{2}x\right)^2 yz^3 \div \dfrac{x^2}{3}$

$= \dfrac{1}{36}x^2y^2z^4 \div \dfrac{1}{4}x^2yz^3 \div \dfrac{x^2}{3}$

$= \dfrac{1}{36}x^2y^2z^4 \times \dfrac{4}{x^2yz^3} \times \dfrac{3}{x^2}$

$= \dfrac{yz}{3x^2}$ $\cdots\cdots$ ㉠

이때 $x : y : z = 2 : 3 : 4$이므로
$x = 2k, y = 3k, z = 4k$ (k는 자연수)라 하고 ㉠에 대입하면
$\dfrac{yz}{3x^2} = \dfrac{3k \times 4k}{3 \times (2k)^2} = \dfrac{12k^2}{12k^2} = 1$

06 **Action** $A \div B = C$에서 $A = C \times B$임을 이용한다.

$\boxed{} \div 12x^3y^5 = \dfrac{3xy^7}{\boxed{}}$ 에서

$\boxed{} = \dfrac{3xy^7}{\boxed{}} \times 12x^3y^5$

$\left(\boxed{}\right)^2 = 3xy^7 \times 12x^3y^5 = 36x^4y^{12}$

즉 $(Ax^By^C)^2 = A^2x^{2B}y^{2C} = 36x^4y^{12}$이므로
$A^2 = 36, 2B = 4, 2C = 12$
따라서 $A = 6 (\because A > 0), B = 2, C = 6$이므로
$A + B + C = 6 + 2 + 6 = 14$

2. 다항식의 계산

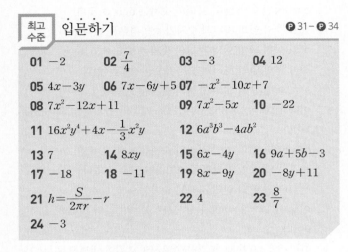

최고
수준 **입문하기** 📄31~📄34

01 -2	02 $\dfrac{7}{4}$	03 -3	04 12
05 $4x-3y$	06 $7x-6y+5$	07 $-x^2-10x+7$	
08 $7x^2-12x+11$		09 $7x^2-5x$	10 -22
11 $16x^2y^4+4x-\dfrac{1}{3}x^2y$		12 $6a^3b^3-4ab^2$	
13 7	14 $8xy$	15 $6x-4y$	16 $9a+5b-3$
17 -18	18 -11	19 $8x-9y$	20 $-8y+11$
21 $h=\dfrac{S}{2\pi r}-r$		22 4	23 $\dfrac{8}{7}$
24 -3			

01 Action 분배법칙을 이용하여 먼저 괄호를 푼다.

$(7a-2b-6)-3(-2a+3b-5)$
$=7a-2b-6+6a-9b+15$
$=13a-11b+9$

따라서 b의 계수는 -11, 상수항은 9이므로 구하는 합은

$-11+9=-2$

02 Action 주어진 식을 동류항끼리 모아서 간단히 한다.

$\left(-\dfrac{2}{3}x+\dfrac{1}{2}y+\dfrac{1}{3}\right)-\left(\dfrac{1}{6}x+\dfrac{5}{4}y-\dfrac{3}{2}\right)$
$=-\dfrac{2}{3}x+\dfrac{1}{2}y+\dfrac{1}{3}-\dfrac{1}{6}x-\dfrac{5}{4}y+\dfrac{3}{2}$
$=-\dfrac{5}{6}x-\dfrac{3}{4}y+\dfrac{11}{6}$ ······ 50%

따라서 $a=-\dfrac{5}{6},\ b=-\dfrac{3}{4},\ c=\dfrac{11}{6}$이므로 ······ 30%

$a-b+c=-\dfrac{5}{6}-\left(-\dfrac{3}{4}\right)+\dfrac{11}{6}$
$=\dfrac{7}{4}$ ······ 20%

03 Action 이차항은 이차항끼리, 일차항은 일차항끼리, 상수항은 상수항끼리 간단히 한다.

$(ax^2-4x-1)-(-2x^2+3x+4a)$
$=ax^2-4x-1+2x^2-3x-4a$
$=(a+2)x^2-7x-4a-1$

따라서 x^2의 계수는 $a+2$, 상수항은 $-4a-1$이므로

$a+2+(-4a-1)=10,\ -3a+1=10$
$-3a=9$ ∴ $a=-3$

04 Action 좌변을 간단히 하여 우변과 비교한다.

$(좌변)=-2ax^2-6x+2+x^2+bx+5$
$=(-2a+1)x^2+(-6+b)x+7$

따라서 $-2a+1=3,\ -6+b=0,\ 7=c$이므로

$a=-1,\ b=6,\ c=7$

∴ $a+b+c=-1+6+7=12$

05 Action (소괄호) → {중괄호} → [대괄호]의 순서로 괄호를 푼다.

$7x-[6x-y+\{-x+3y-(2x-y)\}]$
$=7x-\{6x-y+(-x+3y-2x+y)\}$
$=7x-\{6x-y+(-3x+4y)\}$
$=7x-(3x+3y)$
$=7x-3x-3y$
$=4x-3y$

06 Action $A-\square=B$에서 $\square=A-B$임을 이용한다.

$5x-3y+4-A=-2x+3y-1$에서
$A=(5x-3y+4)-(-2x+3y-1)$
$=5x-3y+4+2x-3y+1$
$=7x-6y+5$

07 Action 두 다항식 $A,\ B$를 각각 구한 후 $A+B$를 계산한다.

$A+(-2x^2+6x)=-x^2+x+4$에서
$A=(-x^2+x+4)-(-2x^2+6x)$
$=-x^2+x+4+2x^2-6x$
$=x^2-5x+4$
$B=(x^2-5x+4)-(3x^2+1)$
$=x^2-5x+4-3x^2-1$
$=-2x^2-5x+3$

∴ $A+B=(x^2-5x+4)+(-2x^2-5x+3)$
$=-x^2-10x+7$

08 Action 잘못 계산한 식에서 어떤 식을 구한 후 바르게 계산한다.

어떤 식을 A라 하면
$A+(-3x^2+5x-7)=x^2-2x-3$
∴ $A=(x^2-2x-3)-(-3x^2+5x-7)$
$=x^2-2x-3+3x^2-5x+7$
$=4x^2-7x+4$ ······ 60%

따라서 바르게 계산한 식은
$(4x^2-7x+4)-(-3x^2+5x-7)$
$=4x^2-7x+4+3x^2-5x+7$
$=7x^2-12x+11$ ······ 40%

Lecture

바르게 계산한 식 구하기

(1) 어떤 식에 A를 더해야 하는데 잘못하여 뺐더니 B가 되었다.
- ➡ (어떤 식) $-A=B$, 즉 (어떤 식) $=B+A$
- ➡ (바르게 계산한 식) $=$ (어떤 식) $+A$

(2) 어떤 식에서 A를 빼야 하는데 잘못하여 더했더니 B가 되었다.
- ➡ (어떤 식) $+A=B$, 즉 (어떤 식) $=B-A$
- ➡ (바르게 계산한 식) $=$ (어떤 식) $-A$

09 **Action** 괄호를 풀어 좌변을 간단히 한 후 $A+\square=B$에서 $\square=B-A$임을 이용한다.

$$(좌변)=2x-4(3x+5x^2-7x+x^2-A)$$
$$=2x-4(6x^2-4x-A)$$
$$=2x-24x^2+16x+4A$$
$$=-24x^2+18x+4A$$

따라서 $-24x^2+18x+4A=4x^2-2x$이므로
$$4A=(4x^2-2x)-(-24x^2+18x)$$
$$=4x^2-2x+24x^2-18x$$
$$=28x^2-20x$$
$$\therefore A=\frac{28x^2-20x}{4}=7x^2-5x$$

10 **Action** 분배법칙을 이용하여 단항식을 다항식의 각 항에 곱한다.

$2x(x+3y-5)=2x^2+6xy-10x$에서 x^2의 계수는 2이므로 $a=2$
$-4x(2x-6y+3)=-8x^2+24xy-12x$에서 xy의 계수는 24이므로 $b=24$
$\therefore a-b=2-24=-22$

11 **Action** 역수를 이용하여 나눗셈을 곱셈으로 고친 후 계산한다.

$$\left(24x^3y^5+6x^2y-\frac{1}{2}x^3y^2\right)\div\frac{3}{2}xy$$
$$=\left(24x^3y^5+6x^2y-\frac{1}{2}x^3y^2\right)\times\frac{2}{3xy}$$
$$=16x^2y^4+4x-\frac{1}{3}x^2y$$

12 **Action** 잘못 계산한 식을 이용하여 어떤 다항식을 구한다.

어떤 다항식을 A라 하면
$$A\div(-2a^2b)=-3ab^2+\frac{2b}{a}$$
$$\therefore A=\left(-3ab^2+\frac{2b}{a}\right)\times(-2a^2b)$$
$$=6a^3b^3-4ab^2$$

13 **Action** 분배법칙을 이용하여 주어진 식을 계산한다.

$$(주어진 식)=-2x^2+4xy+6x-(5x^2-3xy+2x)$$
$$=-2x^2+4xy+6x-5x^2+3xy-2x$$
$$=-7x^2+7xy+4x$$

따라서 xy의 계수는 7이다.

14 **Action** 사칙계산이 혼합된 식은 거듭제곱 ➡ 괄호 ➡ 곱셈, 나눗셈 ➡ 덧셈, 뺄셈의 순서대로 계산한다.

$$(주어진 식)=(16x-8y)\times\frac{3}{4}y-(6x^2y-9xy^2)\times\frac{2}{3x}$$
$$=12xy-6y^2-4xy+6y^2$$
$$=8xy$$

15 **Action** (직육면체의 부피) $=$ (밑넓이) $\times$ (높이)이다.

(직육면체의 부피) $=$ (밑넓이) $\times$ (높이)이므로
$$3x\times y\times(높이)=18x^2y-12xy^2$$
$$\therefore (높이)=\frac{18x^2y-12xy^2}{3xy}$$
$$=6x-4y$$

16 **Action** 색칠한 부분의 넓이는 직사각형의 넓이에서 직각삼각형 3개의 넓이를 뺀 것과 같다.

(색칠한 부분의 넓이)
$$=6a\times5b-\frac{1}{2}\times(6a-2)\times5b-\frac{1}{2}\times2\times3$$
$$\qquad\qquad\qquad-\frac{1}{2}\times6a\times(5b-3)$$
$$=30ab-15ab+5b-3-15ab+9a$$
$$=9a+5b-3$$

17 **Action** 주어진 식을 먼저 간단히 한 후 x, y의 값을 각각 대입한다.

$$(16x^2y^2-20xy^3)\div4x^2y^3=(16x^2y^2-20xy^3)\times\frac{1}{4x^2y^3}$$
$$=\frac{4}{y}-\frac{5}{x}$$
$$=4\div\left(-\frac{1}{3}\right)-5\div\frac{5}{6}$$
$$=4\times(-3)-5\times\frac{6}{5}$$
$$=-12-6$$
$$=-18$$

18 Action $\dfrac{A+B}{C}=\dfrac{A}{C}+\dfrac{B}{C}$ 임을 이용하여 식을 계산한다.

$$\dfrac{xy^2-3x^2y}{xy}-\dfrac{xy^2-4x^2}{x}=y-3x-(y^2-4x)$$
$$=y-3x-y^2+4x$$
$$=-y^2+y+x$$
$$=-(-3)^2+(-3)+1$$
$$=-11$$

19 Action 주어진 식을 먼저 간단히 한 후 A, B를 대입한다.

$$A-\{B-2(A-B)\}+B$$
$$=A-(B-2A+2B)+B$$
$$=A-(-2A+3B)+B$$
$$=A+2A-3B+B=3A-2B$$
$$=3(2x-y)-2(-x+3y)$$
$$=6x-3y+2x-6y=8x-9y$$

20 Action x를 y의 식으로 나타낸 후 대입한다.

$2x+3y=x+y+2$에서 $x=-2y+2$
$$\therefore 3x-2y+5=3(-2y+2)-2y+5$$
$$=-6y+6-2y+5$$
$$=-8y+11$$

21 Action 회전체는 원기둥이다.

회전체는 밑면의 반지름의 길이가 r이고 높이가 h인 원기둥
이므로
$S=2\pi r^2+2\pi rh$에서 $2\pi rh=S-2\pi r^2$
$$\therefore h=\dfrac{S-2\pi r^2}{2\pi r}=\dfrac{S}{2\pi r}-r$$

22 Action 비례식을 x, y에 대한 등식으로 변형한 후 주어진 식에 대입한다.

$(2x+3y):(x-y)=3:1$에서
$2x+3y=3(x-y)$
$2x+3y=3x-3y$ $\therefore x=6y$
$$\therefore \dfrac{3x+2y}{x-y}=\dfrac{18y+2y}{6y-y}=\dfrac{20y}{5y}=4$$

23 Action $a+b$를 ab의 식으로 나타낸다.

$\dfrac{1}{a}+\dfrac{1}{b}=5$에서 $\dfrac{a+b}{ab}=5$
$$\therefore a+b=5ab \qquad\qquad \cdots\cdots\ 40\%$$
$$\therefore \dfrac{a+3ab+b}{2a-3ab+2b}=\dfrac{(a+b)+3ab}{2(a+b)-3ab}$$
$$=\dfrac{5ab+3ab}{10ab-3ab}$$
$$=\dfrac{8ab}{7ab}=\dfrac{8}{7} \qquad \cdots\cdots\ 60\%$$

24 Action $a+b+c=0$이므로 $b+c=-a, c+a=-b, a+b=-c$ 임을 이용한다.

$a+b+c=0$이므로
$b+c=-a, c+a=-b, a+b=-c$
$$\therefore \dfrac{a}{b+c}+\dfrac{b}{c+a}+\dfrac{c}{a+b}=\dfrac{a}{-a}+\dfrac{b}{-b}+\dfrac{c}{-c}$$
$$=-1+(-1)+(-1)$$
$$=-3$$

최고수준 **완성하기**   P 35- P 37

01 $5x^2+4x-2$	**02** $5x^2-10xy-7y^2$	**03** $6x^2+xy-y^2$
04 $\dfrac{3}{2}x^2y^3-2xy+\dfrac{2}{y}$	**05** $5xy+2x+8y$	**06** 24
07 $-\dfrac{7}{4}bc+\dfrac{13}{20}ac$	**08** $19a^2-4a$	**09** -1
10 $6a+5b-5c$	**11** $\dfrac{13}{12}$	**12** 2

01 Action 괄호를 풀어 좌변을 먼저 간단히 한다.

(좌변)$=6x^2-(x-4x^2-2x+\boxed{})$
$$=6x^2-(-4x^2-x+\boxed{})$$
$$=6x^2+4x^2+x-\boxed{}$$
$$=10x^2+x-\boxed{}$$
따라서 $10x^2+x-\boxed{}=5x^2-3x+2$이므로
$$\boxed{}=(10x^2+x)-(5x^2-3x+2)$$
$$=10x^2+x-5x^2+3x-2$$
$$=5x^2+4x-2$$

02 Action 다항식 A, B를 각각 구한 후 $2A-B$를 계산한다.

$B+(5x^2-y^2)+(7x^2-6xy-3y^2)=15x^2-3y^2$이므로
$B=(15x^2-3y^2)-(5x^2-y^2)-(7x^2-6xy-3y^2)$
$$=15x^2-3y^2-5x^2+y^2-7x^2+6xy+3y^2$$
$$=3x^2+6xy+y^2 \qquad\qquad \cdots\cdots\ 40\%$$
$A+B+(8x^2-4xy-y^2)=15x^2-3y^2$이므로
$A+(3x^2+6xy+y^2)+(8x^2-4xy-y^2)=15x^2-3y^2$
$$\therefore A=(15x^2-3y^2)-(3x^2+6xy+y^2)-(8x^2-4xy-y^2)$$
$$=15x^2-3y^2-3x^2-6xy-y^2-8x^2+4xy+y^2$$
$$=4x^2-2xy-3y^2 \qquad\qquad \cdots\cdots\ 40\%$$
$$\therefore 2A-B=2(4x^2-2xy-3y^2)-(3x^2+6xy+y^2)$$
$$=8x^2-4xy-6y^2-3x^2-6xy-y^2$$
$$=5x^2-10xy-7y^2 \qquad\qquad \cdots\cdots\ 20\%$$

03 Action 약속에 따라 주어진 식을 간단히 한 후 계산한다.

$(3x, -y) ※ (y, 2x)$
$= 3x \times y + 3x \times 2x + y \times (-y) + (-y) \times 2x$
$= 3xy + 6x^2 - y^2 - 2xy$
$= 6x^2 + xy - y^2$

04 Action a를 b로 나누면 몫이 q이고 나머지가 r이다. ➡ $a = b \times q + r$

$A = 2x^2y \times (3xy^3 - 4y) + 8x$
$\quad = 6x^3y^4 - 8x^2y^2 + 8x$

$\therefore \dfrac{A}{4xy} = \dfrac{6x^3y^4 - 8x^2y^2 + 8x}{4xy} = \dfrac{3}{2}x^2y^3 - 2xy + \dfrac{2}{y}$

05 Action 약속에 따라 식을 나타낸 후 계산한다.

$\begin{vmatrix} 15x^2y - 40xy & -\dfrac{1}{2y} \\ 4xy + 16xy^2 & -\dfrac{1}{5x} \end{vmatrix}$

$= (15x^2y - 40xy) \times \left(-\dfrac{1}{5x}\right) - \left(-\dfrac{1}{2y}\right) \times (4xy + 16xy^2)$
$= -3xy + 8y + 2x + 8xy$
$= 5xy + 2x + 8y$

06 Action 먼저 A, B를 각각 계산한다.

$A = \dfrac{12xy^3 - 9xy^2 - 18x^3y}{-6xy} = -2y^2 + \dfrac{3}{2}y + 3x^2$

$B = \left(\dfrac{1}{6}x^3y - \dfrac{4}{3}xy\right) \times \dfrac{18}{xy} - 2y^2 + \dfrac{3}{2}y$
$\quad = 3x^2 - 24 - 2y^2 + \dfrac{3}{2}y$

$\therefore A - B$
$= \left(-2y^2 + \dfrac{3}{2}y + 3x^2\right) - \left(3x^2 - 24 - 2y^2 + \dfrac{3}{2}y\right)$
$= -2y^2 + \dfrac{3}{2}y + 3x^2 - 3x^2 + 24 + 2y^2 - \dfrac{3}{2}y$
$= 24$

07 Action 순환소수를 분수로 나타낸 후 계산한다.

$0.\dot{3} = \dfrac{3}{9} = \dfrac{1}{3}$, $0.1\dot{5} = \dfrac{15-1}{90} = \dfrac{7}{45}$, $0.\dot{4} = \dfrac{4}{9}$이므로

(주어진 식) $= \left(\dfrac{1}{3}ab^2c - \dfrac{7}{45}a^2bc\right) \div \dfrac{4}{9}ab - \dfrac{5}{2}bc + ac$

$\quad = \left(\dfrac{1}{3}ab^2c - \dfrac{7}{45}a^2bc\right) \times \dfrac{9}{4ab} - \dfrac{5}{2}bc + ac$

$\quad = \dfrac{3}{4}bc - \dfrac{7}{20}ac - \dfrac{5}{2}bc + ac$

$\quad = -\dfrac{7}{4}bc + \dfrac{13}{20}ac$

08 Action (정원의 넓이) = (땅의 넓이) - (건물의 넓이) - (통로의 넓이) 임을 이용한다.

(정원의 넓이)
$= $ (땅의 넓이) - (건물의 넓이) - (통로의 넓이)
$= (6a+1) \times 5a - 4a(2a+3) - a\{5a - (2a+3)\}$
$= 30a^2 + 5a - 8a^2 - 12a - 3a^2 + 3a$
$= 19a^2 - 4a$

09 Action 주어진 식을 간단히 한 후 a, b, c의 값을 각각 대입한다.

$4\left(\dfrac{1}{3}a^2bc - \dfrac{1}{6}ab^2 + \dfrac{1}{12}bc\right) \div \dfrac{1}{3}ab$

$= \left(\dfrac{4}{3}a^2bc - \dfrac{2}{3}ab^2 + \dfrac{1}{3}bc\right) \times \dfrac{3}{ab}$

$= 4ac - 2b + \dfrac{c}{a}$

$= 4 \times 1 \times (-7) - 2 \times (-17) + \dfrac{-7}{1}$

$= -28 + 34 - 7$

$= -1$

10 Action 주어진 식을 먼저 간단히 한 후 x, y를 각각 대입한다.

$5x + 2\{4y - 2(x+3y)\} = 5x + 2(4y - 2x - 6y)$
$\qquad\qquad\qquad\qquad\quad = 5x + 2(-2x - 2y)$
$\qquad\qquad\qquad\qquad\quad = 5x - 4x - 4y$
$\qquad\qquad\qquad\qquad\quad = x - 4y$
$\qquad\qquad\qquad\qquad\quad = (2a+b-c) - 4(-a-b+c)$
$\qquad\qquad\qquad\qquad\quad = 2a + b - c + 4a + 4b - 4c$
$\qquad\qquad\qquad\qquad\quad = 6a + 5b - 5c$

11 Action $\dfrac{x+y}{x-y} = \dfrac{3}{2}$을 이용하여 x를 y의 식으로 나타낸다.

$\dfrac{x+y}{x-y} = \dfrac{3}{2}$에서 $2(x+y) = 3(x-y)$

$2x + 2y = 3x - 3y \qquad \therefore x = 5y$

$\therefore \dfrac{x}{x+y} + \dfrac{y}{x-y} = \dfrac{5y}{5y+y} + \dfrac{y}{5y-y}$

$\qquad\qquad\qquad\qquad = \dfrac{5y}{6y} + \dfrac{y}{4y}$

$\qquad\qquad\qquad\qquad = \dfrac{5}{6} + \dfrac{1}{4} = \dfrac{13}{12}$

12 Action a와 c를 b의 식으로 각각 나타낸다.

$2a + \dfrac{1}{b} = 1$에서 $2a = 1 - \dfrac{1}{b}$

$2a = \dfrac{b-1}{b} \qquad \therefore a = \dfrac{b-1}{2b}$ ······ 30%

$b+\dfrac{1}{c}=1$에서 $\dfrac{1}{c}=1-b$

$\therefore c=\dfrac{1}{1-b}=\dfrac{-1}{b-1}$ 30%

$\therefore \dfrac{1}{a}+2c=\dfrac{2b}{b-1}+2\times\left(\dfrac{-1}{b-1}\right)$

$\qquad =\dfrac{2b-2}{b-1}=\dfrac{2(b-1)}{b-1}=2$ 40%

$(a-2)x+(a+3)y=a(x+y)$

$ax-2x+ay+3y=ax+ay$

$2x=3y$ $\quad\therefore x=\dfrac{3}{2}y$

따라서 남학생 수와 여학생 수의 비는

$x:y=\dfrac{3}{2}y:y=3:2$

최고수준 **뛰어넘기** **🅟 38~🅟 39**

| 01 $6y$ | 02 41 | 03 $3:2$ | 04 -21 |
| 05 9 | 06 6 | | |

---

01 **Action** $(-1)^{2n-1}$, $(-1)^{2n}$, $(-1)^{2n+1}$의 값을 먼저 구한다.

n이 자연수이므로 $2n-1$, $2n+1$은 홀수이고, $2n$은 짝수이다.

즉 $(-1)^{2n-1}=-1$, $(-1)^{2n}=1$, $(-1)^{2n+1}=-1$이므로

(주어진 식)$=-(3x-y)+(x+4y)+(2x+y)$

$\qquad =-3x+y+x+4y+2x+y$

$\qquad =6y$

---

02 **Action** 입체도형의 겉넓이는 12개의 블록의 겉넓이에서 겹쳐진 부분의 넓이를 뺀 것과 같다.

직육면체 모양의 블록 1개의 겉넓이는 $2x^2+4xy$이므로 입체도형을 만들기 위해 사용한 블록 12개의 겉넓이는

$12(2x^2+4xy)=24x^2+48xy$

이때 겹쳐진 부분은 넓이가 x^2인 부분이 바닥을 포함하여 11군데, 넓이가 xy인 부분이 20군데이므로 입체도형의 겉넓이는 $(24x^2+48xy)-11x^2-20xy=13x^2+28xy$

따라서 $A=13$, $B=28$이므로

$A+B=13+28=41$

---

03 **Action** a명의 평균이 p점이면 총점은 ap점이다.

2학년 전체 학생의 평균을 a점이라 하면 남학생의 평균은 $(a-2)$점, 여학생의 평균은 $(a-2)+5=a+3$(점)

이때 남학생 수와 여학생 수를 각각 x명, y명이라 하면 2학년 전체 학생의 총점은 $\{(a-2)x+(a+3)y\}$점이고, 전체 학생 수는 $(x+y)$명이므로 전체 평균은

$\dfrac{(a-2)x+(a+3)y}{x+y}=a$

---

04 **Action** 지수법칙을 이용하여 먼저 x, y의 값을 각각 구한다.

$8^{x+3}=\dfrac{16^5}{2^y}=2^{12}$에서 $(2^3)^{x+3}=\dfrac{(2^4)^5}{2^y}=2^{12}$

$\therefore 2^{3x+9}=2^{20-y}=2^{12}$

$2^{3x+9}=2^{12}$에서 $3x+9=12$ $\quad\therefore x=1$

$2^{20-y}=2^{12}$에서 $20-y=12$ $\quad\therefore y=8$

$\therefore \dfrac{15x^2y-9xy^2}{3xy}-\dfrac{16x^2-8x}{4x}=5x-3y-(4x-2)$

$\qquad =5x-3y-4x+2$

$\qquad =x-3y+2$

$\qquad =1-3\times8+2$

$\qquad =-21$

---

05 **Action** a와 b를 각각 c의 식으로 나타낸다.

$a-b+c=0$에서 $b=a+c$

$a-2b-4c=0$에 $b=a+c$를 대입하면

$a-2(a+c)-4c=0$, $a-2a-2c-4c=0$

$-a-6c=0$ $\quad\therefore a=-6c$

$a-b+c=0$에 $a=-6c$를 대입하면

$-6c-b+c=0$, $-5c-b=0$ $\quad\therefore b=-5c$

$\therefore \dfrac{4a}{b+c}+\dfrac{4b}{c+a}+\dfrac{11c}{a+b}$

$=\dfrac{4\times(-6c)}{-5c+c}+\dfrac{4\times(-5c)}{c+(-6c)}+\dfrac{11c}{-6c+(-5c)}$

$=\dfrac{-24c}{-4c}+\dfrac{-20c}{-5c}+\dfrac{11c}{-11c}$

$=6+4-1=9$

---

06 **Action** $x\neq0$이므로 $x^2-6x+6=0$을 x로 나누어 $x+\dfrac{6}{x}$의 값을 구한다.

$x^2-6x+6=0$에서 $x^2=6x-6$

이때 $x\neq0$이므로 $x^2-6x+6=0$의 양변을 x로 나누면

$x-6+\dfrac{6}{x}=0$ $\quad\therefore x+\dfrac{6}{x}=6$

$\therefore \dfrac{x^2}{x-\dfrac{6}{x+\dfrac{6}{x}}}=\dfrac{6x-6}{x-\dfrac{6}{6}}=\dfrac{6(x-1)}{x-1}=6$

교과서 속 창의 사고력

P 40- P 42

01 (1) 2^{20}바이트   (2) 4초   **02** $6^{22} < 2^{66} < 5^{33} < 3^{55} < 4^{44}$

03 4860   **04** 800개

05 36   **06** $y = \dfrac{(a - 10000)x}{a}$

01 **Action** (자료를 모두 내려받는 데 걸리는 시간)

$$= \frac{(자료의\ 총\ 용량)}{(1초당\ 내려받는\ 자료의\ 용량)}$$

(1) (1메가바이트) $= (2^{10}$킬로바이트$)$

                  $= (2^{10} \times 2^{10}$바이트$)$

                  $= (2^{20}$바이트$)$

(2) (72메가바이트) $= (72 \times 2^{20}$바이트$)$이므로

$$\frac{72 \times 2^{20}}{9 \times 2^{21}} = \frac{8}{2} = 4$$

따라서 모두 내려받는 데 걸리는 시간은 4초이다.

02 **Action** 주어진 수의 지수를 모두 같게 만든다.

주어진 수의 지수 66, 55, 44, 33, 22의 최대공약수가 11이므로 각각의 수를 지수가 11인 수로 나타내면

$2^{66} = (2^6)^{11} = 64^{11}$, $3^{55} = (3^5)^{11} = 243^{11}$,

$4^{44} = (4^4)^{11} = 256^{11}$, $5^{33} = (5^3)^{11} = 125^{11}$, $6^{22} = (6^2)^{11} = 36^{11}$

각 수의 지수가 같은 경우 밑이 큰 수가 더 크므로

$36^{11} < 64^{11} < 125^{11} < 243^{11} < 256^{11}$

$\therefore 6^{22} < 2^{66} < 5^{33} < 3^{55} < 4^{44}$

03 **Action** $(2, k) = 2$, $(3, k) = 5$의 의미를 파악한다.

k는 2^2으로 나누어떨어지고 2^3으로 나누어떨어지지 않는다.

또, k는 3^5으로 나누어떨어지고 3^6으로 나누어떨어지지 않는다.

따라서 자연수 k를 소인수분해하면

$k = 2^2 \times 3^5 \times m$ (단, m은 2, 3과 서로소)의 꼴이다.

이때 $2000 < k < 5000$이므로

$m = 5$일 때, $k = 2^2 \times 3^5 \times 5 = 4860$으로 조건을 만족시킨다.

04 **Action** $1\,m = 100\,cm$임을 이용하여 단위를 통일시킨다.

쇠막대 한 개의 부피는 $ab \times bc \times ca = a^2 b^2 c^2\ (cm^3)$

$\left(\dfrac{2a}{5}\right)^2 b\ (m) = \dfrac{4a^2 b}{25} \times 100\ (cm) = 16a^2 b\ (cm)$

$\dfrac{c}{10}\ (m) = \dfrac{c}{10} \times 100\ (cm) = 10c\ (cm)$

$\dfrac{bc}{20}\ (m) = \dfrac{bc}{20} \times 100\ (cm) = 5bc\ (cm)$

즉 만들려고 하는 직육면체 모양의 부피는

$16a^2 b \times 10c \times 5bc = 800a^2 b^2 c^2\ (cm^3)$

따라서 필요한 쇠막대는 $\dfrac{800a^2 b^2 c^2}{a^2 b^2 c^2} = 800$(개)이다.

05 **Action** 첫 번째 단의 정육면체에 대응하는 수를 각각 a, b, c, d, e, f로 놓는다.

첫 번째 단의 6개의 정육면체에 대응하는 수를 각각 a, b, c, d, e, f라 하면

<pre>
     a
   b   c   (a+b+c)
 d   e   f   (b+d+e)   (c+e+f)
  [첫 번째 단]   [두 번째 단]
</pre>

이므로 세 번째 단의 정육면체에 대응하는 수는

$(a+b+c) + (b+d+e) + (c+e+f)$

$= a + 2b + 2c + d + 2e + f$

$= a + d + f + 2(b + c + e)$ ...... ㉠

이때 ㉠이 최대가 되려면 a, d, f는 1, 2, 3에 대응시키고 b, c, e는 4, 5, 6에 대응시켜야 한다.

따라서 구하는 최댓값은

$1 + 2 + 3 + 2 \times (4 + 5 + 6) = 36$

06 **Action** 1달러가 x원이면 1원은 $\dfrac{1}{x}$달러이다.

화요일에는 1달러가 x원이었으므로 1원은 $\dfrac{1}{x}$달러이다.

따라서 a원을 달러로 바꾸면 $a \times \dfrac{1}{x} = \dfrac{a}{x}$(달러)

또, 목요일에는 1달러가 y원이었으므로 $\dfrac{a}{x}$달러를 우리나라 돈으로 바꾸면 $\dfrac{a}{x} \times y = \dfrac{ay}{x}$(원)

따라서 $\dfrac{ay}{x} = a - 10000$이므로

$ay = (a - 10000)x$ $\therefore y = \dfrac{(a - 10000)x}{a}$

Ⅲ. 일차부등식

1. 일차부등식

최고
수준 입문하기   ⓟ45– ⓟ48

01 3개	**02** ④	**03** ③	**04** ④
05 $\dfrac{ad}{c^2}<\dfrac{bd}{c^2}$	**06** $-1<A\le11$		**07** 6
08 10	**09** ②, ④	**10** 10	**11** $x<4$
12 5개	**13** $x>-12$	**14** 5	**15** ⑤
16 $x>-3$	**17** -1	**18** -13	**19** -7
20 -4	**21** 7	**22** $\dfrac{2}{3}<a\le1$	**23** 1
24 $a>-\dfrac{1}{2}$			

01 Action 부등호를 사용하여 수 또는 식의 대소 관계를 나타낸 식을 찾는다.

㉠ 단항식   ㉡ 등식   ㉢ 다항식

따라서 부등식인 것은 ㉢, ㉣, ㉤의 3개이다.

02 Action 방정식의 해를 구하여 각각의 부등식에 대입해 본다.

$3x-2=1$에서 $3x=3$ ∴ $x=1$

① $5-2\times1>4$ (거짓)

② $3\times1-6>1$ (거짓)

③ $12+5\times1\le7$ (거짓)

④ $0.4\times1+2\ge-3$ (참)

⑤ $\dfrac{7\times1-6}{4}>1$ (거짓)

따라서 $x=1$을 해로 갖는 것은 ④이다.

03 Action 주어진 부등식을 이용하여 a와 b의 대소 관계를 먼저 구한다.

$-3a-4<-3b-4$에서 $-3a<-3b$ ∴ $a>b$

① $-2a<-2b$

② $6a>6b$

③ $5a>5b$이므로 $5a-2>5b-2$

④ $\dfrac{a}{4}>\dfrac{b}{4}$

⑤ $-\dfrac{1}{2}a<-\dfrac{1}{2}b$이므로 $3-\dfrac{1}{2}a<3-\dfrac{1}{2}b$

따라서 옳은 것은 ③이다.

04 Action 부등식의 성질을 이용하여 식을 변형한다.

① $a\ge b$에서 $5a\ge5b$ ∴ $5a+4\ge5b+4$

② $a\le b$에서 $-\dfrac{a}{3}\ge-\dfrac{b}{3}$ ∴ $-\dfrac{a}{3}+1\ge-\dfrac{b}{3}+1$

③ $-1+a<-1+b$에서 $a<b$

④ $2a<b$에서 $2a-3<b-3$

   ∴ $-2(2a-3)>-2(b-3)$

⑤ $\dfrac{2a-1}{5}>\dfrac{-3b-1}{5}$에서 $2a-1>-3b-1$

$2a>-3b$ ∴ $-2a<3b$

따라서 옳지 않은 것은 ④이다.

05 Action 0이 아닌 수의 제곱은 항상 양수이다.

$a>b$, $d<0$이므로 $ad<bd$

이때 $c^2>0$이므로 $\dfrac{ad}{c^2}<\dfrac{bd}{c^2}$

06 Action x의 값의 범위가 주어졌을 때, 각 변에 p를 곱한 후 q를 더하여 $px+q$의 값의 범위를 구한다.

$1<x\le5$에서 $3<3x\le15$

$-1<3x-4\le11$ ∴ $-1<A\le11$

07 Action $px+q$의 값의 범위가 주어졌을 때, 각 변에서 q를 뺀 후 p로 나누어 x의 값의 범위를 구한다.

$-3\le-2a+5<1$에서 $-8\le-2a<-4$

∴ $2<a\le4$ …… 60%

따라서 $m=2$, $n=4$이므로

$m+n=2+4=6$ …… 40%

08 Action 먼저 x의 값의 범위를 구한다.

$-5\le3(x-1)+1\le10$에서 $-5\le3x-2\le10$

$-3\le3x\le12$ ∴ $-1\le x\le4$

이때 $-8\le-2x\le2$이므로 $-7\le-2x+1\le3$

따라서 $-2x+1$의 최댓값은 3이므로 $M=3$, 최솟값은 -7이므로 $m=-7$

∴ $M-m=3-(-7)=10$

09 Action 우변에 있는 모든 항을 좌변으로 이항하여 정리한다.

① 분모에 x가 있으므로 일차부등식이 아니다.

② $-2x+4\ge0$이므로 일차부등식이다.

③ $-11>0$이므로 일차부등식이 아니다.

④ $-x-5<0$이므로 일차부등식이다.

⑤ $x^2-2x-2\le0$이므로 일차부등식이 아니다.

따라서 일차부등식인 것은 ②, ④이다.

10 Action 부등식의 해를 구하여 부등식을 만족시키는 자연수 x의 값을 구한다.

$x-5\le-4x+15$에서 $5x\le20$ ∴ $x\le4$

따라서 주어진 부등식을 만족시키는 자연수 x의 값은 1, 2, 3, 4이므로 그 합은 $1+2+3+4=10$

11 **Action** 주어진 방정식의 해를 구한 후 부등식을 푼다.

$-2(x+3)+1=5$에서 $-2x-6+1=5$

$-2x=10$ $\therefore x=-5$

따라서 $a=-5$를 주어진 부등식에 대입하면

$x+2>4x-10$, $-3x>-12$ $\therefore x<4$

12 **Action** 먼저 분배법칙을 이용하여 괄호를 푼다.

$5x-11\leq3(x-2)+5$에서 $5x-11\leq3x-1$

$2x\leq10$ $\therefore x\leq5$

따라서 주어진 부등식을 만족시키는 자연수 x는 $1, 2, 3, 4, 5$의 5개이다.

13 **Action** 부등식의 양변에 분모의 최소공배수를 곱하여 계수를 정수로 바꾼다.

$\dfrac{x}{3}-\dfrac{2x-1}{5}<1$의 양변에 분모의 최소공배수 15를 곱하면

$5x-3(2x-1)<15$, $5x-6x+3<15$

$-x<12$ $\therefore x>-12$

14 **Action** 부등식의 양변에 10의 거듭제곱을 곱하여 계수를 정수로 바꾼다.

$0.2(3x+4)\geq1.15+0.53x$의 양변에 100을 곱하면

$20(3x+4)\geq115+53x$ …… 40%

$60x+80\geq115+53x$, $7x\geq35$

$\therefore x\geq5$ …… 40%

따라서 주어진 부등식을 만족시키는 x의 값 중 가장 작은 정수는 5이다.   …… 20%

15 **Action** 각각의 부등식의 해를 구해 본다.

① $3(-x-1)<x+9$에서 $-3x-3<x+9$

     $-4x<12$ $\therefore x>-3$

② $-0.2x<0.1(x+9)$의 양변에 10을 곱하면

     $-2x<x+9$, $-3x<9$ $\therefore x>-3$

③ $\dfrac{1-x}{4}<1$의 양변에 4를 곱하면

     $1-x<4$, $-x<3$ $\therefore x>-3$

④ $\dfrac{1}{3}x+1<\dfrac{1}{2}x+\dfrac{3}{2}$의 양변에 분모의 최소공배수 6을 곱하면

     $2x+6<3x+9$, $-x<3$ $\therefore x>-3$

⑤ $0.2x+1<\dfrac{1}{5}(2x+1)$의 양변에 10을 곱하면

     $2x+10<2(2x+1)$, $2x+10<4x+2$

     $-2x<-8$ $\therefore x>4$

따라서 해가 나머지 넷과 다른 하나는 ⑤이다.

16 **Action** $a>2$에서 $a-2>0$임을 이용한다.

$ax+3a>2x+6$에서 $ax-2x>-3a+6$

$(a-2)x>-3(a-2)$

이때 $a>2$에서 $a-2>0$이므로

$x>\dfrac{-3(a-2)}{a-2}$ $\therefore x>-3$

17 **Action** 주어진 부등식을 $x<(수)$, $x>(수)$, $x\leq(수)$, $x\geq(수)$ 중 어느 하나의 꼴로 나타낸 후 부등식 해와 비교한다.

$ax<3x-12$에서 $(a-3)x<-12$

이때 부등식의 해가 $x>3$이므로 $a-3<0$

따라서 $x>\dfrac{-12}{a-3}$이므로 $\dfrac{-12}{a-3}=3$

$-12=3(a-3)$, $-3a=3$ $\therefore a=-1$

> 📢 *Lecture*
>
> **부등식의 해가 주어진 경우**
> 일차부등식을 간단히 한 후 부등식의 부등호의 방향과 해의 부등호의 방향이 같으면 x의 계수는 양수이고, 다르면 x의 계수는 음수이다.

18 **Action** 각 부등식을 풀어 부등식의 해가 같음을 이용하여 a의 값을 구한다.

$\dfrac{3}{4}x-4>-1$의 양변에 4를 곱하면

$3x-16>-4$, $3x>12$ $\therefore x>4$

$7-3x<2x+a$에서 $-5x<a-7$

$\therefore x>\dfrac{7-a}{5}$

이때 두 부등식의 해가 서로 같으므로

$\dfrac{7-a}{5}=4$, $7-a=20$ $\therefore a=-13$

19 **Action** 수직선 위에 나타낸 부등식의 해를 부등호를 사용하여 나타내어 본다.

$ax+3\geq4(x-0.5a)$에서 $ax+3\geq4x-2a$

$(a-4)x\geq-2a-3$

이때 부등식의 해가 $x\leq-1$이므로 $a-4<0$

따라서 $x\leq\dfrac{-2a-3}{a-4}$이므로 $\dfrac{-2a-3}{a-4}=-1$

$-2a-3=-a+4$ $\therefore a=-7$

20 **Action** 부등식 $x\leq k$를 만족시키는 가장 큰 수는 k이다.

$4x-(x+2)\geq5x+a$에서 $4x-x-2\geq5x+a$

$-2x\geq a+2$ $\therefore x\leq\dfrac{-a-2}{2}$

이때 부등식의 해 중 가장 큰 수가 1이므로

$\dfrac{-a-2}{2}=1$, $-a-2=2$ $\therefore a=-4$

21 Action 각 부등식을 풀어 주어진 조건을 이용하여 a, b의 값을 각각 구한다.

$\dfrac{2x-1}{4}-\dfrac{x-2}{3}\leq\dfrac{a}{4}$의 양변에 분모의 최소공배수 12를 곱하면

$3(2x-1)-4(x-2)\leq 3a,\ 6x-3-4x+8\leq 3a$

$2x\leq 3a-5$ $\therefore x\leq\dfrac{3a-5}{2}$

이때 부등식을 만족시키는 x의 값 중 최댓값이 2이므로

$\dfrac{3a-5}{2}=2,\ 3a-5=4$

$3a=9$ $\therefore a=3$

또, $-3x+2(x-1)\leq b-1$에서 $-3x+2x-2\leq b-1$

$-x\leq b+1$ $\therefore x\geq -b-1$

이때 부등식을 만족시키는 x의 값 중 최솟값이 -3이므로

$-b-1=-3,\ -b=-2$ $\therefore b=2$

$\therefore a+2b=3+2\times 2=7$

22 Action 부등식을 만족시키는 자연수 x가 2개가 되도록 부등식의 해를 수직선 위에 나타내어 본다.

$3x<x+6a$에서 $2x<6a$ $\therefore x<3a$

이 부등식을 만족시키는 자연수 x가 2개가 되도록 부등식의 해를 수직선 위에 나타내면 오른쪽 그림과 같다.

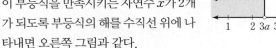

따라서 $2<3a\leq 3$이므로 $\dfrac{2}{3}<a\leq 1$

Lecture

부등식의 자연수인 해의 개수가 주어진 경우

부등식의 자연수인 해의 개수가 n개일 때

(1) 부등식의 해가 $x<k$의 꼴이면

 $n<k\leq n+1$

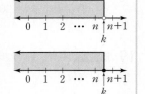

(2) 부등식의 해가 $x\leq k$의 꼴이면

 $n\leq k<n+1$

23 Action 주어진 부등식을 만족시키는 가장 작은 자연수가 10이 되도록 부등식의 해를 수직선 위에 나타내어 본다.

$-\dfrac{x+a}{4}-1>a-\dfrac{1}{2}x$의 양변에 분모의 최소공배수 4를 곱하면

$-(x+a)-4>4a-2x,\ -x-a-4>4a-2x$

$\therefore x>5a+4$

이 부등식을 만족시키는 x의 값 중 가장 작은 자연수가 10이 되도록 부등식의 해를 수직선 위에 나타내면 오른쪽 그림과 같다.

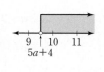

즉 $9\leq 5a+4<10$이므로

$5\leq 5a<6$ $\therefore 1\leq a<\dfrac{6}{5}$

따라서 구하는 정수 a의 값은 1이다.

Lecture

부등식 $x>k$를 만족시키는 가장 작은 자연수가 10이 되려면 k는 9와 10 사이에 있어야 한다.
이때 $k=9$이면 $x>9$를 만족시키는 가장 작은 자연수가 10이므로 조건을 만족시키고, $k=10$이면 $x>10$을 만족시키는 가장 작은 자연수는 11이므로 조건을 만족시키지 않는다.

24 Action 부등식을 만족시키는 자연수 x가 존재하지 않도록 부등식의 해를 수직선 위에 나타내어 본다.

$x-2a\geq 3x-1$에서 $-2x\geq 2a-1$ $\therefore x\leq\dfrac{-2a+1}{2}$

이 부등식을 만족시키는 자연수 x가 존재하지 않도록 부등식의 해를 수직선 위에 나타내면 오른쪽 그림과 같다.

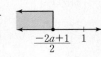

따라서 $\dfrac{-2a+1}{2}<1$이므로 $-2a+1<2$

$-2a<1$ $\therefore a>-\dfrac{1}{2}$

최고
수준 **완성하기** ⓟ 49~ ⓟ 51

01 ③, ④	02 ㉡, ㉢	03 -6	04 1
05 3개	06 -4	07 6	08 24
09 3	10 $a=3, b=1$	11 -6	12 $a\geq -\dfrac{1}{3}$

01 Action 수직선을 이용하여 네 수 a, b, c, d의 대소 관계를 파악한다.

① $a<b$이므로 $a+c<b+c$

② $b>d$이므로 $b-a>d-a$

③ $d<a,\ c>0$이므로 $cd<ac$

④ $b<c,\ d<0$이므로 $bd>cd$

⑤ $a<c,\ b>0$이므로 $\dfrac{a}{b}<\dfrac{c}{b}$

따라서 옳지 않은 것은 ③, ④이다.

02 Action 부등식의 성질을 이용하여 식을 변형한다.

㉠ $a<b$이므로 $a-b<0$

㉡ $a<b,\ c<0$이므로 $ac>bc$

㉢ $a<b,\ a<0$이므로 $a^2>ab$

㉣ $a<b,\ b>0$이므로 $\dfrac{a}{b}<1$

ⓜ $a=-2$, $b=3$일 때, $a<0<b$이지만 $a^2<b^2$이다.

ⓗ $a<b$, $c<0$이므로 $\dfrac{a}{c}>\dfrac{b}{c}$

따라서 옳지 않은 것은 ⓛ, ⓜ이다.

03 Action $a \leq x \leq b$, $c \leq y \leq d$일 때, $a-d \leq x-y \leq b-c$임을 이용한다.

$2 \leq x \leq 4$에서 $6 \leq 3x \leq 12$

$1 \leq y \leq 5$에서 $4 \leq 4y \leq 20$

$\therefore -14 \leq 3x-4y \leq 8$

따라서 $3x-4y$의 값 중 가장 큰 정수는 8, 가장 작은 정수는 -14이므로 그 합은 $8+(-14)=-6$

Lecture

$a \leq x \leq b$, $c \leq y \leq d$일 때, $x-y$의 값의 범위

$a \leq x \leq b$, $c \leq y \leq d$일 때,

($x-y$의 최솟값)=(x의 최솟값)$-$(y의 최댓값),

($x-y$의 최댓값)=(x의 최댓값)$-$(y의 최솟값)

이므로 $x-y$의 값의 범위는 오른쪽

과 같이 구한다.

$$\begin{array}{ccccc} & a & \leq & x & \leq & b \\ -) & c & \leq & y & \leq & d \\ \hline & a-d & \leq & x-y & \leq & b-c \end{array}$$

04 Action $x+2y=1$을 $x=(y$에 대한 식)의 꼴로 나타낸 후 부등식에 대입하여 y의 값의 범위를 구한다.

$x+2y=1$에서 $x=1-2y$

$x=1-2y$를 $1 \leq 2x-3<7$에 대입하면

$1 \leq 2(1-2y)-3<7$, $1 \leq -4y-1<7$

$2 \leq -4y<8$ $\therefore -2<y \leq -\dfrac{1}{2}$

따라서 $a=-2$, $b=-\dfrac{1}{2}$이므로

$ab=-2 \times \left(-\dfrac{1}{2}\right)=1$

05 Action $<1.74>$, $<-2.23>$의 값을 각각 구한다.

$<1.74>=1$, $<-2.23>=-3$이므로

$1-(-3) \times x \leq 10$, $3x \leq 9$ $\therefore x \leq 3$

따라서 주어진 부등식을 만족시키는 자연수 x는 1, 2, 3의 3개이다.

06 Action 약속에 따라 좌변과 우변을 각각 정리한다.

$4 \circ (x-3)=2 \times 4-(x-3)-1=-x+10$

$(-2x+1) \circ 2=2(-2x+1)-2-1=-4x-1$

즉 $4 \circ (x-3)<(-2x+1) \circ 2$에서

$-x+10<-4x-1$, $3x<-11$ $\therefore x<-\dfrac{11}{3}$

따라서 주어진 부등식을 만족시키는 x의 값 중 가장 큰 정수는 -4이다.

07 Action 부등식을 $x<(수)$, $x>(수)$, $x \leq (수)$, $x \geq (수)$ 중 어느 하나의 꼴로 나타낸 후 주어진 해와 비교한다.

$3(x+a)-2<x-5$에서 $3x+3a-2<x-5$

$2x<-3a-3$ $\therefore x<\dfrac{-3a-3}{2}$ 40%

이때 부등식의 해가 $x<b$이므로

$\dfrac{-3a-3}{2}=b$ 20%

$-3a-3=2b$, $-3a-2b=3$

$\therefore -6a-4b=2(-3a-2b)=2 \times 3=6$ 40%

08 Action 주어진 부등식의 해를 구한 후 $\dfrac{x-4}{2}$의 값의 범위를 구한다.

$3x-1<31$에서 $3x<32$ $\therefore x<\dfrac{32}{3}$

이때 $\dfrac{x-4}{2}$의 값의 범위를 구하면

$x-4<\dfrac{20}{3}$ $\therefore \dfrac{x-4}{2}<\dfrac{10}{3}$

따라서 $\dfrac{x-4}{2}$가 될 수 있는 자연수는 1, 2, 3이다.

(ⅰ) $\dfrac{x-4}{2}=1$일 때, $x-4=2$ $\therefore x=6$

(ⅱ) $\dfrac{x-4}{2}=2$일 때, $x-4=4$ $\therefore x=8$

(ⅲ) $\dfrac{x-4}{2}=3$일 때, $x-4=6$ $\therefore x=10$

(ⅰ)~(ⅲ)에 의하여 모든 x의 값은 6, 8, 10이므로 그 합은 $6+8+10=24$

09 Action 먼저 주어진 방정식의 해를 구한다.

$2x-\dfrac{1}{2}(x+5a)=2-x$에서 $4x-x-5a=4-2x$

$5x=5a+4$ $\therefore x=\dfrac{5a+4}{5}$

주어진 방정식의 해가 4보다 크지 않으므로

$\dfrac{5a+4}{5} \leq 4$에서 $5a+4 \leq 20$

$5a \leq 16$ $\therefore a \leq \dfrac{16}{5}$

따라서 조건을 만족시키는 자연수 a의 최댓값은 3이다.

10 Action 먼저 미지수가 없는 부등식의 해를 구한다.

$5x-8 \geq 2(x-1)-3$에서 $5x-8 \geq 2x-2-3$

$3x \geq 3$ $\therefore x \geq 1$ 30%

$bx-7 \leq a(x-3)$에서 $bx-7 \leq ax-3a$

$\therefore (b-a)x \leq 7-3a$ 20%

이때 두 부등식의 해가 서로 같으므로 $b-a<0$, 즉 $a>b$이다.

따라서 $x \geq \dfrac{7-3a}{b-a}$이므로 $\dfrac{7-3a}{b-a}=1$

$7-3a=b-a$ $\therefore 2a+b=7$ …… ㉠ …… 30%

이때 a, b는 자연수이므로 ㉠을 만족시키는 a, b를 순서쌍 (a, b)로 나타내면 $(1, 5)$, $(2, 3)$, $(3, 1)$

따라서 $a>b$인 것은 $(3, 1)$이므로 $a=3$, $b=1$ …… 20%

11 `Action` 주어진 부등식을 $x<(수)$, $x>(수)$, $x \leq (수)$, $x \geq (수)$ 중 어느 하나의 꼴로 나타낸 후 부등식의 해와 비교한다.

$(a+2b)x+a-4b<0$에서 $(a+2b)x<-a+4b$

이때 부등식의 해가 $x>\dfrac{7}{2}$이므로 $a+2b<0$

따라서 $x>\dfrac{-a+4b}{a+2b}$이므로 $\dfrac{-a+4b}{a+2b}=\dfrac{7}{2}$

$2(-a+4b)=7(a+2b)$, $-2a+8b=7a+14b$

$-9a=6b$ $\therefore a=-\dfrac{2}{3}b$

$a=-\dfrac{2}{3}b$를 $a-b=5$에 대입하면

$-\dfrac{2}{3}b-b=5$, $-\dfrac{5}{3}b=5$ $\therefore b=-3$

$b=-3$을 $a=-\dfrac{2}{3}b$에 대입하면 $a=-\dfrac{2}{3}\times(-3)=2$

$\therefore ab=2\times(-3)=-6$

12 `Action` 주어진 부등식을 만족시키는 음수 x가 존재하지 않도록 부등식의 해를 수직선 위에 나타내어 본다.

$0.1-0.2x<0.3(x-a)$의 양변에 10을 곱하면

$1-2x<3(x-a)$, $1-2x<3x-3a$

$-5x<-3a-1$ $\therefore x>\dfrac{3a+1}{5}$

이 부등식을 만족시키는 음수 x가 존재하지 않도록 부등식의 해를 수직선 위에 나타내면 오른쪽 그림과 같다.

따라서 $\dfrac{3a+1}{5} \geq 0$이므로 $3a+1 \geq 0$

$3a \geq -1$ $\therefore a \geq -\dfrac{1}{3}$

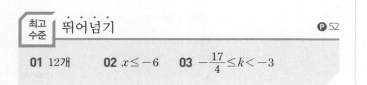
01 `Action` 소수점 아래 첫째 자리에서 반올림한 값은 정수이다.

$2<\left[\dfrac{x+3}{4}\right] \leq 5$에서 $\left[\dfrac{x+3}{4}\right]=3, 4, 5$

즉 $2.5 \leq \dfrac{x+3}{4} < 5.5$이므로 $10 \leq x+3 < 22$

$\therefore 7 \leq x < 19$

따라서 주어진 부등식을 만족시키는 자연수 x는 7, 8, 9, 10, 11, 12, 13, 14, 15, 16, 17, 18의 12개이다.

> ◀》 *Lecture*
>
> 소수점 아래 첫째 자리에서 반올림한 값을 $[n]$과 같이 나타낼 때, $[n]$의 값은 정수이다.
> 이때 $[n]=a$(a는 정수)라 하면 n의 값의 범위는 $a-0.5 \leq n < a+0.50$이다.

02 `Action` 주어진 부등식과 그 해의 부등호의 방향이 다르므로 x의 계수는 음수이다.

$2ax+b(x-2)>2a-3b$에서 $2ax+bx-2b>2a-3b$

$\therefore (2a+b)x>2a-b$

이때 부등식의 해가 $x<\dfrac{3}{4}$이므로 $2a+b<0$

따라서 $x<\dfrac{2a-b}{2a+b}$이므로 $\dfrac{2a-b}{2a+b}=\dfrac{3}{4}$

$4(2a-b)=3(2a+b)$, $8a-4b=6a+3b$

$2a=7b$ $\therefore a=\dfrac{7}{2}b$

$a=\dfrac{7}{2}b$를 $2a+b<0$에 대입하면 $7b+b<0$ $\therefore b<0$

$a=\dfrac{7}{2}b$를 $(2a-5b)x+2a+5b \geq 0$에 대입하면

$(7b-5b)x+7b+5b \geq 0$, $2bx \geq -12b$

이때 $b<0$이므로 $x \leq \dfrac{-12b}{2b}$ $\therefore x \leq -6$

03 `Action` $x+4y=3$을 $y=(x$에 대한 식$)$의 꼴로 나타낸 후 부등식에 대입한다.

$x+4y=3$에서 $4y=3-x$ $\therefore y=\dfrac{3-x}{4}$

$y=\dfrac{3-x}{4}$를 $y>x+k$에 대입하면

$\dfrac{3-x}{4}>x+k$, $3-x>4x+4k$

$-5x>4k-3$ $\therefore x<\dfrac{3-4k}{5}$

이 부등식을 만족시키는 자연수 x가 3개가 되도록 부등식의 해를 수직선 위에 나타내면 오른쪽 그림과 같다.

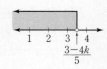

따라서 $3<\dfrac{3-4k}{5} \leq 4$이므로 $15<3-4k \leq 20$

$12<-4k \leq 17$ $\therefore -\dfrac{17}{4} \leq k < -3$

2. 일차부등식의 활용

최고수준 입문하기 ℗ 54-℗ 57

01 6개	**02** 9, 11, 13	**03** 85점	**04** 19개
05 8자루	**06** 18개	**07** 9일	**08** 20장
09 11개월 후	**10** 5캔	**11** 7회	**12** 50분
13 17명	**14** 50000원	**15** 30 %	**16** 10 cm
17 7 cm	**18** 8 km	**19** 9 km	**20** 1 km
21 24분	**22** 100 g	**23** 75 g	**24** 20 g

01 **Action** (작지 않다.)=(크거나 같다.)임을 이용하여 부등식을 세운다.

$\dfrac{x}{3}+2 \geq 2x-8$에서 $x \leq 6$

따라서 자연수 x는 1, 2, 3, 4, 5, 6의 6개이다.

02 **Action** 연속하는 세 홀수를 $x-2, x, x+2$로 놓는다.

연속하는 세 홀수를 $x-2, x, x+2$라 하면
$(x-2)+x+(x+2)<36$ ∴ $x<12$
따라서 x의 값 중 가장 큰 홀수는 11이므로 구하는 세 자연수는 9, 11, 13이다.

03 **Action** (평균)=$\dfrac{(\text{전체 자료의 합})}{(\text{전체 자료의 개수})}$임을 이용한다.

5회째 시험에서의 점수를 x점이라 하면 4회의 시험 성적의 총합은 $75 \times 4 = 300$(점)이므로
$\dfrac{300+x}{5} \geq 77$ ∴ $x \geq 85$
따라서 5회째 시험에서 85점 이상을 받아야 한다.

04 **Action** 사람의 몸무게와 상자 여러 개의 무게의 합은 480 kg 이하이다.

상자의 개수를 x개라 하면
$90+20x \leq 480$ ∴ $x \leq \dfrac{39}{2}$
따라서 한 번에 최대 19개의 상자를 운반할 수 있다.

05 **Action** 볼펜의 수를 x자루라 하고 색연필의 수를 x를 이용하여 나타낸다.

볼펜의 수를 x자루라 하면 색연필의 수는 $(14-x)$자루이므로
$1000(14-x)+1600x \leq 19100$ ∴ $x \leq \dfrac{17}{2}$
따라서 볼펜은 최대 8자루까지 살 수 있다.

06 **Action** 사탕과 초콜릿의 개수의 비가 3 : 1이므로 사탕과 초콜릿의 개수를 각각 $3k$개, k개(k는 자연수)로 놓는다.

사탕과 초콜릿을 3 : 1의 비로 사야 하므로 사야 할 사탕과 초콜릿의 개수를 각각 $3k$개, k개(k는 자연수)라 하면
$300 \times 3k + 700 \times k \leq 10000$ ∴ $k \leq \dfrac{25}{4}$
이때 k는 자연수이고, 사탕을 최대로 사려면 k의 값도 최대이어야 하므로 $k=6$
따라서 사탕은 최대 $3 \times 6 = 18$(개)까지 살 수 있다.

07 **Action** (총 대여 요금)=(기본 요금)+(연체료)×(연체 기간)임을 이용한다.

책을 x일 동안 대여한다고 하면
$1200+700(x-3) \leq 5400$ ∴ $x \leq 9$
따라서 최대 9일 동안 대여할 수 있다.

08 **Action** 증명사진을 x장 인화한다고 할 때, 10장까지는 5000원이고 $(x-10)$장은 한 장당 300원임을 이용한다.

증명사진을 x장 인화한다고 하면
$5000+300(x-10) \leq 400x$ ∴ $x \geq 20$
따라서 증명사진을 20장 이상 인화해야 한다.

09 **Action** x개월 후의 형과 동생의 예금액을 각각 구한다.

x개월 후부터 형의 예금액이 동생의 예금액의 2배보다 적어진다고 하면
$30000+3000x < 2(10000+2000x)$ ⋯⋯ 60%
∴ $x > 10$
따라서 형의 예금액이 동생의 예금액의 2배보다 적어지는 것은 11개월 후부터이다. ⋯⋯ 40%

10 **Action** (집 근처 가게에서 산 음료수의 가격)>(할인 매장에서 산 음료수의 가격)+(왕복 교통비)임을 이용한다.

음료수를 x캔 산다고 하면
$800x > 500x + 1200$ ∴ $x > 4$
따라서 음료수를 5캔 이상 살 경우 할인 매장에서 사는 것이 유리하다.

11 **Action** (비회원 배송료)=(배송료)×(주문 횟수)이고 (회원 배송료)=(연회비)+(배송료)×(주문 횟수)임을 이용한다.

일 년에 책을 주문하는 횟수를 x회라 하면
$2000x > 6000 + 1000x$ ∴ $x > 6$
따라서 일년에 7회 이상 책을 주문하면 회원으로 가입하는 것이 유리하다.

정답과 풀이

12 Action (한 달 요금)=(기본료)+(초당 통화 요금)×(통화 시간)임을 이용한다.

한 달 동안 이용한 통화 시간을 x분이라 하면
A요금제를 이용할 때의 한 달 요금은
$12000+3\times60x=12000+180x$(원)
B요금제를 이용할 때의 한 달 요금은
$15000+2\times60x=15000+120x$(원)
A요금제를 선택하는 것이 유리하려면
$12000+180x<15000+120x$ ∴ $x<50$
따라서 한 달 동안 이용한 통화 시간이 50분 미만일 때, A요금제를 선택하는 것이 유리하다.

13 Action 입장하는 사람 수를 x명이라 하고 x명의 입장료와 20명의 단체 입장료를 각각 구하여 부등식을 세운다.

입장하는 사람 수를 x명이라 하면
$5000x>5000\times\dfrac{80}{100}\times20$ ······ 60%
∴ $x>16$
따라서 17명 이상이면 20명의 단체 입장권을 사는 것이 유리하다. ······ 40%

14 Action (정가)=(원가)+(이익)이고
(판매 가격)=(정가)−(할인 금액)임을 이용한다.

원가를 x원이라 하면 정가는 $x\left(1+\dfrac{18}{100}\right)$원이므로
$x\left(1+\dfrac{18}{100}\right)-3000\geq x\left(1+\dfrac{12}{100}\right)$ ∴ $x\geq50000$
따라서 원가는 50000원 이상이다.

15 Action 원가에 x %의 이익을 붙여 정가를 정한다고 하고 부등식을 세운다.

원가에 x %의 이익을 붙여 정가를 정한다고 하면 정가는
$2500\left(1+\dfrac{x}{100}\right)$원이므로
$2500\left(1+\dfrac{x}{100}\right)\times0.8\geq2500\times1.04$ ∴ $x\geq30$
따라서 원가에 30 % 이상의 이익을 붙여 정가를 정해야 한다.

16 Action (사다리꼴의 넓이)=$\dfrac{1}{2}\times\{($윗변의 길이$)+($아랫변의 길이$)\}\times($높이$)$임을 이용한다.

아랫변의 길이를 x cm라 하면
$\dfrac{1}{2}\times(6+x)\times8\geq64$ ∴ $x\geq10$
따라서 아랫변의 길이는 10 cm 이상이어야 한다.

17 Action 만들어지는 회전체는 원기둥임을 이용한다.

$\overline{AB}$의 길이를 x cm라 하면 만들어지는 회전체는 밑면의 반지름의 길이가 4 cm이고 높이가 x cm인 원기둥이므로
$\pi\times4^2\times x\leq112\pi$ ∴ $x\leq7$
따라서 $\overline{AB}$의 길이는 7 cm 이하이어야 한다.

18 Action (시간)=$\dfrac{(거리)}{(속력)}$임을 이용하여 부등식을 세운다.

시속 4 km로 걸은 거리를 x km라 하면 시속 5 km로 걸은 거리는 $(13-x)$ km이므로
$\dfrac{x}{4}+\dfrac{13-x}{5}\leq3$ ∴ $x\leq8$
따라서 시속 4 km로 걸은 거리는 8 km 이하이다.

19 Action (올라갈 때 걸린 시간)+(내려올 때 걸린 시간)이 6시간 이내임을 이용하여 부등식을 세운다.

x km까지 올라갔다 내려온다고 하면
$\dfrac{x}{2.4}+\dfrac{x}{4}\leq6$ ∴ $x\leq9$
따라서 최대 9 km까지 올라갔다 내려올 수 있다.

20 Action 15분은 $\dfrac{15}{60}$시간임을 이용하여 단위를 통일시킨다.

역에서 서점까지의 거리를 x km라 하면
$\dfrac{x}{2}+\dfrac{15}{60}+\dfrac{x}{4}\leq1$ ······ 60%
∴ $x\leq1$
따라서 역에서 1 km 이내에 있는 서점을 이용할 수 있다. ······ 40%

21 Action (거리)=(속력)×(시간)임을 이용하여 부등식을 세운다.

x분 동안 걷는다고 하면
$3\times\dfrac{x}{60}+4\times\dfrac{x}{60}\geq2.8$ ∴ $x\geq24$
따라서 24분 이상 걸어야 한다.

22 Action (설탕의 양)=$\dfrac{(설탕물의 농도)}{100}\times($설탕물의 양$)$임을 이용하여 부등식을 세운다.

8 %의 설탕물을 x g 섞는다고 하면 14 %의 설탕물은 $(300-x)$ g 섞으므로
$\dfrac{8}{100}\times x+\dfrac{14}{100}\times(300-x)\leq\dfrac{12}{100}\times300$
∴ $x\geq100$
따라서 8 %의 설탕물은 100 g 이상 섞어야 한다.

23 Action 물을 증발시키면 소금의 양은 변하지 않고 소금물의 양은 증발시킨 물의 양만큼 줄어든다.

증발시켜야 하는 물의 양을 x g이라 하면
$\dfrac{5}{100}\times200\geq\dfrac{8}{100}\times(200-x)$ ∴ $x\geq75$
따라서 증발시켜야 하는 물의 양은 75 g 이상이다.

24 Action 증발시키는 물의 양만큼 소금을 더 넣으므로 전체 소금물의 양은 변하지 않음을 이용한다.

증발시켜야 하는 물의 양을 x g이라 하면 더 넣은 소금의 양도 x g이므로

(소금물의 양)$=400-x+x=400$ (g)

(소금의 양)$=\dfrac{5}{100}\times 400+x=20+x$ (g)

$\dfrac{20+x}{400}\times 100\geq 10$ $\therefore x\geq 20$

따라서 최소 20 g의 물을 증발시켜야 한다.

완성하기
최고수준

P 58 – P 59

01 $\dfrac{19}{9}$ 점	**02** 14회	**03** 45명	**04** 14개
05 5명	**06** 2시간	**07** 10 km	**08** 100 g

01 Action (가산점의 합)=(가산점의 평균)×(심판 수)임을 이용한다.

A대회에서 6명의 심판에게 받은 가산점의 합은

$\dfrac{11}{6}\times 6=11$(점)

B대회에서 9명의 심판에게 받은 가산점의 평균을 x점이라 하면 가산점의 합은 $x\times 9=9x$(점)

A, B 두 대회에서 받은 가산점의 평균이 2점 이상이어야 하므로

$\dfrac{11+9x}{15}\geq 2$ $\therefore x\geq \dfrac{19}{9}$

따라서 B대회에서 받은 가산점의 평균은 $\dfrac{19}{9}$점 이상이어야 한다.

02 Action 지수가 이긴 횟수를 x회로 놓고, 지수가 진 횟수, 건우가 이긴 횟수, 건우가 진 횟수를 각각 x를 사용하여 나타낸다.

지수가 이긴 횟수를 x회라 하면 지수가 진 횟수는 $(20-x)$회이고, 건우가 이긴 횟수는 $(20-x)$회, 건우가 진 횟수는 x회이다.

20회에 걸쳐 지수가 얻은 점수는

$4x+2(20-x)=2x+40$(점)

건우가 얻은 점수는 $4(20-x)+2x=80-2x$(점)

이때 지수가 15점 이상의 차로 이겼으므로

$2x+40-(80-2x)\geq 15$ $\therefore x\geq \dfrac{55}{4}$

따라서 지수가 이긴 횟수는 최소 14회이다.

03 Action 단체의 인원 수를 x명으로 놓고, x명이 $10\,\%$를 할인 받은 입장료와 50명이 $20\,\%$를 할인 받은 입장료를 각각 구하여 부등식을 세운다.

단체의 인원 수를 x명($30\leq x<50$)이라 하면

$1200\times \dfrac{90}{100}\times x>1200\times \dfrac{80}{100}\times 50$ $\therefore x>\dfrac{400}{9}$

따라서 45명 이상이면 50명의 단체 입장료를 내는 것이 유리하다.

04 Action 4000원을 할인 받을 때와 $6\,\%$를 할인 받을 때의 가격을 각각 구하여 부등식을 세운다.

학용품을 x개 산다고 하면

$5000x-4000>5000x\times \dfrac{94}{100}$ $\therefore x>\dfrac{40}{3}$

따라서 학용품을 14개 이상 구입할 때, $6\,\%$를 할인해 주는 쿠폰을 사용하는 것이 유리하다.

05 Action 전체 일의 양을 1로 놓고 남자 1명, 여자 1명이 하루에 하는 일의 양을 각각 구해 본다.

전체 일의 양을 1이라 하면 남자 1명이 하루에 하는 일의 양은 $\dfrac{1}{10}$이고, 여자 1명이 하루에 하는 일의 양은 $\dfrac{1}{7}$이다.

여자를 x명이라 하면 남자는 $(8-x)$명이므로

$\dfrac{1}{10}\times (8-x)+\dfrac{1}{7}x\geq 1$ $\therefore x\geq \dfrac{14}{3}$

따라서 여자는 5명 이상 필요하다.

06 Action (시속 40 km로 달릴 때 걸린 시간)−(시속 50 km로 달릴 때 걸린 시간)이 15분 이상임을 이용하여 부등식을 세운다.

집에서 할머니 댁까지의 거리를 x km라 하면

$\dfrac{x}{40}-\dfrac{x}{50}\geq \dfrac{15}{60}$ $\therefore x\geq 50$

따라서 집에서 할머니 댁까지의 거리는 50 km 이상이므로 시속 25 km로 달리면 최소 $\dfrac{50}{25}=2$(시간)이 걸린다.

07 Action 배가 거슬러 올라갈 때와 내려올 때의 속력을 각각 구해 본다.

강을 거슬러 올라갈 때의 속력은 $12-8=4$, 즉 시속 4 km이고 강을 따라 내려올 때의 속력은 $12+8=20$, 즉 시속 20 km이다.   …… 20%

x km까지 거슬러 올라갔다 내려온다고 하면

$\dfrac{x}{4}+\dfrac{x}{20}\leq 3$ …… 50%

$\therefore x\leq 10$

따라서 최대 10 km까지 거슬러 올라갔다 내려올 수 있다.

…… 30%

Lecture

⑴ (강을 거슬러 올라갈 때의 속력)
　=(정지한 물에서의 배의 속력)−(강물의 속력)
⑵ (강을 따라 내려올 때의 속력)
　=(정지한 물에서의 배의 속력)+(강물의 속력)

08 **Action** 4%의 소금물의 양을 x g으로 놓고, 8%의 소금물의 양을 x를 사용하여 나타낸다.

4%의 소금물을 x g 섞는다고 하면 8%의 소금물은 $(300-x)$ g 섞는다.
또, 4%, 8%, 5%의 소금물을 섞어서 소금물 500 g을 만들려면 5%의 소금물은 200 g을 섞어야 하므로

$$\frac{4}{100}\times x+\frac{8}{100}\times(300-x)+\frac{5}{100}\times 200\geq \frac{6}{100}\times 500$$

$$\therefore x\leq 100$$

따라서 4%의 소금물은 최대 100 g 섞어야 한다.

뛰어넘기 　　　　　　　　　　　　　　　　　　**ⓟ60**

01 28개　　　**02** 5개　　　**03** 102분 40초 후

01 **Action** 밑면의 반지름의 길이가 r이고 높이가 h인 원기둥의 겉넓이를 S라 하면 $S=2\pi r^2+2\pi rh$이다.

처음 원기둥의 겉넓이는
$(\pi\times 7^2)\times 2+2\pi\times 7\times 8=98\pi+112\pi=210\pi$ (cm^2)
구멍을 x개 뚫는다고 하면 구멍을 뚫은 입체도형의 겉넓이는

$$\left\{\pi\times 7^2-\pi\times\left(\frac{1}{2}\right)^2\times x\right\}\times 2$$
$$+\left(2\pi\times 7\times 8+2\pi\times\frac{1}{2}\times 8\times x\right)$$
$$=\left(49\pi-\frac{1}{4}\pi x\right)\times 2+(112\pi+8\pi x)$$
$$=98\pi-\frac{1}{2}\pi x+112\pi+8\pi x$$
$$=210\pi+\frac{15}{2}\pi x\ (\text{cm}^2)$$

이때 구멍을 뚫은 입체도형의 겉넓이가 처음 원기둥의 겉넓이의 2배 이상이 되어야 하므로

$$210\pi+\frac{15}{2}\pi x\geq 2\times 210\pi\qquad \therefore x\geq 28$$

따라서 구멍을 28개 이상 뚫어야 한다.

---

02 **Action** 먼저 한 개의 수문에서 1분 동안 흘려보내는 물의 양을 구한다.

한 개의 수문에서 1분 동안 흘려보내는 물의 양을 p톤이라 하면 3개의 수문을 동시에 열어 20분 만에 모두 흘려보냈으므로

$3\times p\times 20=3000+150\times 20$
$60p=6000\qquad \therefore p=100$

즉 한 개의 수문에서 1분 동안 100톤의 물을 흘려보낼 수 있다.

5000톤의 물과 1분 동안에 300톤씩 유입되는 물을 x개의 수문을 열어 30분 이내에 모두 흘려보낸다고 하면

$x\times 100\times 30\geq 5000+300\times 30\qquad \therefore x\geq \dfrac{14}{3}$

따라서 최소 5개의 수문을 열어야 한다.

03 **Action** 처음으로 두 사람 A, B가 같은 구간에 있게 되려면 A가 걸은 거리와 B가 걸은 거리의 차가 28 m보다 작아야 한다.

B가 출발한 지 t분 후에 처음으로 두 사람 A, B가 같은 구간에 있게 된다고 하면 A가 걸은 거리와 B가 걸은 거리의 차는 28 m보다 작아야 하므로

$35(t+30)-45t<28\qquad \therefore t>\dfrac{511}{5}$

한편, A가 k번째 구간에 있다고 하면 A가 B보다 앞에 있으므로 처음으로 두 사람 A, B가 같은 구간에 있게 되는 것은 B가 k번째 전신주에서 출발하는 때이다.
즉 $45t=28(k-1)$이므로 $t=\dfrac{28}{45}(k-1)$

$t=\dfrac{28}{45}(k-1)$을 $t>\dfrac{511}{5}$에 대입하면

$\dfrac{28}{45}(k-1)>\dfrac{511}{5}\qquad \therefore k>\dfrac{661}{4}$

이때 k는 자연수이므로 k의 최솟값은 166이다.

$\therefore t=\dfrac{28}{45}\times(166-1)=102\dfrac{2}{3}$

따라서 처음으로 두 사람 A, B가 같은 구간에 있게 되는 것은 B가 출발한 지 102분 40초 후이다.

교과서 속 **창의 사고력** 　　　　　　**ⓟ61–ⓟ62**

01 $a_1<a_2<a_3$　　　　　**02** $12<k\leq 15$
03 8송이　　　　　　　　　**04** 35%

01 **Action** a_2-a_3, a_1-a_2의 부호를 각각 구한다.

㈎의 $a_1+a_2+b_3=a_1+b_2+a_3$에서
$a_2-a_3=b_2-b_3$

이때 ㈏에 의하여 $b_2<b_3$

즉 $b_2-b_3<0$이므로

$a_2-a_3<0$　　∴ $a_2<a_3$

㈎의 $a_1+b_2+a_3=b_1+a_2+a_3$에서

$a_1-a_2=b_1-b_2$

이때 ㈏에 의하여 $b_1<b_2$

즉 $b_1-b_2<0$이므로

$a_1-a_2<0$　　∴ $a_1<a_2$

∴ $a_1<a_2<a_3$

◀ Lecture

두 수 a, b에 대하여
(1) $a-b>0$이면 $a>b$
(2) $a-b<0$이면 $a<b$

02 **Action** 약속에 따라 주어진 부등식을 간단히 한다.

$(2x+1)\triangle(5x-2)>3\triangle k$에서

$(2x+1)-(5x-2)+1>3-k+1$

$2x+1-5x+2+1>4-k, -3x+4>4-k$

$-3x>-k$　　∴ $x<\dfrac{k}{3}$

이 부등식을 만족시키는 x의 값 중 가장 큰 정수가 4이므로 부등식의 해를 수직 선 위에 나타내면 오른쪽 그림과 같다.

따라서 $4<\dfrac{k}{3}\leq5$이므로 $12<k\leq15$

03 **Action** 장미꽃을 x송이 산다고 하면 6송이는 묶음으로 구매하고, $(x-6)$송이는 낱개로 구매한다.

2묶음으로 된 장미꽃 6송이의 가격은

$2000\times2=4000$(원)

장미꽃을 x송이 산다고 하면 묶음이 아닌 장미꽃 $(x-6)$송 이의 가격은

$800(x-6)=800x-4800$(원)

장미꽃 한 송이의 가격이 700원 이하가 되어야 하므로

$4000+(800x-4800)\leq700x$　　∴ $x\leq8$

따라서 장미꽃은 최대 8송이까지 살 수 있다.

04 **Action** (판매 가격)=(도매가격)$\times\left\{1+\dfrac{(이익률)}{100}\right\}$임을 이용한다.

달걀 한 개의 도매가격을 A원이라 하고 x %의 이익을 붙인 다고 하면

$2500\times A\times\left(1+\dfrac{x}{100}\right)\geq2700\times A\times\left(1+\dfrac{25}{100}\right)$

$25Ax\geq875A$

이때 $A>0$이므로 $x\geq35$

따라서 달걀 한 개의 도매가격에 35 % 이상의 이익을 붙여 판매 가격을 정해야 한다.

Ⅳ. 연립일차방정식

1. 연립일차방정식

최고수준 입문하기　　　ⓟ 66 - ⓟ 70

01 ㉡, ㉣, ㉤	**02** ⑤	**03** 7개	**04** 10
05 (3, 4)	**06** 0	**07** 5	**08** 2
09 -2	**10** 1	**11** -4	**12** 3
13 3	**14** -5	**15** 12	**16** 9
17 $x=25, y=-18$		**18** 4	**19** 3
20 $\dfrac{11}{2}$	**21** -1	**22** 1	**23** 9
24 -3	**25** $x=3, y=1$	**26** 18	**27** -6
28 -8	**29** $a=1, b\neq-7$		**30** -1

01 **Action** 등식의 모든 항을 좌변으로 이항하여 정리한 식이 $ax+by+c=0$(단, a, b, c는 상수, $a\neq0, b\neq0$)인지 확인한다.

㉠ 다항식

㉢ xy가 있으므로 일차방정식이 아니다.

㉣ $4x+y-6=3y-4x$에서 $8x-2y-6=0$
➡ 미지수가 2개인 일차방정식

㉥ $x-2y=2(x-y)$에서 $x-2y=2x-2y$
$-x=0$ ➡ 미지수가 1개인 일차방정식

따라서 미지수가 2개인 일차방정식은 ㉡, ㉣, ㉤이다.

02 **Action** 미지수가 2개인 일차방정식이 되려면 미지수가 2개이고 그 차수가 모두 1인 방정식이어야 한다.

$ax+3y-2=3(x-y)-4$에서 $ax+3y-2=3x-3y-4$

∴ $(a-3)x+6y+2=0$

이 식이 미지수가 2개인 일차방정식이 되려면 $a-3\neq0$이어 야 한다.

∴ $a\neq3$

03 **Action** x, y가 자연수임을 이용하여 x, y의 값을 각각 구한다.

$4x+3y=96$에서 $4x=96-3y$　　∴ $x=24-\dfrac{3}{4}y$

이때 x의 값이 자연수이므로 y의 값은 4의 배수이어야 한다.

즉 $y=4, 8, 12, \cdots$를 $x=24-\dfrac{3}{4}y$에 차례로 대입하여 x의 값을 구하면 다음 표와 같다.

x	21	18	15	12	9	6	3	0	$\cdots$
y	4	8	12	16	20	24	28	32	$\cdots$

따라서 x, y가 자연수인 해는 (21, 4), (18, 8), (15, 12), (12, 16), (9, 20), (6, 24), (3, 28)의 7개이다.

04 **Action** 주어진 해를 일차방정식에 대입하여 a, b의 값을 구한다.

$x=3, y=6$을 $ax-2y=3$에 대입하면

$3a-12=3$ ∴ $a=5$ ······ 40%

즉 $x=b, y=11$을 $5x-2y=3$에 대입하면

$5b-22=3$ ∴ $b=5$ ······ 40%

∴ $a+b=5+5=10$ ······ 20%

05 **Action** x, y가 자연수일 때, 연립방정식의 각 방정식의 해를 구한 후 공통인 해를 구한다.

x, y가 자연수일 때,

$2x+y=10$의 해는 $(1, 8), (2, 6), (3, 4), (4, 2)$

$3x-2y=1$의 해는 $(1, 1), (3, 4), (5, 7), (7, 10), \cdots$

따라서 연립방정식의 해는 $(3, 4)$이다.

06 **Action** $x=p-1, y=-1$을 $2x+(p-2)y=3$에 대입하여 연립방정식의 해를 구한다.

$x=p-1, y=-1$을 $2x+(p-2)y=3$에 대입하면

$2(p-1)-(p-2)=3$ ∴ $p=3$

따라서 주어진 연립방정식의 해는 $(2, -1)$이므로

$x=2, y=-1$을 $qx-2y=8$에 대입하면

$2q+2=8, 2q=6$ ∴ $q=3$

∴ $p-q=3-3=0$

07 **Action** x, y에 대한 연립방정식에서 한 일차방정식이 $x=(y$에 대한 식$)$ 또는 $y=(x$에 대한 식$)$의 꼴로 되어 있을 때, 이 식을 다른 일차방정식에 대입한다.

㉠을 ㉡에 대입하면

$3x-2(11-x)=-2, 5x=20$ ∴ $a=5$

08 **Action** 주어진 연립방정식을 대입법 또는 가감법으로 풀어 본다.

$\begin{cases} 2x+y=7 & \cdots ㉠ \\ x-2y=1 & \cdots ㉡ \end{cases}$에서

㉠$-$㉡$\times 2$를 하면 $5y=5$ ∴ $y=1$

$y=1$을 ㉡에 대입하면 $x-2=1$ ∴ $x=3$

∴ $x-y=3-1=2$

09 **Action** 주어진 연립방정식의 해는 연립방정식 $\begin{cases} 2x+5y=-9 \\ x-4y=2 \end{cases}$의 해와 같다.

주어진 연립방정식의 해는 세 방정식을 모두 만족시키므로

연립방정식 $\begin{cases} 2x+5y=-9 & \cdots ㉠ \\ x-4y=2 & \cdots ㉡ \end{cases}$의 해와 같다.

㉠$-$㉡$\times 2$를 하면 $13y=-13$ ∴ $y=-1$

$y=-1$을 ㉡에 대입하면 $x+4=2$ ∴ $x=-2$

따라서 $x=-2, y=-1$을 $ax-3y=7$에 대입하면

$-2a+3=7, -2a=4$ ∴ $a=-2$

📢 *Lecture*

연립방정식의 해를 해로 갖는 일차방정식이 주어질 때

❶ 세 일차방정식 중 미지수가 없는 두 일차방정식으로 연립방정식을 세워 해를 구한다.

❷ ❶에서 구한 해를 나머지 일차방정식에 대입하여 미지수의 값을 구한다.

10 **Action** $(1, -2), (5, -4)$의 좌표를 일차방정식에 각각 대입한다.

$(1, -2), (5, -4)$의 좌표를 $ax+by=3$에 각각 대입하면

$\begin{cases} a-2b=3 & \cdots ㉠ \\ 5a-4b=3 & \cdots ㉡ \end{cases}$

㉠$\times 2-$㉡을 하면 $-3a=3$ ∴ $a=-1$

$a=-1$을 ㉠에 대입하면

$-1-2b=3, -2b=4$ ∴ $b=-2$

∴ $a-b=-1-(-2)=1$

11 **Action** 주어진 해를 연립방정식에 대입한다.

$x=2, y=3$을 $\begin{cases} ax+by=2 \\ bx-ay=10 \end{cases}$에 대입하면

$\begin{cases} 2a+3b=2 \\ 2b-3a=10 \end{cases}$, 즉 $\begin{cases} 2a+3b=2 & \cdots ㉠ \\ -3a+2b=10 & \cdots ㉡ \end{cases}$

㉠$\times 3+$㉡$\times 2$를 하면

$13b=26$ ∴ $b=2$

$b=2$를 ㉠에 대입하면

$2a+6=2, 2a=-4$ ∴ $a=-2$

∴ $ab=-2\times 2=-4$

12 **Action** 분배법칙을 이용하여 괄호를 풀고 동류항끼리 간단히 한 후 연립방정식을 푼다.

$\begin{cases} 2(3x+y)+2y=10 \\ 2x+3(y-5)=-5 \end{cases}$ ➡ $\begin{cases} 3x+2y=5 & \cdots ㉠ \\ 2x+3y=10 & \cdots ㉡ \end{cases}$

㉠$\times 2-$㉡$\times 3$을 하면

$-5y=-20$ ∴ $y=4$

$y=4$를 ㉠에 대입하면

$3x+8=5, 3x=-3$ ∴ $x=-1$

따라서 $a=-1, b=4$이므로

$a+b=-1+4=3$

13 **Action** 연립방정식의 해를 구한 후 그 해를 주어진 일차방정식에 대입하여 미지수의 값을 구한다.

$\begin{cases} 3(x-2y)=2(1-2y) \\ 4(2x-y)-6=x+y \end{cases}$ ➡ $\begin{cases} 3x-2y=2 & \cdots ㉠ \\ 7x-5y=6 & \cdots ㉡ \end{cases}$

······ 30%

㉠$\times 5-$㉡$\times 2$를 하면 $x=-2$

$x=-2$를 ㉠에 대입하면

$-6-2y=2, -2y=8$ ∴ $y=-4$ ······ 50%

따라서 $x=-2$, $y=-4$를 $ax-y=-2$에 대입하면
$-2a+4=-2$, $-2a=-6$ $\quad\therefore a=3$ $\qquad$······ 20%

14 Action 계수가 분수인 연립방정식은 양변에 분모의 최소공배수를 곱하여 계수를 모두 정수로 바꾼 후 푼다.

$$\begin{cases} x-2(x-y)=-4 & \cdots \text{㉠} \\ \dfrac{x}{4}-\dfrac{y}{3}=\dfrac{1}{2} & \cdots \text{㉡} \end{cases}$$

㉠을 정리하면 $-x+2y=-4$ $\quad\cdots$ ㉢
㉡×12를 하면 $3x-4y=6$ $\quad\cdots$ ㉣
㉢×3+㉣을 하면 $2y=-6$ $\quad\therefore y=-3$
$y=-3$을 ㉢에 대입하면 $-x-6=-4$ $\quad\therefore x=-2$
따라서 $a=-2$, $b=-3$이므로
$a+b=-2+(-3)=-5$

15 Action 계수가 소수인 연립방정식은 양변에 10, 100, 1000, …과 같이 적당한 수를 곱하여 계수를 모두 정수로 바꾼 후 푼다.

$$\begin{cases} \dfrac{x}{3}-\dfrac{y}{2}=\dfrac{5}{2} & \cdots \text{㉠} \\ 0.3x+0.4(y-3)=-1.5 & \cdots \text{㉡} \end{cases}$$

㉠×6을 하면 $2x-3y=15$ $\quad\cdots$ ㉢
㉡×10을 하여 정리하면 $3x+4y=-3$ $\quad\cdots$ ㉣
㉢×3-㉣×2를 하면 $-17y=51$ $\quad\therefore y=-3$
$y=-3$을 ㉢에 대입하면
$2x+9=15$, $2x=6$ $\quad\therefore x=3$
따라서 $x=3$, $y=-3$을 $3x-y=k$에 대입하면
$9+3=k$ $\quad\therefore k=12$

16 Action 비례식에서 (내항의 곱)=(외항의 곱)임을 이용하여 비례식을 일차방정식으로 나타낸다.

$$\begin{cases} (x-1):(2x+y)=2:3 & \cdots \text{㉠} \\ 3x+2y=7 & \cdots \text{㉡} \end{cases}$$

㉠에서 $2(2x+y)=3(x-1)$
$4x+2y=3x-3$, $x+2y=-3$ $\quad\cdots$ ㉢
㉡-㉢을 하면 $2x=10$ $\quad\therefore x=5$
$x=5$를 ㉢에 대입하면
$5+2y=-3$, $2y=-8$ $\quad\therefore y=-4$
따라서 $m=5$, $n=-4$이므로
$m-n=5-(-4)=9$

17 Action 방정식 $A=B=C$는 연립방정식 $\begin{cases} A=B \\ A=C \end{cases}$ $\begin{cases} A=B \\ B=C \end{cases}$ $\begin{cases} A=C \\ B=C \end{cases}$ 중 간단한 것을 선택하여 푼다.

$$\begin{cases} \dfrac{x-1}{3}=\dfrac{2x+y}{4} & \cdots \text{㉠} \\ \dfrac{x-1}{3}=\dfrac{x-y+5}{6} & \cdots \text{㉡} \end{cases}$$

㉠×12를 하여 정리하면 $2x+3y=-4$ $\quad\cdots$ ㉢
㉡×6을 하여 정리하면 $x+y=7$ $\quad\cdots$ ㉣
㉢-㉣×2를 하면 $y=-18$
$y=-18$을 ㉣에 대입하면 $x-18=7$ $\quad\therefore x=25$

18 Action 먼저 방정식을 연립방정식으로 바꿔서 해를 구한다.

$$\begin{cases} 3(x-3)+2(y-1)=5x-4y-11 \\ 2x-(3-y)=5x-4y-11 \end{cases}$$
$$\Rightarrow \begin{cases} x-3y=0 & \cdots \text{㉠} \\ 3x-5y=8 & \cdots \text{㉡} \end{cases}$$

㉠×3-㉡을 하면 $-4y=-8$ $\quad\therefore y=2$
$y=2$를 ㉠에 대입하면 $x-6=0$ $\quad\therefore x=6$
따라서 $a=6$, $b=2$이므로
$a-b=6-2=4$

19 Action $x=2$, $y=-2$를 주어진 방정식에 대입하여 a, b에 대한 연립방정식을 세운다.

$x=2$, $y=-2$를 주어진 방정식에 대입하면
$2a-2b-2=6b-2a-2=0$
$$\begin{cases} 2a-2b-2=0 \\ 6b-2a-2=0 \end{cases} \Rightarrow \begin{cases} a-b=1 & \cdots \text{㉠} \\ -a+3b=1 & \cdots \text{㉡} \end{cases}$$

㉠+㉡을 하면 $2b=2$ $\quad\therefore b=1$
$b=1$을 ㉠에 대입하면 $a-1=1$ $\quad\therefore a=2$
$\therefore a+b=2+1=3$

20 Action $x:y=1:3$이므로 $y=3x$임을 이용한다.

$x:y=1:3$이므로 $y=3x$
$y=3x$를 $2x-y=6$에 대입하면
$2x-3x=6$ $\quad\therefore x=-6$
$x=-6$을 $y=3x$에 대입하면 $y=-18$
따라서 $x=-6$, $y=-18$을 $ax-2y=3$에 대입하면
$-6a+36=3$, $-6a=-33$ $\quad\therefore a=\dfrac{11}{2}$

🔊 **Lecture**

(1) y의 값이 x의 값의 a배이다. ➡ $y=ax$
(2) y의 값이 x의 값보다 b만큼 크다. ➡ $y=x+b$
(3) x의 값과 y의 값의 차가 c이다. (단, $x \geq y$) ➡ $x-y=c$
(4) x의 값과 y의 값의 비가 $m:n$이다.
$\quad$ ➡ $x:y=m:n$, 즉 $my=nx$에서 $y=\dfrac{n}{m}x$

---

21 Action y의 값이 x의 값의 2배이므로 $y=2x$임을 이용한다.

y의 값이 x의 값의 2배이므로 $y=2x$
$y=2x$를 $3x+y=10$에 대입하면
$3x+2x=10$, $5x=10$ $\quad\therefore x=2$
$x=2$를 $y=2x$에 대입하면 $y=4$
따라서 $x=2$, $y=4$를 $x+3y=a+15$에 대입하면
$2+12=a+15$ $\quad\therefore a=-1$

22 Action y의 값이 x의 값보다 3만큼 크므로 $y=x+3$임을 이용한다.

$$\begin{cases} \frac{1}{5}x+0.6y=k \\ x+2y=3 \end{cases} \Rightarrow \begin{cases} x+3y=5k & \cdots \text{㉠} \\ x+2y=3 & \cdots \text{㉡} \end{cases}$$

y의 값이 x의 값보다 3만큼 크므로 $y=x+3$ $\cdots$ ㉢

㉢을 ㉡에 대입하면

$x+2(x+3)=3,\ x+2x+6=3$

$3x=-3$ $\qquad \therefore x=-1$

$x=-1$을 ㉢에 대입하면 $y=-1+3=2$

따라서 $x=-1,\ y=2$를 ㉠에 대입하면

$-1+6=5k,\ 5k=5$ $\qquad \therefore k=1$

23 Action x의 값과 y의 값이 서로 같으므로 $y=x$임을 이용한다.

x의 값과 y의 값이 서로 같으므로 $y=x$

주어진 연립방정식에 $y=x$를 대입하면

$$\begin{cases} ax-x=4 & \cdots \text{㉠} \\ 3x+ax=6 & \cdots \text{㉡} \end{cases}$$

㉠－㉡을 하면 $-4x=-2$ $\qquad \therefore x=\frac{1}{2},\ y=\frac{1}{2}$ …… 60%

따라서 $x=\frac{1}{2}$을 ㉠에 대입하면

$\frac{1}{2}a-\frac{1}{2}=4,\ \frac{1}{2}a=\frac{9}{2}$ $\qquad \therefore a=9$ …… 40%

24 Action ㉡의 y의 계수 3을 a로 잘못 보았다고 하고 $x=2$를 주어진 연립방정식에 대입한다.

㉡의 y의 계수 3을 a로 잘못 보았다고 하면

$2x+ay=-8$ $\cdots$ ㉢

$x=2$를 ㉠에 대입하면 $6-y=2$ $\qquad \therefore y=4$

이때 $x=2,\ y=4$를 ㉢에 대입하면

$4+4a=-8,\ 4a=-12$ $\qquad \therefore a=-3$

따라서 ㉡의 y의 계수 3을 -3으로 잘못 보고 풀었다.

25 Action 주어진 연립방정식에서 $a,\ b$를 서로 바꾸어 연립방정식을 만들고, 주어진 해를 대입한다.

$x=1,\ y=3$은 $\begin{cases} bx+ay=1 \\ ax+by=-5 \end{cases}$의 해이므로

$$\begin{cases} 3a+b=1 & \cdots \text{㉠} \\ a+3b=-5 & \cdots \text{㉡} \end{cases}$$

㉠－㉡×3을 하면 $-8b=16$ $\qquad \therefore b=-2$

$b=-2$를 ㉡에 대입하면

$a-6=-5$ $\qquad \therefore a=1$

따라서 처음 연립방정식은 $\begin{cases} x-2y=1 & \cdots \text{㉢} \\ -2x+y=-5 & \cdots \text{㉣} \end{cases}$

㉢×2+㉣을 하면 $-3y=-3$ $\qquad \therefore y=1$

$y=1$을 ㉢에 대입하면 $x-2=1$ $\qquad \therefore x=3$

따라서 처음 연립방정식의 해는 $x=3,\ y=1$

26 Action 주어진 두 연립방정식의 해는 연립방정식 $\begin{cases} x+2y=9 \\ x-y=3 \end{cases}$의 해와 같다.

주어진 두 연립방정식의 해는 연립방정식

$$\begin{cases} x+2y=9 & \cdots \text{㉠} \\ x-y=3 & \cdots \text{㉡} \end{cases}$$의 해와 같다.

㉠－㉡을 하면 $3y=6$ $\qquad \therefore y=2$

$y=2$를 ㉡에 대입하면 $x-2=3$ $\qquad \therefore x=5$

$x=5,\ y=2$를 $3x+y=a$에 대입하면

$15+2=a$ $\qquad \therefore a=17$

$x=5,\ y=2$를 $x+by=7$에 대입하면

$5+2b=7,\ 2b=2$ $\qquad \therefore b=1$

$\therefore a+b=17+1=18$

📢 **Lecture**

두 연립방정식의 해가 서로 같을 때

두 연립방정식의 해가 서로 같을 때, 네 일차방정식 중에서 미지수를 포함하지 않은 두 일차방정식으로 연립방정식을 세워 해를 구한 후 그 해를 나머지 두 일차방정식에 각각 대입하여 미지수의 값을 구한다.

27 Action 주어진 네 일차방정식의 공통인 해는 연립방정식 $\begin{cases} 2x+3y=-5 \\ 5x+2y=4 \end{cases}$의 해와 같다.

주어진 네 일차방정식의 공통인 해는 연립방정식

$$\begin{cases} 2x+3y=-5 & \cdots \text{㉠} \\ 5x+2y=4 & \cdots \text{㉡} \end{cases}$$의 해와 같다.

㉠×5－㉡×2를 하면

$11y=-33$ $\qquad \therefore y=-3$

$y=-3$을 ㉠에 대입하면

$2x-9=-5,\ 2x=4$ $\qquad \therefore x=2$ …… 40%

$x=2,\ y=-3$을 $ax-y=3(a-1)$에 대입하면

$2a+3=3(a-1),\ 2a+3=3a-3$

$\therefore a=6$ …… 20%

$x=2,\ y=-3,\ a=6$을 $bx+(1-a)y=13$에 대입하면

$2b+15=13,\ 2b=-2$

$\therefore b=-1$ …… 20%

$\therefore ab=6\times(-1)=-6$ …… 20%

28 Action 연립방정식의 한 일차방정식에 적당한 수를 곱하였을 때, 나머지 일차방정식과 일치하면 해가 무수히 많다.

$$\begin{cases} 2x-y=a+4 \\ 6x-3y=-12 \end{cases},\ \text{즉} \begin{cases} 6x-3y=3(a+4) \\ 6x-3y=-12 \end{cases}$$의 해가 무수히 많으므로

$3(a+4)=-12,\ 3a+12=-12$

$3a=-24$ $\qquad \therefore a=-8$

29 Action 연립방정식의 한 일차방정식에 적당한 수를 곱하였을 때, x, y의 계수는 각각 같고 상수항이 다르면 해가 없다.

$$\begin{cases} (a-3)x+y=3 \\ 4x-2y=a+b \end{cases}, 즉 \begin{cases} -2(a-3)x-2y=-6 \\ 4x-2y=a+b \end{cases}의 해가 없$$

으려면 $-2(a-3)=4$, $-6 \neq a+b$이어야 한다.

$-2(a-3)=4$에서 $-2a+6=4$

$-2a=-2$ $\quad \therefore a=1$

$-6 \neq a+b$에서 $-6 \neq 1+b$ $\quad \therefore b \neq -7$

30 Action 연립방정식이 $x=0$, $y=0$ 이외의 해를 가지므로 해가 무수히 많다.

$$\begin{cases} 2x+y=0 \\ 3x+2y=kx \end{cases}, 즉 \begin{cases} 4x+2y=0 \\ (3-k)x+2y=0 \end{cases}이 x=0, y=0 이외$$

의 해를 가지므로 해가 무수히 많다.

따라서 $4=3-k$이므로 $k=-1$

최고수준 **완성하기** P 71 ~ P 74

01 $a=1, b\neq1$	**02** 15	**03** $(1,5), (3,2)$	
04 -4	**05** -4	**06** 6	**07** -16
08 5	**09** 13	**10** 5	**11** -1
12 2	**13** $x=1, y=0, z=2$		**14** 4
15 11	**16** 1		

01 Action 등식의 모든 항을 좌변으로 이항하여 동류항끼리 정리한 후 두 미지수 x, y의 차수가 1이 되는 조건을 구한다.

$x^2+4x-y+5=ax^2-3x-by+1$에서

$(1-a)x^2+7x+(b-1)y+4=0$

이 식이 미지수가 2개인 일차방정식이 되려면 $1-a=0$, $b-1 \neq 0$이어야 한다.

$\therefore a=1, b\neq1$

02 Action $2x-3y=21$에서 x를 y에 대한 식으로 나타낸 후 x, y가 자연수임을 이용하여 x, y의 값을 각각 구한다.

$2x-3y=21$에서 $2x=3y+21$ $\quad \therefore x=\dfrac{3y+21}{2}$

이때 x가 자연수이므로 $3y+21$의 값은 2의 배수이어야 한다. 즉 y의 값은 홀수이어야 한다.

72를 소인수분해하면 $72=2^3 \times 3^2$이므로 y의 값이 될 수 있는 수는 1, 3, 9이다.

$y=1, 3, 9$를 $x=\dfrac{3y+21}{2}$에 차
례로 대입하여 x의 값을 구하면
오른쪽 표와 같다.

x	12	15	24
y	1	3	9

이때 x, y의 최소공배수가 72인 것은 $x=24$, $y=9$이므로

$x-y=24-9=15$

03 Action 먼저 주어진 약속에 따라 일차방정식을 세운다.

$2 * x = 4-3x+6=-3x+10$

$y * 3 = 2y-9+6=2y-3$

$2 * x = y * 3$에서 $-3x+10=2y-3$

$\therefore 3x+2y=13$

이때 x, y는 자연수이므로 $3x+2y=13$의 해는

$(1, 5), (3, 2)$

04 Action 지수법칙을 이용하여 x, y에 대한 일차방정식을 세운다.

$3^x \times 27^y = 9^5$에서 $3^x \times (3^3)^y = (3^2)^5$

$3^x \times 3^{3y} = 3^{10}$, $3^{x+3y} = 3^{10}$

$\therefore x+3y=10$

따라서 주어진 연립방정식의 해는 연립방정식

$$\begin{cases} 4x+3y=13 & \cdots ㉠ \\ x+3y=10 & \cdots ㉡ \end{cases}의 해와 같다.$$

㉠$-$㉡을 하면 $3x=3$ $\quad \therefore x=1$

$x=1$을 ㉡에 대입하면

$1+3y=10$, $3y=9$ $\quad \therefore y=3$

$x=1$, $y=3$을 $ax+y=-1$에 대입하면

$a+3=-1$ $\quad \therefore a=-4$

> **Lecture**
>
> **지수법칙**
>
> $a \neq 0$이고, m, n이 자연수일 때
>
> (1) $a^m \times a^n = a^{m+n}$
>
> (2) $(a^m)^n = a^{mn}$
>
> (3) $a^m \div a^n = \begin{cases} a^{m-n} & (m>n) \\ 1 & (m=n) \\ \dfrac{1}{a^{n-m}} & (m<n) \end{cases}$

05 Action 분배법칙을 이용하여 괄호를 풀고 동류항끼리 간단히 한 후 연립방정식을 푼다.

$$\begin{cases} 4(x-1)=2x-3y+4 \\ 6x-4y+3=x-3(y-2) \end{cases} \Rightarrow \begin{cases} 2x+3y=8 & \cdots ㉠ \\ 5x-y=3 & \cdots ㉡ \end{cases}$$

㉠$+$㉡$\times3$을 하면 $17x=17$ $\quad \therefore x=1$

$x=1$을 ㉡에 대입하면 $5-y=3$ $\quad \therefore y=2$

따라서 $x=1$, $y=2$를 $x+ay+7=0$에 대입하면

$1+2a+7=0$, $2a=-8$ $\quad \therefore a=-4$

06 Action $x=p$, $y=2p$를 주어진 연립방정식에 대입한다.

$x=p$, $y=2p$를 주어진 연립방정식에 대입하면

$$\begin{cases} p(a-6)+2p(3-a)=-2 \\ 2ap-6p(a-2)=-4 \end{cases} \Rightarrow \begin{cases} ap=2 & \cdots ㉠ \\ ap-3p=1 & \cdots ㉡ \end{cases}$$

㉠을 ㉡에 대입하면 $2-3p=1$, $-3p=-1$ $\therefore p=\dfrac{1}{3}$

$p=\dfrac{1}{3}$을 ㉠에 대입하면 $\dfrac{1}{3}a=2$ $\therefore a=6$

07 Action 계수를 모두 정수로 바꾼 후 연립방정식을 푼다.

$\begin{cases} 0.\dot{2}x-0.\dot{3}y=1.\dot{1} & \cdots \text{㉠} \\ \dfrac{x-1}{8}-\dfrac{y+1}{4}=\dfrac{1}{8} & \cdots \text{㉡} \end{cases}$

㉠에서 $\dfrac{2}{9}x-\dfrac{3}{9}y=\dfrac{11-1}{9}$, $2x-3y=10$ $\cdots$ ㉢

㉡$\times 8$을 하여 정리하면 $x-2y=4$ $\cdots$ ㉣

㉢$-$㉣$\times 2$를 하면 $y=2$

$y=2$를 ㉣에 대입하면 $x-4=4$ $\therefore x=8$ $\cdots\cdots$ 60%

이때

$\begin{aligned} 3(x-2y)-2(x+3y) &=3x-6y-2x-6y \\ &=x-12y \end{aligned}$ $\cdots\cdots$ 20%

$x=8$, $y=2$를 위의 식에 대입하면

$x-12y=8-12\times 2=-16$ $\cdots\cdots$ 20%

08 Action 연립방정식 $\begin{cases} \dfrac{x-2}{2}=\dfrac{x+y}{3} \\ y+2=2(x-2) \end{cases}$ 의 해가 $x=p$, $y=q$이면 연

립방정식 $\begin{cases} ax+by=4 \\ bx-ay=6 \end{cases}$의 해는 $x=-p$, $y=-q$이다.

$\begin{cases} \dfrac{x-2}{2}=\dfrac{x+y}{3} & \cdots \text{㉠} \\ y+2=2(x-2) & \cdots \text{㉡} \end{cases}$

㉠$\times 6$을 하여 정리하면 $x-2y=6$ $\cdots$ ㉢

㉡을 정리하면 $2x-y=6$ $\cdots$ ㉣

㉢$\times 2-$㉣을 하면 $-3y=6$ $\therefore y=-2$

$y=-2$를 ㉢에 대입하면 $x+4=6$ $\therefore x=2$

따라서 연립방정식 $\begin{cases} ax+by=4 \\ bx-ay=6 \end{cases}$의 해는 $x=-2$, $y=2$이

므로

$\begin{cases} -2a+2b=4 \\ -2b-2a=6 \end{cases}$ ➡ $\begin{cases} a-b=-2 & \cdots \text{㉤} \\ a+b=-3 & \cdots \text{㉥} \end{cases}$

㉤$+$㉥을 하면 $2a=-5$ $\therefore a=-\dfrac{5}{2}$

$a=-\dfrac{5}{2}$를 ㉥에 대입하면

$-\dfrac{5}{2}+b=-3$ $\therefore b=-\dfrac{1}{2}$

$\therefore \dfrac{a}{b}=a\div b=-\dfrac{5}{2}\div\left(-\dfrac{1}{2}\right)=-\dfrac{5}{2}\times(-2)=5$

09 Action $x>y$이고 x의 값과 y의 값의 차가 3이므로 $x-y=3$, 즉 $x=y+3$임을 이용한다.

$\begin{cases} 2x+1=y+a & \cdots \text{㉠} \\ (2x-a):(y-3)=5:3 & \cdots \text{㉡} \end{cases}$

㉠을 정리하면 $2x-y=a-1$ $\cdots$ ㉢

㉡에서 $5(y-3)=3(2x-a)$, $5y-15=6x-3a$

$\therefore 6x-5y=3a-15$ $\cdots$ ㉣

$x>y$이고 x의 값과 y의 값의 차가 3이므로

$x-y=3$ $\therefore x=y+3$

$x=y+3$을 ㉢에 대입하면 $2(y+3)-y=a-1$

$\therefore y=a-7$ $\cdots$ ㉤

$x=y+3$을 ㉣에 대입하면 $6(y+3)-5y=3a-15$

$\therefore y=3a-33$ $\cdots$ ㉥

㉤, ㉥에서 $a-7=3a-33$, $-2a=-26$ $\therefore a=13$

10 Action $x:y=2:3$이므로 $3x=2y$임을 이용한다.

$\begin{cases} 2x+ay=19 \\ 3x+2y+7=19 \end{cases}$ ➡ $\begin{cases} 2x+ay=19 & \cdots \text{㉠} \\ 3x+2y=12 & \cdots \text{㉡} \end{cases}$

$x:y=2:3$이므로 $3x=2y$ $\cdots$ ㉢

㉢을 ㉡에 대입하면

$2y+2y=12$, $4y=12$ $\therefore y=3$

$y=3$을 ㉢에 대입하면 $3x=6$ $\therefore x=2$

$x=2$, $y=3$을 ㉠에 대입하면

$4+3a=19$, $3a=15$ $\therefore a=5$

11 Action 주어진 방정식을 연립방정식으로 바꿔서 해를 a의 식으로 나타낸 후 $x=\dfrac{2}{3}$임을 이용하여 a의 값을 구한다.

$\begin{cases} \dfrac{x-2y+4}{2}=y+a & \cdots \text{㉠} \\ \dfrac{2x+y+a}{3}=y+a & \cdots \text{㉡} \end{cases}$

㉠$\times 2$를 하여 정리하면 $x-4y=2a-4$ $\cdots$ ㉢

㉡$\times 3$을 하여 정리하면 $x-y=a$ $\cdots$ ㉣

㉢$-$㉣을 하면 $-3y=a-4$ $\therefore y=\dfrac{4-a}{3}$

$y=\dfrac{4-a}{3}$를 ㉣에 대입하면

$x-\dfrac{4-a}{3}=a$ $\therefore x=\dfrac{2a+4}{3}$

따라서 $\dfrac{2a+4}{3}=\dfrac{2}{3}$이므로

$2a+4=2$, $2a=-2$ $\therefore a=-1$

12 Action $\dfrac{1}{x}=A$, $\dfrac{1}{y}=B$로 놓고 A, B에 대한 연립방정식을 푼다.

$\dfrac{1}{x}=A$, $\dfrac{1}{y}=B$라 하면 $\begin{cases} 3A+2B=8 & \cdots \text{㉠} \\ A-4B=-2 & \cdots \text{㉡} \end{cases}$

㉠$-$㉡$\times 3$을 하면 $14B=14$ $\therefore B=1$

$B=1$을 ㉡에 대입하면 $A-4=-2$ $\therefore A=2$

즉 $\dfrac{1}{x}=2$, $\dfrac{1}{y}=1$이므로 연립방정식의 해는 $x=\dfrac{1}{2}$, $y=1$

따라서 $p=\dfrac{1}{2}$, $q=1$이므로 $2p+q=2\times\dfrac{1}{2}+1=2$

13 Action x, y, z 중 한 문자를 없애고 미지수가 2개인 연립방정식을 만든다.

$$\begin{cases} x+y=1 & \cdots ㉠ \\ y+z=2 & \cdots ㉡ \\ z+x=3 & \cdots ㉢ \end{cases}$$

㉠－㉡을 하면 $x-z=-1$ $\cdots$ ㉣
㉢＋㉣을 하면 $2x=2$ ∴ $x=1$
$x=1$을 ㉠에 대입하면 $1+y=1$ ∴ $y=0$
$x=1$을 ㉢에 대입하면 $z+1=3$ ∴ $z=2$
따라서 연립방정식의 해는 $x=1, y=0, z=2$

[다른 풀이]
㉠＋㉡＋㉢을 하면 $2(x+y+z)=6$
∴ $x+y+z=3$ $\cdots$ ㉤
㉤－㉠을 하면 $z=2$
㉤－㉡을 하면 $x=1$
㉤－㉢을 하면 $y=0$
따라서 연립방정식의 해는 $x=1, y=0, z=2$

🔊 *Lecture*

미지수가 3개인 연립방정식
세 미지수 중 한 미지수를 소거하여 미지수가 2개인 연립방정식을 만들고 해를 구한 후 그 해를 세 일차방정식 중 가장 간단한 일차방정식에 대입하여 나머지 미지수의 값을 구한다.

14 Action $2^x=A, 3^y=B$로 놓고 A, B에 대한 연립방정식을 푼다.
$2^{x+1}=2 \times 2^x, 3^{y+2}=3^2 \times 3^y=9 \times 3^y$이므로
$2^x=A, 3^y=B$라 하면
$$\begin{cases} A+9B=85 & \cdots ㉠ \\ 2A-B=-1 & \cdots ㉡ \end{cases}$$
㉠×2－㉡을 하면
$19B=171$ ∴ $B=9$
$B=9$를 ㉠에 대입하면
$A+81=85$ ∴ $A=4$
즉 $2^x=4=2^2, 3^y=9=3^2$이므로 $x=2, y=2$
∴ $xy=2 \times 2=4$

15 Action 연립방정식의 해가 무수히 많은 경우와 해가 없는 경우의 조건을 찾는다.
$$\begin{cases} x+3y=-a \\ 3x-by=6 \end{cases}, 즉 \begin{cases} 3x+9y=-3a \\ 3x-by=6 \end{cases}$$
의 해가 무수히 많으므로
$9=-b, -3a=6$ ∴ $a=-2, b=-9$ ······ 60%
$$\begin{cases} cx+6y=-2 \\ 2x+3y=-4 \end{cases}, 즉 \begin{cases} cx+6y=-2 \\ 4x+6y=-8 \end{cases}$$
의 해가 없으므로
$c=4$ ······ 30%
∴ $a-b+c=-2-(-9)+4=11$ ······ 10%

16 Action 연립방정식의 한 일차방정식에 적당한 수를 곱하였을 때, 나머지 일차방정식과 일치하면 연립방정식의 해가 무수히 많다.
$$\begin{cases} ax-by=a \\ bx-ay=-a \end{cases}, 즉 \begin{cases} ax-by=a \\ -bx+ay=a \end{cases}$$
의 해가 무수히 많으므로
$a=-b$
$a=-b$를 $ax-by=a$에 대입하면
$-bx-by=-b$
이때 $b\neq0$이므로 양변을 $-b$로 나누면
$x+y=1$

🔊 *Lecture*

$ab\neq0$이면 $a\neq0$이고 $b\neq0$이다.

최고수준 뛰어넘기 Ⓟ 75－ Ⓟ 76

01 $(a-1)$개 **02** $x=-\dfrac{13}{4}, y=\dfrac{15}{4}$ **03** 15
04 85 **05** 1
06 $x=3, y=3$ 또는 $x=-3, y=1$

01 Action $x+3y=3a$, 즉 $x=3a-3y$에 $y=1, 2, 3, \cdots$을 차례로 대입한 후 x의 값이 자연수임을 이용한다.
$x+3y=3a$에서 $x=3a-3y$
$y=1, 2, 3, \cdots$을 $x=3a-3y$에 차례로 대입하면
$y=1$일 때, $x=3a-3$
$y=2$일 때, $x=3a-6$
$y=3$일 때, $x=3a-9$
$\vdots$
$y=a-1$일 때, $x=3a-3(a-1)=3$
$y=a$일 때, $x=3a-3a=0$
따라서 구하는 순서쌍 (x, y)의 개수는 $(a-1)$개이다.

02 Action $x>y, x<y$일 때로 나누어 푼다.
(ⅰ) $x>y$일 때, $\max(x, y)=x, \min(x, y)=y$이므로
$$\begin{cases} x=2x+3y-1 \\ y=-2x-y-6 \end{cases} \Rightarrow \begin{cases} x+3y=1 & \cdots ㉠ \\ x+y=-3 & \cdots ㉡ \end{cases}$$
㉠－㉡을 하면
$2y=4$ ∴ $y=2$
$y=2$를 ㉡에 대입하면
$x+2=-3$ ∴ $x=-5$
이때 $x<y$이므로 조건을 만족시키지 않는다.

(ii) $x<y$일 때, $\max(x, y)=y$, $\min(x, y)=x$이므로

$$\begin{cases} y=2x+3y-1 \\ x=-2x-y-6 \end{cases} \Rightarrow \begin{cases} 2x+2y=1 & \cdots \text{©} \\ 3x+y=-6 & \cdots \text{®} \end{cases}$$

©$-$®$\times 2$를 하면 $-4x=13$ $\quad \therefore x=-\dfrac{13}{4}$

$x=-\dfrac{13}{4}$을 ®에 대입하면

$-\dfrac{39}{4}+y=-6$ $\quad \therefore y=\dfrac{15}{4}$

(i), (ii)에 의하여 연립방정식의 해는 $x=-\dfrac{13}{4}, y=\dfrac{15}{4}$

03 **Action** 연립방정식 $\begin{cases} x-3y=-9 \\ 6x+ay=10 \end{cases}$의 해가 $x=m, y=n$이면 연립

방정식 $\begin{cases} ax+by=-5 \\ 2x+7y=35 \end{cases}$의 해는 $x=m+3, y=n+3$이다.

$\begin{cases} x-3y=-9 \\ 6x+ay=10 \end{cases}$의 해를 $x=m, y=n$이라 하면

$\begin{cases} m-3n=-9 & \cdots \text{㉠} \\ 6m+an=10 & \cdots \text{㉡} \end{cases}$

$\begin{cases} ax+by=-5 \\ 2x+7y=35 \end{cases}$의 해는 $x=m+3, y=n+3$이므로

$\begin{cases} a(m+3)+b(n+3)=-5 \\ 2(m+3)+7(n+3)=35 \end{cases}$

$\Rightarrow \begin{cases} am+bn=-3a-3b-5 & \cdots \text{㉢} \\ 2m+7n=8 & \cdots \text{㉣} \end{cases}$

㉠$\times 2-$㉣을 하면

$-13n=-26$ $\quad \therefore n=2$

$n=2$를 ㉠에 대입하면

$m-6=-9$ $\quad \therefore m=-3$

$m=-3, n=2$를 ㉡에 대입하면

$-18+2a=10, 2a=28$ $\quad \therefore a=14$

$m=-3, n=2, a=14$를 ㉢에 대입하면

$-42+2b=-42-3b-5, 5b=-5$ $\quad \therefore b=-1$

$\therefore a-b=14-(-1)=15$

04 **Action** x, z를 y에 대한 식으로 각각 나타낸 후 $x:y:z$를 가장 간단
한 자연수의 비로 나타낸다.

$\begin{cases} x+4y-3z=0 & \cdots \text{㉠} \\ 4x-8y+3z=0 & \cdots \text{㉡} \end{cases}$

㉠$+$㉡을 하면 $5x-4y=0, 5x=4y$ $\quad \therefore x=\dfrac{4}{5}y$

$x=\dfrac{4}{5}y$를 ㉠에 대입하면

$\dfrac{4}{5}y+4y-3z=0, 3z=\dfrac{24}{5}y$ $\quad \therefore z=\dfrac{8}{5}y$

따라서 $x:y:z=\dfrac{4}{5}y:y:\dfrac{8}{5}y=4:5:8$이므로

$x=4k, y=5k, z=8k$(k는 자연수)라 하면 x, y, z의 최소공
배수는 $40k$이다.

이때 $40k=200$이므로 $k=5$

따라서 $x=20, y=25, z=40$이므로

$x+y+z=20+25+40=85$

05 **Action** $\dfrac{1}{x+y}=A, \dfrac{1}{x-y}=B$로 놓고 A, B에 대한 연립방정식을
풀어 $x+y, x-y$의 값을 각각 구한다.

$\dfrac{1}{x+y}=A, \dfrac{1}{x-y}=B$라 하면 $\begin{cases} 2A-2B=5 & \cdots \text{㉠} \\ 3A+2B=15 & \cdots \text{㉡} \end{cases}$

㉠$+$㉡을 하면 $5A=20$ $\quad \therefore A=4$

$A=4$를 ㉠에 대입하면

$8-2B=5, -2B=-3$ $\quad \therefore B=\dfrac{3}{2}$

즉 $\dfrac{1}{x+y}=4, \dfrac{1}{x-y}=\dfrac{3}{2}$이므로 $\begin{cases} x+y=\dfrac{1}{4} & \cdots \text{㉢} \\ x-y=\dfrac{2}{3} & \cdots \text{㉣} \end{cases}$

㉢$+$㉣을 하면 $2x=\dfrac{11}{12}$ $\quad \therefore x=\dfrac{11}{24}$

$x=\dfrac{11}{24}$을 ㉢에 대입하면

$\dfrac{11}{24}+y=\dfrac{1}{4}$ $\quad \therefore y=-\dfrac{5}{24}$

따라서 $x=\dfrac{11}{24}, y=-\dfrac{5}{24}$를 $2x-\dfrac{2}{5}py=1$에 대입하면

$\dfrac{11}{12}+\dfrac{1}{12}p=1, \dfrac{1}{12}p=\dfrac{1}{12}$ $\quad \therefore p=1$

06 **Action** $x-1 \geq 0$일 때와 $x-1<0$일 때로 나누어 푼다.

(i) $x-1 \geq 0$일 때

$\begin{cases} x-1+y=5 \\ x-3y=-6 \end{cases} \Rightarrow \begin{cases} x+y=6 & \cdots \text{㉠} \\ x-3y=-6 & \cdots \text{㉡} \end{cases}$

㉠$-$㉡을 하면

$4y=12$ $\quad \therefore y=3$

$y=3$을 ㉠에 대입하면

$x+3=6$ $\quad \therefore x=3$

(ii) $x-1<0$일 때

$\begin{cases} -(x-1)+y=5 \\ x-3y=-6 \end{cases} \Rightarrow \begin{cases} -x+y=4 & \cdots \text{㉢} \\ x-3y=-6 & \cdots \text{㉣} \end{cases}$

㉢$+$㉣을 하면

$-2y=-2$ $\quad \therefore y=1$

$y=1$을 ㉢에 대입하면

$-x+1=4$ $\quad \therefore x=-3$

(i), (ii)에 의하여 연립방정식의 해는

$x=3, y=3$ 또는 $x=-3, y=1$

◀ Lecture

$|A|=\begin{cases} A & (A \geq 0) \\ -A & (A<0) \end{cases}$

2. 연립일차방정식의 활용

P 78 ~ P 82

최고
수준 입문하기

01 42	**02** 54	**03** 연필 : 350원, 공책 : 1200원
04 1200원	**05** 5개	**06** 46세
07 노새 : 7자루, 당나귀 : 5자루		**08** 남학생 : 18명, 여학생 : 12명
09 8문제	**10** 28 cm²	**11** 7문제	**12** 8회
13 630명	**14** 308개	**15** 18400원	
16 13200원, 8800원		**17** 24개	**18** 10일
19 60분	**20** 180 km	**21** 4.5 km	**22** 15분
23 10분	**24** 승호 : 분속 120 m, 연주 : 분속 80 m		

25 배 : 시속 $\dfrac{50}{3}$ km, 강물 : 시속 $\dfrac{10}{3}$ km   **26** 570 m

27 3 %의 설탕물 : 500 g, 6 %의 설탕물 : 250 g

28 280 g   **29** 10 %

30 합금 A : 1500 g, 합금 B : 750 g

01 **Action** 큰 수를 x, 작은 수를 y로 놓고 연립방정식을 세운다.

큰 수를 x, 작은 수를 y라 하면

$$\begin{cases} x=4y+2 \\ 10y=2x+12 \end{cases} \Rightarrow \begin{cases} x-4y=2 \\ x-5y=-6 \end{cases}$$

$\therefore x=34, y=8$

따라서 두 수의 합은

$34+8=42$

02 **Action** 처음 두 자리의 자연수의 십의 자리의 숫자를 x, 일의 자리의 숫자를 y로 놓고 연립방정식을 세운다.

처음 두 자리의 자연수의 십의 자리의 숫자를 x, 일의 자리의 숫자를 y라 하면

$$\begin{cases} 10x+y=6(x+y) \\ 10y+x=10x+y-9 \end{cases} \Rightarrow \begin{cases} 4x-5y=0 \\ x-y=1 \end{cases}$$

$\therefore x=5, y=4$

따라서 처음 두 자리의 자연수는 54이다.

03 **Action** 연필 1자루의 가격을 x원, 공책 1권의 가격을 y원으로 놓고 연립방정식을 세운다.

연필 1자루의 가격을 x원, 공책 1권의 가격을 y원이라 하면

$$\begin{cases} 2x+y=1900 \\ 4x+3y=5000 \end{cases}$$

$\therefore x=350, y=1200$

따라서 연필 1자루의 가격은 350원, 공책 1권의 가격은 1200원이다.

04 **Action** 어른 1명의 입장료를 x원, 어린이 1명의 입장료를 y원으로 놓고 연립방정식을 세운다.

어른 1명의 입장료를 x원, 어린이 1명의 입장료를 y원이라 하면

$$\begin{cases} 3x+5y=7600 \\ 2x=3y \end{cases} \Rightarrow \begin{cases} 3x+5y=7600 \\ 2x-3y=0 \end{cases}$$

$\therefore x=1200, y=800$

따라서 어른 1명의 입장료는 1200원이다.

05 **Action** 사과를 x개, 배를 y개 샀다고 놓고 연립방정식을 세운다.

사과를 x개, 배를 y개 샀다고 하면

$$\begin{cases} 600x+1000y+2000=11200 \\ x+y=12 \end{cases} \Rightarrow \begin{cases} 3x+5y=46 \\ x+y=12 \end{cases}$$

$\therefore x=7, y=5$

따라서 배를 5개 샀다.

06 **Action** 현재와 6년 전의 어머니와 아들의 나이에 대한 연립방정식을 세운다.

현재 어머니의 나이를 x세, 아들의 나이를 y세라 하면

$$\begin{cases} x+y=60 \\ x-6=5(y-6) \end{cases} \Rightarrow \begin{cases} x+y=60 \\ x-5y=-24 \end{cases}$$

$\therefore x=46, y=14$

따라서 현재 어머니의 나이는 46세이다.

07 **Action** 노새의 짐을 x자루, 당나귀의 짐의 수를 y자루로 놓고 연립방정식을 세운다.

노새의 짐을 x자루, 당나귀의 짐을 y자루라 하면

$$\begin{cases} x+1=2(y-1) \\ x-1=y+1 \end{cases} \Rightarrow \begin{cases} x-2y=-3 \\ x-y=2 \end{cases}$$

$\therefore x=7, y=5$

따라서 노새의 짐은 7자루, 당나귀의 짐은 5자루이다.

08 **Action** 주희네 반 학생 수와 평균에 대한 연립방정식을 세운다.

주희네 반 남학생 수를 x명, 여학생 수를 y명이라 하면

$$\begin{cases} x+y=30 \\ 65x+60y=63\times30 \end{cases} \Rightarrow \begin{cases} x+y=30 \\ 13x+12y=378 \end{cases}$$

$\therefore x=18, y=12$

따라서 주희네 반 남학생 수는 18명, 여학생 수는 12명이다.

09 **Action** 문제의 수와 점수에 대한 연립방정식을 세운다.

객관식 문제 중 3점짜리 문제의 수를 x문제, 5점짜리 문제의 수를 y문제라 하면

$$\begin{cases} x+y=20 \\ 3x+5y+8\times3=100 \end{cases} \Rightarrow \begin{cases} x+y=20 \\ 3x+5y=76 \end{cases}$$

$\therefore x=12, y=8$

따라서 객관식 문제 중 5점짜리 문제의 수는 8문제이다.

10 Action 처음 직사각형의 가로의 길이를 x cm, 세로의 길이를 y cm 로 놓고 연립방정식을 세운다.

처음 직사각형의 가로의 길이를 x cm, 세로의 길이를 y cm 라 하면

$$\begin{cases} 2(x+y)=22 \\ 2\{(x-2)+2y\}=26 \end{cases} \Rightarrow \begin{cases} x+y=11 \\ x+2y=15 \end{cases}$$

$$\therefore x=7, \ y=4 \qquad \cdots\cdots \ 80\%$$

따라서 처음 직사각형의 가로의 길이는 7 cm, 세로의 길이 는 4 cm이므로 넓이는 $7 \times 4 = 28 \ (\text{cm}^2)$ $\quad \cdots\cdots \ 20\%$

> **Lecture**
> (1) (직사각형의 둘레의 길이)
> $\quad = 2 \times \{(\text{가로의 길이}) + (\text{세로의 길이})\}$
> (2) (직사각형의 넓이)
> $\quad = (\text{가로의 길이}) \times (\text{세로의 길이})$

11 Action 맞히면 a점을 얻고, 틀리면 b점을 잃는 시험에서 맞힌 문제가 x문제, 틀린 문제가 y문제일 때, 받은 점수는 $(ax-by)$점이다.

현성이가 맞힌 문제의 수를 x문제, 틀린 문제의 수를 y문제 라 하면

$$\begin{cases} x+y=20 \\ 5x-3y=44 \end{cases} \qquad \therefore x=13, \ y=7$$

따라서 현성이가 틀린 문제의 수는 7문제이다.

12 Action 계단을 올라가는 것을 $+$, 내려가는 것을 $-$로 생각하여 연 립방정식을 세운다.

수경이가 이긴 횟수를 x회, 진 횟수를 y회라 하면 동환이가 이긴 횟수는 y회, 진 횟수는 x회이므로

$$\begin{cases} 2x-y=14 \\ 2y-x=-4 \end{cases} \qquad \therefore x=8, \ y=2$$

따라서 수경이가 이긴 횟수는 8회이다.

> **Lecture**
> 계단에 대한 문제
> (1) 계단을 올라가는 것을 $+$, 내려가는 것을 $-$로 생각한다.
> (2) 가위바위보를 하여 이기면 a계단 올라가고, 지면 b계단 내려갈 때, x회 이기고 y회 졌다면 위치의 변화는 $ax-by$이다.
> (3) A, B 두 사람이 가위바위보를 할 때, A가 이긴 횟수를 x회, 진 횟수를 y회라 하면 B가 이긴 횟수는 y회, 진 횟수는 x회이다.
> (단, 비기는 경우는 없다.)

13 Action 작년의 학생 수와 학생 수의 증가량에 대한 연립방정식을 세 운다.

작년의 남학생 수를 x명, 여학생 수를 y명이라 하면

$$\begin{cases} x+y=1000 \\ \dfrac{5}{100}x - \dfrac{10}{100}y = -10 \end{cases} \Rightarrow \begin{cases} x+y=1000 \\ x-2y=-200 \end{cases}$$

$$\therefore x=600, \ y=400$$

따라서 작년의 남학생 수는 600명이므로 올해의 남학생 수 는 $\left(1 + \dfrac{5}{100}\right) \times 600 = 630$(명)

14 Action 지난달 A제품의 생산량을 x개, B제품의 생산량을 y개로 놓 고 연립방정식을 세운다.

지난달 A제품의 생산량을 x개, B제품의 생산량을 y개라 하면

$$\begin{cases} x+y=500 \\ \left(1 - \dfrac{12}{100}\right)x + \left(1 + \dfrac{28}{100}\right)y = 500 \end{cases}$$

$$\Rightarrow \begin{cases} x+y=500 \\ 11x + 16y = 6250 \end{cases}$$

$$\therefore x=350, \ y=150$$

따라서 A제품의 지난달 생산량은 350개이므로 A제품의 이 번 달 생산량은 $\left(1 - \dfrac{12}{100}\right) \times 350 = 308$(개)

15 Action 이번 달 통신 요금에 대한 연립방정식을 세운다.

진희의 지난달 휴대전화 사용 요금을 x원, 인터넷 사용 요금 을 y원이라 하면

$$\begin{cases} \left(1 + \dfrac{15}{100}\right)x + \left(1 + \dfrac{24}{100}\right)y = 43200 \\ \left(1 + \dfrac{20}{100}\right)(x+y) = 43200 \end{cases}$$

$$\Rightarrow \begin{cases} 115x + 124y = 4320000 \\ x+y = 36000 \end{cases}$$

$$\therefore x=16000, \ y=20000$$

따라서 진희의 이번 달 휴대전화 사용 요금은

$$\left(1 + \dfrac{15}{100}\right) \times 16000 = 18400(\text{원})$$

16 Action 두 티셔츠의 원가를 각각 x원, y원$(x>y)$으로 놓고 연립방 정식을 세운다.

두 티셔츠의 원가를 각각 x원, y원$(x>y)$이라 하면

$$\begin{cases} \left(1 + \dfrac{10}{100}\right)x + \left(1 + \dfrac{10}{100}\right)y = 22000 \\ x-y = 4000 \end{cases}$$

$$\Rightarrow \begin{cases} x+y = 20000 \\ x-y = 4000 \end{cases}$$

$$\therefore x=12000, \ y=8000$$

따라서 두 티셔츠의 정가는 각각

$$\left(1 + \dfrac{10}{100}\right) \times 12000 = 13200(\text{원}),$$

$$\left(1 + \dfrac{10}{100}\right) \times 8000 = 8800(\text{원})$$

17 Action 상품 A를 x개, 상품 B를 y개 판매하였다고 놓고 연립방정식을 세운다.

상품 A를 x개, 상품 B를 y개 판매하였다고 하면
$$\begin{cases} x+y=54 \\ \dfrac{50}{100}\times300x+\dfrac{30}{100}\times700y=9900 \end{cases} \Rightarrow \begin{cases} x+y=54 \\ 5x+7y=330 \end{cases}$$
$\therefore x=24,\ y=30$

따라서 상품 A를 24개 판매하였다.

18 Action 전체 일의 양을 1로 놓고 세준이와 재환이가 하루에 할 수 있는 일의 양을 각각 $x,\ y$라 한다.

전체 일의 양을 1로 놓고 세준이와 재환이가 하루에 할 수 있는 일의 양을 각각 $x,\ y$라 하면
$$\begin{cases} 6x+6y=1 \\ 9x+4y=1 \end{cases} \therefore x=\dfrac{1}{15},\ y=\dfrac{1}{10} \qquad \cdots\cdots\ 80\%$$
따라서 재환이가 혼자서 이 일을 끝마치려면 10일이 걸린다.
$\qquad\qquad\qquad\qquad\qquad\qquad\qquad\qquad\cdots\cdots\ 20\%$

19 Action 물탱크에 물을 가득 채웠을 때의 물의 양을 1로 놓는다.

물탱크에 물을 가득 채웠을 때의 물의 양을 1로 놓고 두 수도꼭지 A, B로 1분 동안 채울 수 있는 물의 양을 각각 $x,\ y$라 하면
$$\begin{cases} 20x+12(x+y)=1 \\ 30x+15y=1 \end{cases} \Rightarrow \begin{cases} 32x+12y=1 \\ 30x+15y=1 \end{cases}$$
$\therefore x=\dfrac{1}{40},\ y=\dfrac{1}{60}$

따라서 수도꼭지 B로만 물을 가득 채우는 데 60분이 걸린다.

20 Action 버스를 타고 간 거리를 $x\,km$, 걸어간 거리를 $y\,km$로 놓고 연립방정식을 세운다.

버스를 타고 간 거리를 $x\,km$, 걸어간 거리를 $y\,km$라 하면
$$\begin{cases} x+y=183 \\ \dfrac{x}{60}+\dfrac{y}{3}=4 \end{cases} \Rightarrow \begin{cases} x+y=183 \\ x+20y=240 \end{cases}$$
$\therefore x=180,\ y=3$

따라서 버스를 타고 간 거리는 $180\,km$이다.

21 Action 거리, 속력, 시간의 단위를 맞춘 후 연립방정식을 세운다.

갈 때 걸은 거리를 $x\,km$, 올 때 걸은 거리를 $y\,km$라 하면
$$\begin{cases} y=x+0.5 \\ \dfrac{x}{4}+\dfrac{1}{6}+\dfrac{y}{3}=\dfrac{3}{2} \end{cases} \Rightarrow \begin{cases} y=x+0.5 \\ 3x+4y=16 \end{cases}$$
$\therefore x=2,\ y=2.5$

따라서 건우가 걸은 총 거리는
$2+2.5=4.5\,(km)$

22 Action 두 사람이 만날 때까지 걸린 시간이 같음을 이용하여 연립방정식을 세운다.

성준이가 걸은 거리를 $x\,m$, 미영이가 걸은 거리를 $y\,m$라 하면
$$\begin{cases} x+y=2100 \\ \dfrac{x}{80}=\dfrac{y}{60} \end{cases} \Rightarrow \begin{cases} x+y=2100 \\ 3x-4y=0 \end{cases}$$
$\therefore x=1200,\ y=900 \qquad\qquad\qquad \cdots\cdots\ 80\%$

따라서 두 사람이 만날 때까지 걸린 시간은
$\dfrac{1200}{80}=15(분) \qquad\qquad\qquad\qquad \cdots\cdots\ 20\%$

23 Action 형과 동생이 이동한 거리는 같음을 이용하여 연립방정식을 세운다.

형과 동생이 출발한 후 학교 정문에 도착할 때까지 걸린 시간을 각각 x분, y분이라 하면
$$\begin{cases} x=y+20 \\ 50x=150y \end{cases} \Rightarrow \begin{cases} x=y+20 \\ x=3y \end{cases}$$
$\therefore x=30,\ y=10$

따라서 동생이 출발한 후 학교 정문에 도착할 때까지 걸린 시간은 10분이다.

24 Action 승호의 속력을 분속 $x\,m$, 연주의 속력을 분속 $y\,m$로 놓고 연립방정식을 세운다.

승호의 속력을 분속 $x\,m$, 연주의 속력을 분속 $y\,m$라 하면
$$\begin{cases} 10x+10y=2000 \\ 50x-50y=2000 \end{cases} \Rightarrow \begin{cases} x+y=200 \\ x-y=40 \end{cases}$$
$\therefore x=120,\ y=80$

따라서 승호의 속력은 분속 $120\,m$, 연주의 속력은 분속 $80\,m$이다.

◢) **Lecture**

트랙을 도는 문제

A, B 두 사람이 트랙의 같은 지점에서 동시에 출발하였을 때,

(1) 반대 방향으로 돌다 처음으로 만나면
   (A, B가 이동한 거리의 합)=(트랙의 둘레의 길이)

(2) 같은 방향으로 돌다 처음으로 만나면
   (A, B가 이동한 거리의 차)=(트랙의 둘레의 길이)

25 Action 강을 거슬러 올라갈 때와 강을 따라 내려올 때, 배의 속력과 강물의 속력 사이의 관계를 생각하여 연립방정식을 세운다.

정지한 물에서의 배의 속력을 시속 $x\,km$, 강물의 속력을 시속 $y\,km$라 하면
$$\begin{cases} 3(x-y)=40 \\ 2(x+y)=40 \end{cases} \Rightarrow \begin{cases} 3x-3y=40 \\ x+y=20 \end{cases}$$
$\therefore x=\dfrac{50}{3},\ y=\dfrac{10}{3}$

정답과 풀이

따라서 정지한 물에서의 배의 속력은 시속 $\dfrac{50}{3}$ km, 강물의 속력은 시속 $\dfrac{10}{3}$ km이다.

> 📢 **Lecture**
>
> **흐르는 강물에서의 배의 속력에 대한 문제**
> 정지한 물에서의 배의 속력을 시속 x km, 강물의 속력을 시속 y km라 하면
> (1) 강을 거슬러 올라갈 때의 속력 ➡ 시속 $(x-y)$ km
> (2) 강을 따라 내려올 때의 속력 ➡ 시속 $(x+y)$ km

26 Action (다리의 길이)+(열차의 길이)=(열차가 이동한 거리)임을 이용하여 연립방정식을 세운다.

다리의 길이를 x m, 화물 열차의 속력을 초속 y m라 하면 특급 열차의 속력은 초속 $2y$ m이므로

$$\begin{cases} x+180=50y \\ x+120=23\times 2y \end{cases} \Rightarrow \begin{cases} x-50y=-180 \\ x-46y=-120 \end{cases}$$

$\therefore x=570, y=15$

따라서 다리의 길이는 570 m이다.

27 Action 설탕물의 양과 설탕의 양에 대한 연립방정식을 세운다.

3%의 설탕물의 양을 x g, 6%의 설탕물의 양을 y g이라 하면

$$\begin{cases} x+y=750 \\ \dfrac{3}{100}x+\dfrac{6}{100}y=\dfrac{4}{100}\times 750 \end{cases} \Rightarrow \begin{cases} x+y=750 \\ x+2y=1000 \end{cases}$$

$\therefore x=500, y=250$

따라서 3%의 설탕물 500 g, 6%의 설탕물 250 g을 섞으면 된다.

> 📢 **Lecture**
>
> **농도에 대한 문제**
> (1) (소금물 A의 양)+(소금물 B의 양)=(전체 소금물의 양)
> (2) (소금물 A에 들어 있는 소금의 양)
>   +(소금물 B에 들어 있는 소금의 양)
>   =(전체 소금의 양)

28 Action 물을 더 넣어도 소금의 양은 변하지 않음을 이용하여 연립방정식을 세운다.

5%의 소금물의 양을 x g, 10%의 소금물의 양을 y g이라 하면 더 넣은 물의 양은 $2x$ g이므로

$$\begin{cases} x+y+2x=500 \\ \dfrac{5}{100}x+\dfrac{10}{100}y=\dfrac{3}{100}\times 500 \end{cases} \Rightarrow \begin{cases} 3x+y=500 \\ x+2y=300 \end{cases}$$

$\therefore x=140, y=80$ 80%

따라서 더 넣은 물의 양은
$2x=2\times 140=280$ (g) 20%

> 📢 **Lecture**
>
> **소금의 양에 대한 문제**
> 농도가 다른 두 소금물을 섞으면 농도는 변하지만 소금의 양은 변하지 않는다. 또, 소금물에 물을 더 넣거나 소금물의 물을 증발시켜도 소금의 양은 변하지 않는다.

29 Action 섞은 두 소금물의 소금의 양에 대한 연립방정식을 세운다.

그릇 A에 들어 있는 소금물의 농도를 $x\%$, 그릇 B에 들어 있는 소금물의 농도를 $y\%$라 하면

$$\begin{cases} \dfrac{x}{100}\times 100+\dfrac{y}{100}\times 200=\dfrac{8}{100}\times 300 \\ \dfrac{x}{100}\times 200+\dfrac{y}{100}\times 100=\dfrac{6}{100}\times 300 \end{cases}$$

$$\Rightarrow \begin{cases} x+2y=24 \\ 2x+y=18 \end{cases}$$

$\therefore x=4, y=10$

따라서 그릇 B에 들어 있는 소금물의 농도는 10%이다.

30 Action 구리와 아연의 양에 대한 연립방정식을 세운다.

필요한 합금 A의 양을 x g, 합금 B의 양을 y g이라 하면

$$\begin{cases} \dfrac{15}{100}x+\dfrac{10}{100}y=300 \\ \dfrac{15}{100}x+\dfrac{30}{100}y=450 \end{cases} \Rightarrow \begin{cases} 3x+2y=6000 \\ x+2y=3000 \end{cases}$$

$\therefore x=1500, y=750$

따라서 합금 A는 1500 g, 합금 B는 750 g이 필요하다.

> 📢 **Lecture**
>
> **합금과 식품에 대한 문제**
> (1) (금속의 양)$=\dfrac{(금속의 백분율)}{100}\times$(합금의 양)
> (2) (영양소의 양)$=\dfrac{(영양소의 백분율)}{100}\times$(식품의 양)

최고수준 완성하기 🅟 83 ~ 🅟 85

01 24 **02** 사과 : 6개, 복숭아 : 9개 **03** 26.6점
04 200명 **05** 600명
06 상품 A : 6000원, 상품 B : 2000원 **07** 26
08 1시간 12분 **09** 준석 : 분속 300 m, 시연 : 분속 150 m
10 140 m **11** 8 % **12** 560 kcal

01 **Action** 처음 수의 백의 자리의 숫자, 십의 자리의 숫자, 일의 자리의 숫자를 각각 x, y, z로 놓고 연립방정식을 세운다.

처음 수의 백의 자리의 숫자를 x, 십의 자리의 숫자를 y, 일의 자리의 숫자를 z라 하면

$$\begin{cases} x+y+z=9 \\ y+z=2x \\ 100z+10y+x=100x+10y+z+99 \end{cases}$$

$$\Rightarrow \begin{cases} x+y+z=9 & \cdots \text{㉠} \\ 2x-y-z=0 & \cdots \text{㉡} \\ x-z=-1 & \cdots \text{㉢} \end{cases}$$

㉠+㉡을 하면 $3x=9$ $\therefore x=3$

$x=3$을 ㉢에 대입하면

$3-z=-1$ $\therefore z=4$

$x=3$, $z=4$를 ㉠에 대입하면

$3+y+4=9$ $\therefore y=2$

따라서 처음 수의 각 자리의 숫자의 곱은 $3\times2\times4=24$

02 **Action** 주문한 사과와 복숭아의 개수와 금액에 대한 연립방정식을 세운다.

처음 주문한 사과의 개수를 x개, 복숭아의 개수를 y개라 하면

$$\begin{cases} x+y=15 \\ 800x+1000y=1000x+800y+600 \end{cases} \Rightarrow \begin{cases} x+y=15 \\ x-y=-3 \end{cases}$$

$\therefore x=6, y=9$

따라서 처음 주문한 사과의 개수는 6개, 복숭아의 개수는 9개이다.

03 **Action** 합격자의 평균을 x점, 불합격자의 평균을 y점으로 놓고 연립방정식을 세운다.

합격자의 평균을 x점, 불합격자의 평균을 y점이라 하면

(전체 지원자의 평균)$=\dfrac{10x+50y}{60}=\dfrac{x+5y}{6}$(점)

(합격자의 최저 점수)$=\dfrac{x+5y}{6}+1=x-5$이므로

$5x-5y=36$ $\cdots$ ㉠

또, $3y=2x+10$이므로 $2x-3y=-10$ $\cdots$ ㉡

㉠, ㉡을 연립하여 풀면

$x=\dfrac{158}{5}=31.6, y=\dfrac{122}{5}=24.4$

따라서 합격자의 최저 점수는 $31.6-5=26.6$(점)

04 **Action** 지원자의 수를 x명, 불합격자의 수를 y명으로 놓고 연립방정식을 세운다.

지원자의 수를 x명, 불합격자의 수를 y명이라 하면

$$\begin{cases} x=100+y \\ \dfrac{5}{8}x=\dfrac{3}{5}\times100+\dfrac{7}{11}y \end{cases} \Rightarrow \begin{cases} x-y=100 \\ 55x-56y=5280 \end{cases}$$

$\therefore x=320, y=220$ 80%

따라서 남자 지원자의 수는

$\dfrac{5}{8}\times320=200$(명) 20%

♪) Lecture

비율에 대한 문제

A와 B의 비가 $m:n$일 때

$A=\dfrac{m}{m+n}\times(A+B), B=\dfrac{n}{m+n}\times(A+B)$

05 **Action** 올해 두 기숙사에 있는 학생 수에 대한 연립방정식을 세운다.

작년에 A기숙사에 있던 학생 수를 x명, B기숙사에 있던 학생 수를 y명이라 하면

$$\begin{cases} \dfrac{70}{100}x+\dfrac{40}{100}y=580 \\ \dfrac{30}{100}x+\dfrac{60}{100}y=420 \end{cases} \Rightarrow \begin{cases} 7x+4y=5800 \\ x+2y=1400 \end{cases}$$

$\therefore x=600, y=400$

따라서 작년에 A기숙사에 있던 학생 수는 600명이다.

06 **Action** 상품 A의 원가를 x원, 상품 B의 원가를 y원으로 놓고 연립방정식을 세운다.

상품 A의 원가를 x원, 상품 B의 원가를 y원이라 하면

$$\begin{cases} x+y=8000 \\ \left(1+\dfrac{30}{100}\right)\times\left(1-\dfrac{10}{100}\right)x+\left(1+\dfrac{30}{100}\right)\times\left(1-\dfrac{20}{100}\right)y \\ \qquad\qquad\qquad =8000+1100 \end{cases}$$

$$\Rightarrow \begin{cases} x+y=8000 \\ 9x+8y=70000 \end{cases}$$

$\therefore x=6000, y=2000$

따라서 상품 A의 원가는 6000원, 상품 B의 원가는 2000원이다.

07 **Action** 전체 일의 양을 1로 놓고 연립방정식을 세운다.

전체 일의 양을 1이라 하면 소희는 하루에 $\dfrac{1}{x}$만큼, 유이는 하루에 $\dfrac{1}{y}$만큼 일을 하므로

$$\begin{cases} \dfrac{1}{x}+\dfrac{1}{y}=\dfrac{13}{84} \\ 5\left(\dfrac{1}{x}+\dfrac{1}{y}\right)+\dfrac{2}{x}+\dfrac{1}{y}=1 \end{cases} \Rightarrow \begin{cases} \dfrac{1}{x}+\dfrac{1}{y}=\dfrac{13}{84} \\ \dfrac{7}{x}+\dfrac{6}{y}=1 \end{cases}$$

$\dfrac{1}{x}=X, \dfrac{1}{y}=Y$라 하면

$$\begin{cases} X+Y=\dfrac{13}{84} \\ 7X+6Y=1 \end{cases} \quad \therefore X=\dfrac{1}{14}, Y=\dfrac{1}{12}$$

따라서 $\dfrac{1}{x}=\dfrac{1}{14}, \dfrac{1}{y}=\dfrac{1}{12}$이므로 $x=14, y=12$

$\therefore x+y=14+12=26$

08 Action 전체 일의 양을 1로 놓고 A, B, C 세 사람이 1시간 동안 할 수 있는 일의 양을 각각 x, y, z로 놓는다.

전체 일의 양을 1로 놓고 A, B, C 세 사람이 1시간 동안 할 수 있는 일의 양을 각각 x, y, z라 하면

$$\begin{cases} x+y+z=1 \\ \dfrac{3}{2}(x+y)=1 \\ 2(y+z)=1 \end{cases} \Rightarrow \begin{cases} x+y+z=1 & \cdots \text{㉠} \\ 3x+3y=2 & \cdots \text{㉡} \\ 2y+2z=1 & \cdots \text{㉢} \end{cases}$$

㉠$\times 3 -$㉡을 하면 $3z=1$ $\therefore z=\dfrac{1}{3}$

$z=\dfrac{1}{3}$을 ㉢에 대입하면 $2y+\dfrac{2}{3}=1,\ 2y=\dfrac{1}{3}$ $\therefore y=\dfrac{1}{6}$

$y=\dfrac{1}{6}$을 ㉡에 대입하면 $3x+\dfrac{1}{2}=2,\ 3x=\dfrac{3}{2}$ $\therefore x=\dfrac{1}{2}$

따라서 A, C 두 사람이 1시간 동안 할 수 있는 일의 양은 각각 $\dfrac{1}{2}, \dfrac{1}{3}$이므로 A, C 두 사람이 같이 도배를 할 때 걸리는 시간은 $1 \div \left(\dfrac{1}{2}+\dfrac{1}{3}\right)=\dfrac{6}{5}$(시간), 즉 1시간 12분이다.

09 Action 두 사람이 40분 동안 걸은 거리의 합은 호수의 둘레의 길이의 2배와 같음을 이용하여 연립방정식을 세운다.

준석이의 속력을 분속 x m, 시연이의 속력을 분속 y m라 하면

$$\begin{cases} 40x+40y=18000 \\ 50x-40y=9000 \end{cases} \Rightarrow \begin{cases} x+y=450 \\ 5x-4y=900 \end{cases}$$

$\therefore x=300,\ y=150$

따라서 준석이의 속력은 분속 300 m, 시연이의 속력은 분속 150 m이다.

10 Action 두 열차가 이동한 거리에 대한 연립방정식을 세운다.

A열차의 길이를 x m, 속력을 초속 y m라 하면 B열차의 길이는 $(x-40)$ m, 속력은 초속 $(y+10)$ m이므로

$$\begin{cases} x+500=16y \\ (x-40)+500=12(y+10) \end{cases} \Rightarrow \begin{cases} x-16y=-500 \\ x-12y=-340 \end{cases}$$

$\therefore x=140,\ y=40$

따라서 A열차의 길이는 140 m이다.

11 Action 소금의 양은 변하지 않음을 이용하여 연립방정식을 세운다.

5 %의 소금물 x g과 10 %의 소금물 y g을 섞어서 7 %의 소금물을 만들려고 했다고 하면

$$\dfrac{5}{100}x+\dfrac{10}{100}y=\dfrac{7}{100}(x+y) \qquad \therefore x=\dfrac{3}{2}y \quad \cdots \text{㉠}$$

한편, 두 소금물의 양을 바꾸어 넣었을 때 만들어지는 소금물의 농도를 a %라 하면

$$\dfrac{5}{100}y+\dfrac{10}{100}x=\dfrac{a}{100}(x+y)$$

$$\therefore a(x+y)=10x+5y \qquad \cdots \text{㉡}$$

㉠을 ㉡에 대입하면 $a\left(\dfrac{3}{2}y+y\right)=10\times\dfrac{3}{2}y+5y$

$\dfrac{5}{2}ay=20y$ $\therefore a=8$

따라서 두 소금물의 양을 바꾸어 넣었을 때 만들어지는 소금물의 농도는 8 %이다.

12 Action 철분의 양과 가격의 비에 대한 연립방정식을 세운다.

구매한 식품 A의 양을 x g, 식품 B의 양을 y g이라 하면

$$\begin{cases} \dfrac{0.4}{100}x+\dfrac{0.8}{100}y=13.6 \\ \dfrac{380}{100}x : \dfrac{950}{100}y=1:3 \end{cases} \Rightarrow \begin{cases} x+2y=3400 \\ 6x-5y=0 \end{cases}$$

$\therefore x=1000,\ y=1200$ **80%**

따라서 구매한 두 식품 A, B의 열량의 합은

$$\dfrac{32}{100}\times 1000+\dfrac{20}{100}\times 1200=560\ (\text{kcal}) \quad \cdots\cdots \text{ } \textbf{20%}$$

최고
수준 **뛰어넘기** Ⓟ86- Ⓟ87

01 10곡	**02** $a=8, b=500$	**03** 95만 원
04 120분	**05** 시속 $\dfrac{70}{3}$ km	**06** $a=20, b=5$

01 Action 시간을 분으로 바꾼 후 시간에 대한 연립방정식을 세운다.

처음에 8분짜리 x곡과 6분짜리 y곡을 연주하기로 계획했었다고 하면 곡과 곡 사이에 1분 동안 쉬는 시간이 있으므로 총 쉬는 시간은 $(x+y-1)$분이다.

처음 계획대로 연주하는 데 걸리는 시간은 1시간 45분, 즉 105분이므로

$8x+6y+(x+y-1)=105$ $\therefore 9x+7y=106$ $\cdots$ ㉠

곡의 수가 바뀌어 연주되었을 때 걸린 시간은 1시간 57분, 즉 117분이므로

$6x+8y+(x+y-1)=117$ $\therefore 7x+9y=118$ $\cdots$ ㉡

㉠, ㉡을 연립하여 풀면 $x=4, y=10$

따라서 처음에 연주하려고 계획했던 6분짜리 곡은 모두 10곡이었다.

02 Action 9월 추가 요금은 $(89-a)b$원, 10월 추가 요금은 $(102-a)b$원이다.

$$\begin{cases} 3500+(89-a)b=44000 \\ 3500+(102-a)b=50500 \end{cases} \Rightarrow \begin{cases} 89b-ab=40500 \\ 102b-ab=47000 \end{cases}$$

$\therefore a=8,\ b=500$

03 Action 목수 1명, 미장공 1명, 철근공 1명의 1일 임금을 각각 x만 원, y만 원, z만 원으로 놓고 연립방정식을 세운다.

목수 1명, 미장공 1명, 철근공 1명의 1일 임금을 각각 x만 원, y만 원, z만 원이라 하면

$$\begin{cases} 5x+3y+2z=78 & \cdots ㉠ \\ 6x+y+5z=91 & \cdots ㉡ \\ 4x+5y+2z=89 & \cdots ㉢ \end{cases}$$

㉠×5−㉡×2를 하면 $13x+13y=208$

$\therefore x+y=16$ $\cdots ㉣$

㉠−㉢을 하면 $x-2y=-11$ $\cdots ㉤$

㉣, ㉤을 연립하여 풀면 $x=7, y=9$

$x=7, y=9$를 ㉠에 대입하면

$35+27+2z=78, 2z=16$ $\therefore z=8$

따라서 오늘 받을 총 임금은

$5x+4y+3z=35+36+24=95$(만 원)

04 Action 민수와 희영이가 처음 만날 때와 두 번째 만날 때, 이동 거리에 대한 연립방정식을 세운다.

민수의 속력을 분속 x m, 희영이의 속력을 분속 y m, A, B 두 지점 사이의 거리를 z m라 하자.

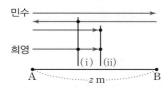

(ⅰ) 민수와 희영이가 처음 만날 때,
민수와 희영이가 40분 동안 이동한 거리의 합은 A, B 두 지점 사이의 거리의 2배이므로
$40x+40y=2z$ $\therefore 20x+20y=z$ $\cdots ㉠$

(ⅱ) 민수와 희영이가 두 번째 만날 때,
민수가 20분 동안 이동한 거리는 희영이가 40분 동안 이동한 거리의 2배와 20분 동안 이동한 거리의 합과 같으므로
$20x=2\times40y+20y$ $\therefore x=5y$ $\cdots ㉡$

(ⅰ), (ⅱ)에 의하여 ㉡을 ㉠에 대입하면
$100y+20y=z$ $\therefore y=\dfrac{z}{120}$

따라서 희영이가 A지점에서 B지점까지 가는 데 걸리는 시간은 $\dfrac{z}{y}=z\div y=z\div\dfrac{z}{120}=z\times\dfrac{120}{z}=120$(분)이다.

05 Action 떠내려간 시간을 제외하고 거슬러 올라갈 때와 내려갈 때 걸린 시간을 각각 구해 본다.

정지한 물에서의 배의 속력을 시속 x km, 강물의 속력을 시속 y km라 하자.

떠내려간 시간을 제외하면 거슬러 올라갈 때 걸린 시간은 $2\times\dfrac{2}{3}=\dfrac{4}{3}$(시간), 내려갈 때 걸린 시간은 $2\times\dfrac{1}{3}=\dfrac{2}{3}$(시간)이다.

또, 20분간 떠내려간 거리는 $\dfrac{1}{3}y$ km이므로 거슬러 올라간 거리는 $\left(20+\dfrac{1}{3}y\right)$ km, 내려간 거리는 20 km이다.

$$\begin{cases} \dfrac{4}{3}(x-y)=20+\dfrac{1}{3}y \\ \dfrac{2}{3}(x+y)=20 \end{cases} \Rightarrow \begin{cases} 4x-5y=60 \\ x+y=30 \end{cases}$$

$\therefore x=\dfrac{70}{3}, y=\dfrac{20}{3}$

따라서 정지한 물에서의 배의 속력은 시속 $\dfrac{70}{3}$ km이다.

06 Action 두 비커 A, B에 들어 있는 소금물을 섞은 후 각각의 소금물의 농도에 대한 연립방정식을 세운다.

(ⅰ) 비커 A에 들어 있는 소금물의 반을 비커 B에 넣었을 때,
비커 A의 소금물의 양 : 400 g

비커 A의 소금의 양 : $\dfrac{a}{100}\times400=4a$ (g)

비커 B의 소금물의 양 : $400+800=1200$ (g)

비커 B의 소금의 양 :
$\dfrac{a}{100}\times400+\dfrac{b}{100}\times800=4a+8b$ (g)

(ⅱ) 비커 B에 들어 있는 소금물의 반을 비커 A에 넣었을 때,
비커 A의 소금물의 양 : $400+600=1000$ (g)

비커 A의 소금의 양 : $4a+\dfrac{1}{2}(4a+8b)=6a+4b$ (g)

비커 B의 소금물의 양 : 600 g

비커 B의 소금의 양 : $\dfrac{1}{2}(4a+8b)=2a+4b$ (g)

이때 비커 A에 들어 있는 소금물의 농도는 14 %이므로
$\dfrac{6a+4b}{1000}\times100=14$ $\therefore 3a+2b=70$ $\cdots ㉠$

비커 B에 들어 있는 소금물의 농도는 10 %이므로
$\dfrac{2a+4b}{600}\times100=10$ $\therefore a+2b=30$ $\cdots ㉡$

㉠, ㉡을 연립하여 풀면 $a=20, b=5$

교과서 속 **창의 사고력**   ℗ 88- ℗ 90

| **01** 181 | **02** ㉠ 3, ㉡ 0 | **03** 10 | **04** 8명 |
| **05** 15 km | **06** 약품 A : 25 g, 약품 B : 175 g | | |

01 **Action** 다섯 개의 방정식을 각 변끼리 더하여 $x_1+x_2+x_3+x_4+x_5$의 값을 먼저 구한다.

다섯 개의 방정식을 각 변끼리 더하면
$6(x_1+x_2+x_3+x_4+x_5)=186$
$\therefore x_1+x_2+x_3+x_4+x_5=31$ ⋯㉠
$\begin{cases} x_1+x_2+x_3+2x_4+x_5=48 & \cdots ㉡ \\ x_1+x_2+x_3+x_4+2x_5=96 & \cdots ㉢ \end{cases}$
㉠을 ㉡, ㉢에 대입하면
$x_4+31=48$ $\therefore x_4=17$
$x_5+31=96$ $\therefore x_5=65$
$\therefore 3x_4+2x_5=3\times17+2\times65=181$

02 **Action** 천의 자리의 덧셈과 일의 자리의 덧셈을 이용하여 연립방정식을 세운다.

천의 자리의 덧셈에서 $1+B=A$
$\therefore A-B=1$ ⋯①
이때 $A>B$이므로 일의 자리의 덧셈에서 $A+A=10+B$
$\therefore 2A-B=10$ ⋯②
①, ②를 연립하여 풀면 $A=9$, $B=8$
$A=9$, $B=8$을 주어진 식에 대입하면 오른쪽과 같다.
$9+9=18$이므로
$1+8+1=10$ $\therefore ㉡=0$
$1+㉠+0=4$ $\therefore ㉠=3$

$$\begin{array}{r} 1\ ㉠\ 8\ 9 \\ +\ 8\ 0\ 1\ 9 \\ \hline 9\ 4\ ㉡\ 8 \end{array}$$

03 **Action** 서로 다른 4개의 자연수를 $a,b,c,d(a<b<c<d)$로 놓고 서로 다른 두 수의 합을 이용하여 연립방정식을 세운다.

서로 다른 4개의 자연수를 $a,b,c,d(a<b<c<d)$라 하면 서로 다른 두 수의 합은 $a+b$, $a+c$, $a+d$, $b+c$, $b+d$, $c+d$이다.
$a<b<c<d$에서 $a+b<a+c<a+d<b+d<c+d$,
$a+b<a+c<b+c<b+d<c+d$이므로
$\begin{cases} a+b=15 & \cdots ㉠ \\ a+c=20 & \cdots ㉡ \\ b+d=35 & \cdots ㉢ \\ c+d=40 & \cdots ㉣ \end{cases}$
이때 $a+d$와 $b+c$는 25 또는 30 중 하나이다.
a, b, c, d 중 짝수는 하나뿐이고, (짝수)+(홀수)=(홀수), (홀수)+(홀수)=(짝수)이므로 a, c, d는 홀수이고, b는 짝수이다.
따라서 $a+d$는 짝수이므로 $a+d=30$ ⋯㉤
$b+c$는 홀수이므로 $b+c=25$
㉠+㉣을 하면 $a+2b+d=50$ ⋯㉥
㉤을 ㉥에 대입하면
$2b+30=50$, $2b=20$ $\therefore b=10$
따라서 구하는 짝수는 10이다.

04 **Action** 각 요일을 신청한 학생 수를 미지수로 놓고 연립방정식을 세운다.

월요일, 화요일, 수요일, 목요일, 금요일을 신청한 학생 수를 각각 a명, b명, c명, d명, e명이라 하면
$\begin{cases} a+b+c+d+e=34 & \cdots ㉠ \\ a+c=17 & \cdots ㉡ \\ a+e=13 & \cdots ㉢ \\ b+c+d=21 & \cdots ㉣ \\ d+e=9 & \cdots ㉤ \end{cases}$
㉡+㉢+㉣+㉤을 하면 $2a+b+2c+2d+2e=60$ ⋯㉥
㉠×2−㉥을 하면 $b=8$
따라서 화요일을 신청한 학생 수는 8명이다.

05 **Action** 배를 타고 하류로 내려가는 속력과 상류로 올라오는 속력을 각각 구해 본다.

정지한 물에서의 배의 속력을 시속 x km, 강물의 속력을 시속 y km라 하면
$\begin{cases} 3(x+y)=30 \\ 4(x-y)=30 \end{cases} \Rightarrow \begin{cases} x+y=10 \\ x-y=\dfrac{15}{2} \end{cases}$
즉 배를 타고 하류로 내려가는 속력은 시속 10 km, 상류로 올라오는 속력은 시속 $\dfrac{15}{2}$ km이다.
이때 왕복하는 데 3시간 30분이 걸리는 관광 코스를 짜려고 할 때, 선착장에서 배를 타고 하류로 a km를 내려갔다가 돌아온다고 하면
$\dfrac{a}{10}+\dfrac{2a}{15}=\dfrac{7}{2}$, $7a=105$ $\therefore a=15$
따라서 선착장에서 배를 타고 하류로 15 km를 내려갔다가 돌아오면 된다.

06 **Action** 먼저 만들려고 하는 약품 200 g에 들어 있는 원료 a와 원료 b의 양을 각각 구해 본다.

만들려고 하는 약품 200 g에 들어 있는 원료 a와 원료 b의 양의 비가 7 : 3이므로
원료 a의 양은 $200\times\dfrac{7}{7+3}=140$ (g)
원료 b의 양은 $200\times\dfrac{3}{7+3}=60$ (g)
필요한 약품 A의 양을 x g, 약품 B의 양을 y g이라 하면

	약품 A	약품 B	만들려고 하는 약품
원료 a	$\dfrac{3}{5}x$ g	$\dfrac{5}{7}y$ g	140 g
원료 b	$\dfrac{2}{5}x$ g	$\dfrac{2}{7}y$ g	60 g

$\begin{cases} \dfrac{3}{5}x+\dfrac{5}{7}y=140 \\ \dfrac{2}{5}x+\dfrac{2}{7}y=60 \end{cases} \Rightarrow \begin{cases} 21x+25y=4900 \\ 7x+5y=1050 \end{cases}$
$\therefore x=25$, $y=175$
따라서 약품 A는 25 g, 약품 B는 175 g이 필요하다.

V. 함수

1. 일차함수와 그래프 (1)

01 ②, ⑤	**02** 0	**03** 5
04 $M=4, m=1$	**05** ②, ④	**06** $a=0, b\neq 3$
07 -4	**08** 6	**09** $\dfrac{1}{2}$	**10** $(1, 1)$
11 10	**12** $a=\dfrac{7}{3}, b=7$	**13** 6
14 4	**15** $-\dfrac{2}{5}$	**16** 4	**17** 12
18 $\dfrac{4}{5}$	**19** ㉡, ㉢	**20** 제3사분면	**21** 제3사분면
22 $a=-\dfrac{3}{2}, b\neq -4$	**23** 0	**24** -5

01 Action x의 값이 변함에 따라 y의 값이 하나씩 정해지는지 알아본다.

① 자연수 x의 값이 정해짐에 따라 y의 값이 0, 1 중 오직 하나로 정해지므로 y는 x의 함수이다.

② $x=4$일 때, $y=1, 2, 4$로 y의 값이 하나로 정해지지 않는다. 즉 y는 x의 함수가 아니다.

③ $y=100x$

④ $16=\dfrac{1}{2}\times x\times y$ $\therefore y=\dfrac{32}{x}$

⑤ $x=3$일 때, $y=-3, 3$으로 y의 값이 하나로 정해지지 않는다. 즉 y는 x의 함수가 아니다.

따라서 y가 x의 함수가 아닌 것은 ②, ⑤이다.

02 Action $f(2), f(3)$의 값을 각각 구하여 k의 값을 구한다.

$f(2)-f(3)=3\times 2-3\times 3=-3$

따라서 $k=-3$이므로

$g(k)=g(-3)=\dfrac{6}{-3}+2=0$

◀୬ Lecture

함수 $y=f(x)$에서 $x=a$에서의 함숫값

➡ $x=a$에서의 y의 값

➡ $f(a)$

03 Action $f(4)=7$임을 이용하여 a의 값을 구한다.

$f(4)=4a+2-(a+4)=7$에서

$3a-2=7, 3a=9$

$\therefore a=3$

따라서 $f(x)=3x+2-(3+x)=2x-1$이므로

$f(3)=6-1=5$

04 Action $1, 2, 3, \cdots, 10$의 약수의 개수를 각각 구한다.

$f(1)=1$

$f(2)=f(3)=f(5)=f(7)=2$

$f(4)=f(9)=3$

$f(6)=f(8)=f(10)=4$

$\therefore M=4, m=1$

05 Action 일차함수는 x와 y 사이의 관계를 식으로 나타내었을 때, $y=ax+b(a\neq 0)$의 꼴이다.

① $y=60x$

② $y=x^2$

③ $y=24-x$

④ $xy=100$에서 $y=\dfrac{100}{x}$

⑤ $y=2(5+x)$에서 $y=2x+10$

따라서 y가 x에 대한 일차함수가 아닌 것은 ②, ④이다.

06 Action 함수 $y=ax^2+bx+c$가 x에 대한 일차함수가 되려면 $a=0, b\neq 0$이어야 한다.

$y=x(ax+3)-bx+8$에서 $y=ax^2+(3-b)x+8$

이 함수가 x에 대한 일차함수가 되려면

$a=0, 3-b\neq 0$ $\therefore a=0, b\neq 3$

07 Action 일차함수의 식에 $x=1, y=-2$와 $x=3, y=6$을 각각 대입한다.

$f(1)=-2$에서 $a+b=-2$ $\cdots\cdots$ ㉠

$f(3)=6$에서 $3a+b=6$ $\cdots\cdots$ ㉡

㉠, ㉡을 연립하여 풀면 $a=4, b=-6$ $\cdots\cdots$ 40%

따라서 $f(x)=4x-6$이므로

$f(2)=8-6=2, f(0)=0-6=-6$ $\cdots\cdots$ 40%

$\therefore f(2)+f(0)=2+(-6)=-4$ $\cdots\cdots$ 20%

08 Action $f(2)=-2, g(4)=5$를 이용하여 a, b의 값을 각각 구한다.

$f(2)=-2$에서 $2a+4=-2$

$2a=-6$ $\therefore a=-3$

$g(4)=5$에서 $6+b=5$ $\therefore b=-1$

따라서 $f(x)=-3x+4, g(x)=\dfrac{3}{2}x-1$이므로

$f(-1)=3+4=7$

$g(1)=\dfrac{3}{2}-1=\dfrac{1}{2}$

$\therefore f(-1)-2g(1)=7-2\times\dfrac{1}{2}=6$

09 Action 평행이동한 그래프의 식을 구하고 $x=-k, y=k$를 대입한다.

$y=3x-1$의 그래프를 y축의 방향으로 3만큼 평행이동한 그래프의 식은

$y=3x-1+3$ $\therefore y=3x+2$

$y=3x+2$에 $x=-k$, $y=k$를 대입하면

$k=-3k+2$, $4k=2$ $\therefore k=\dfrac{1}{2}$

> **Lecture**
>
> **일차함수의 그래프의 평행이동**
>
> (1) $y=ax$ $\xrightarrow[k만큼 평행이동]{y축의 방향으로}$ $y=ax+k$
>
> (2) $y=ax+b$ $\xrightarrow[k만큼 평행이동]{y축의 방향으로}$ $y=ax+b+k$

10 Action x좌표와 y좌표가 같은 점의 좌표를 (a,a)로 놓는다.

$y=-3x+k$에 $x=-2$, $y=10$을 대입하면

$10=6+k$ $\therefore k=4$

$y=-3x+4$의 그래프 위의 점 중에서 x좌표와 y좌표가 같은 점의 좌표를 (a,a)라 하면

$a=-3a+4$, $4a=4$ $\therefore a=1$

따라서 구하는 점의 좌표는 $(1,1)$이다.

11 Action 평행이동한 그래프의 식에서 x절편, y절편을 각각 구한다.

$y=\dfrac{2}{3}x-1$의 그래프를 y축의 방향으로 5만큼 평행이동한 그래프의 식은

$y=\dfrac{2}{3}x-1+5$ $\therefore y=\dfrac{2}{3}x+4$

$y=\dfrac{2}{3}x+4$에 $y=0$을 대입하면

$0=\dfrac{2}{3}x+4$ $\therefore x=-6$

$y=\dfrac{2}{3}x+4$에 $x=0$을 대입하면 $y=4$

따라서 $a=-6$, $b=4$이므로 $b-a=4-(-6)=10$

> **Lecture**
>
> (1) x절편 : 일차함수의 그래프가 x축과 만나는 점의 x좌표
> ➡ $y=0$일 때의 x의 값
>
> (2) y절편 : 일차함수의 그래프가 y축과 만나는 점의 y좌표
> ➡ $x=0$일 때의 y의 값

12 Action 일차함수의 그래프의 x절편이 m이면 그래프가 점 $(m,0)$을 지난다.

$y=2x+6$에 $y=0$을 대입하면

$0=2x+6$ $\therefore x=-3$

즉 $y=ax+7$의 그래프의 x절편이 -3이므로

$y=ax+7$에 $x=-3$, $y=0$을 대입하면

$0=-3a+7$ $\therefore a=\dfrac{7}{3}$

이때 $y=\dfrac{7}{3}x+7$의 그래프는 $y=-\dfrac{1}{3}x+b$의 그래프와 y절편이 같으므로 $b=7$

13 Action 일차함수 $y=ax+b$의 그래프의 기울기는 $\dfrac{(y의 값의 증가량)}{(x의 값의 증가량)}=a$이다.

$y=ax-5$에 $x=3$, $y=-3$을 대입하면

$-3=3a-5$, $3a=2$ $\therefore a=\dfrac{2}{3}$

즉 (기울기)$=\dfrac{(y의 값의 증가량)}{7-(-2)}=\dfrac{2}{3}$이므로

$(y의 값의 증가량)=6$

14 Action $f(b)-4b=f(a)-4a$에서 $\dfrac{f(b)-f(a)}{b-a}$의 값을 구한다.

$f(b)-4b=f(a)-4a$에서

$f(b)-f(a)=4(b-a)$ $\therefore \dfrac{f(b)-f(a)}{b-a}=4$

즉 일차함수 $y=f(x)$의 그래프의 기울기는 4이다.

$\therefore \dfrac{f(2)-f(-2)}{2-(-2)}=(기울기)=4$

15 Action 두 점 (x_1,y_1), (x_2,y_2)를 지나는 일차함수의 기울기는 $\dfrac{y_2-y_1}{x_2-x_1}\left(=\dfrac{y_1-y_2}{x_1-x_2}\right)$이다. (단, $x_1\neq x_2$)

$y=ax+1$의 그래프가 두 점 $(-1,k+1)$, $(4,k)$를 지나므로

$a=(기울기)=\dfrac{k-(k+1)}{4-(-1)}=-\dfrac{1}{5}$

즉 $y=-\dfrac{1}{5}x+1$에 $x=4$, $y=k$를 대입하면

$k=-\dfrac{4}{5}+1=\dfrac{1}{5}$

$\therefore a-k=-\dfrac{1}{5}-\dfrac{1}{5}=-\dfrac{2}{5}$

16 Action 세 점이 한 직선 위에 있으므로 세 점 중 어느 두 점을 지나는 일차함수의 그래프의 기울기는 모두 같다.

세 점이 한 직선 위에 있으므로 두 점 $(-1,-2)$, $(2,7)$을 지나는 일차함수의 그래프의 기울기와 두 점 $(2,7)$, $(k,2k+5)$를 지나는 일차함수의 그래프의 기울기는 같다.

두 점 $(-1,-2)$, $(2,7)$을 지나는 일차함수의 그래프의 기울기는

$\dfrac{7-(-2)}{2-(-1)}=\dfrac{9}{3}=3$

두 점 $(2,7)$, $(k,2k+5)$를 지나는 일차함수의 그래프의 기울기도 3이므로

$\dfrac{2k+5-7}{k-2}=3$, $\dfrac{2k-2}{k-2}=3$

$2k-2=3(k-2)$, $2k-2=3k-6$

$\therefore k=4$

17 Action 세 점 A, B, C의 좌표를 각각 구한다.

$y=\dfrac{5}{3}x-5$의 그래프의 x절편은 3,

y절편은 -5이므로

$A(3, 0)$, $B(0, -5)$

$y=-x+3$의 그래프의 x절편은 3,

y절편은 3이므로 $C(0, 3)$

$\therefore \triangle ACB = \dfrac{1}{2} \times \{3-(-5)\} \times 3 = 12$

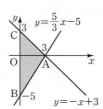

18 Action $a>0$이고 y절편이 4임을 이용하여 그래프를 그려 본다.

$y=ax+4$의 그래프의 y절편이 4이고, $a>0$이므로 그래프는 오른쪽 그림과 같다.

이때 색칠한 부분의 넓이가 10이므로

$\dfrac{1}{2} \times \overline{OA} \times 4 = 10$ $\therefore \overline{OA}=5$

따라서 점 A의 좌표가 $(-5, 0)$이므로

$y=ax+4$에 $x=-5$, $y=0$을 대입하면

$0=-5a+4$ $\therefore a=\dfrac{4}{5}$

다른 풀이

일차함수 $y=ax+4$의 그래프의 x절편은 $-\dfrac{4}{a}$, y절편은 4이므로 색칠한 부분의 넓이는

$\dfrac{1}{2} \times \left|-\dfrac{4}{a}\right| \times 4 = 10$

이때 $a>0$이므로 $\dfrac{1}{2} \times \dfrac{4}{a} \times 4 = 10$

$\dfrac{8}{a}=10$ $\therefore a=\dfrac{4}{5}$

19 Action 일차함수 $y=ax+b$의 그래프는 $a>0$일 때 오른쪽 위로 향하는 직선이고, $a<0$일 때 오른쪽 아래로 향하는 직선이다.

㉠ $y=2x+1$의 그래프를 y축의 방향으로 -6만큼 평행이동한 것이다.

㉡ 기울기가 2이므로 x의 값이 2만큼 증가할 때, y의 값은 4만큼 증가한다.

㉢ $-1=2 \times 2-5$이므로 점 $(2, -1)$을 지난다.

또, 기울기가 양수이므로 오른쪽 위로 향하는 직선이다.

㉣ $y=2x-5$에 $y=0$을 대입하면

$0=2x-5$, $2x=5$ $\therefore x=\dfrac{5}{2}$

$y=-2x-5$에 $y=0$을 대입하면

$0=-2x-5$, $2x=-5$ $\therefore x=-\dfrac{5}{2}$

즉 $y=2x-5$의 그래프의 x절편은 $\dfrac{5}{2}$이고, $y=-2x-5$의 그래프의 x절편은 $-\dfrac{5}{2}$이므로 x축 위에서 만나지 않는다.

따라서 옳은 것은 ㉡, ㉢이다.

20 Action 그래프의 모양과 그래프가 y축과 만나는 부분을 확인하여 a, b의 부호를 각각 구한다.

$y=-ax+b$의 그래프가 오른쪽 아래로 향하는 직선이므로

$-a<0$ $\therefore a>0$ ······ 25%

또, y축과 음의 부분에서 만나므로 $b<0$ ······ 25%

즉 $\dfrac{a}{b}<0$, $-\dfrac{1}{b}>0$이므로 일차함수

$y=\dfrac{a}{b}x-\dfrac{1}{b}$의 그래프는 오른쪽 그림과 같다.   ······ 30%

따라서 제3사분면을 지나지 않는다.

······ 20%

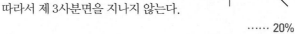

21 Action a, b의 부호를 이용하여 $a+b$, ab의 부호를 각각 구한다.

$a<0$, $b<0$이므로 $a+b<0$, $ab>0$

즉 일차함수 $y=(a+b)x+ab$의 그래프는 오른쪽 그림과 같다.

따라서 제3사분면을 지나지 않는다.

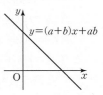

22 Action 두 일차함수의 그래프가 서로 만나지 않으려면 두 그래프가 평행해야 한다.

두 일차함수의 그래프가 서로 만나지 않으려면 두 그래프가 평행해야 하므로 기울기는 같고 y절편은 달라야 한다.

따라서 $2a=-3$, $-4\neq b$이므로

$a=-\dfrac{3}{2}$, $b\neq-4$

23 Action 두 일차함수 $y=ax+b$, $y=cx+d$의 그래프가 평행하면 $a=c$, $b\neq d$이다.

$y=(a-b)x+(2a+b)$의 그래프와 $y=-6x+3$의 그래프가 평행하므로 두 그래프의 기울기가 같다.

$\therefore a-b=-6$ ……㉠

또, $y=(a-b)x+(2a+b)$에 $x=-1$, $y=3$을 대입하면

$3=-(a-b)+2a+b$

$\therefore a+2b=3$ ……㉡

㉠, ㉡을 연립하여 풀면 $a=-3$, $b=3$

$\therefore a+b=-3+3=0$

24 Action 두 일차함수 $y=ax+b$, $y=cx+d$의 그래프가 일치하면 $a=c$, $b=d$이다.

$y=ax+3$에 $x=1$, $y=4$를 대입하면

$4=a+3$ $\therefore a=1$

이때 $y=x+3$의 그래프를 y축의 방향으로 b만큼 평행이동한 그래프의 식은 $y=x+3+b$

$y=x+3+b$의 그래프가 $y=cx-4$의 그래프와 일치하므로

$1=c$, $3+b=-4$ $\therefore b=-7$, $c=1$

$\therefore a+b+c=1+(-7)+1=-5$

최고
수준 **완성하기** ❷98-❷100

01 5	**02** $\dfrac{11}{2}$	**03** D$\left(\dfrac{30}{13},\dfrac{18}{13}\right)$
04 -1	**05** -6	**06** -14, -2 **07** 8
08 -1	**09** 제3사분면 **10** 5	**11** ㉠, ㉣
12 $-\dfrac{13}{4}$		

01 Action 주어진 조건을 이용하여 $f(2)$, $f(4)$, $f(5)$의 값을 각각 구한다.

$f(1)=2$이므로

$f(2)=f(1+1)=f(1)+f(1)-1\times1=2+2-1=3$

$f(4)=f(2+2)=f(2)+f(2)-2\times2=3+3-4=2$

$f(5)=f(1+4)=f(1)+f(4)-1\times4=2+2-4=0$

$\therefore f(2)+f(4)+f(5)=3+2+0=5$

---

02 Action $\dfrac{3x+2}{x-1}=1$을 만족시키는 x의 값을 구한다.

$\dfrac{3x+2}{x-1}=1$에서 $3x+2=x-1$

$2x=-3$ $\therefore x=-\dfrac{3}{2}$

$\therefore f(1)=-3\times\left(-\dfrac{3}{2}\right)+1$

$=\dfrac{9}{2}+1=\dfrac{11}{2}$

03 Action B$(a,0)$, C$(b,0)$으로 놓고 두 점 A, D의 좌표를 a, b의 식으로 각각 나타낸다.

B$(a,0)$, C$(b,0)$이라 하면

A$\left(a,\dfrac{3}{2}a\right)$, D$(b,-2b+6)$

사각형 ABCD가 정사각형이므로

$\overline{AB}=\overline{BC}$에서 $\dfrac{3}{2}a=b-a$

$\therefore b=\dfrac{5}{2}a$ ……㉠

또, $\overline{BC}=\overline{DC}$에서 $b-a=-2b+6$

$\therefore a=3b-6$ ……㉡

㉠, ㉡을 연립하여 풀면 $a=\dfrac{12}{13}$, $b=\dfrac{30}{13}$

따라서 점 D의 좌표는 $\left(\dfrac{30}{13},\dfrac{18}{13}\right)$이다.

04 Action 좌표평면 위에 사각형 ABCD를 그린 후 일차함수 $y=\dfrac{1}{2}x+k$의 그래프를 y축의 방향으로 움직여 본다.

네 점 A, B, C, D를 좌표평면 위에 나타내면 오른쪽 그림과 같으므로 일차함수

$y=\dfrac{1}{2}x+k$의 그래프가

점 D$(1,3)$을 지날 때 k의 값은 최대가 되고, 점 C$(3,-2)$를 지날 때 k의 값은 최소가 된다.

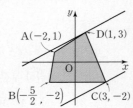

(ⅰ) $y=\dfrac{1}{2}x+k$의 그래프가 점 D$(1,3)$을 지날 때,

$3=\dfrac{1}{2}+k$ $\therefore k=\dfrac{5}{2}$

(ⅱ) $y=\dfrac{1}{2}x+k$의 그래프가 점 C$(3,-2)$를 지날 때,

$-2=\dfrac{3}{2}+k$ $\therefore k=-\dfrac{7}{2}$

(ⅰ), (ⅱ)에 의하여 k의 최댓값은 $\dfrac{5}{2}$, 최솟값은 $-\dfrac{7}{2}$이므로 그 합은 $\dfrac{5}{2}+\left(-\dfrac{7}{2}\right)=-1$

05 Action x절편, y절편을 이용하여 a, b를 각각 c의 식으로 나타낸다.

x절편이 -2이므로

$y=-\dfrac{a}{b}x+\dfrac{c}{b}$에 $x=-2, y=0$을 대입하면

$0=\dfrac{2a}{b}+\dfrac{c}{b}, 2a=-c$ $\quad\therefore a=-\dfrac{1}{2}c$

또, y절편이 3이므로

$y=-\dfrac{a}{b}x+\dfrac{c}{b}$에 $x=0, y=3$을 대입하면

$3=\dfrac{c}{b}, 3b=c$ $\quad\therefore b=\dfrac{1}{3}c$

$\therefore \dfrac{c}{a+b}=c\div(a+b)=c\div\left(-\dfrac{1}{2}c+\dfrac{1}{3}c\right)$

$\qquad\qquad =c\div\left(-\dfrac{1}{6}c\right)=c\times\left(-\dfrac{6}{c}\right)=-6$

06 Action 일차함수의 그래프가 x축과 만나는 점의 좌표는 $(x$절편, $0)$
이다.

$y=-\dfrac{3}{2}x+6$에 $y=0$을 대입하면

$0=-\dfrac{3}{2}x+6, \dfrac{3}{2}x=6$ $\quad\therefore x=4$

$\therefore P(4, 0)$

$y=2x+a$에 $y=0$을 대입하면

$0=2x+a, -2x=a$ $\quad\therefore x=-\dfrac{a}{2}$

$\therefore Q\left(-\dfrac{a}{2}, 0\right)$

이때 $\overline{PQ}=3$이므로 점 Q의 좌표는 $(7, 0)$ 또는 $(1, 0)$이다.

따라서 $-\dfrac{a}{2}=7$ 또는 $-\dfrac{a}{2}=1$이므로

$a=-14$ 또는 $a=-2$

07 Action 일차함수의 그래프에서 $(기울기)=\dfrac{(y의\ 값의\ 증가량)}{(x의\ 값의\ 증가량)}$임을
이용한다.

㈎에서 $f(2p)+4p=f(2q)+4q$이므로

$f(2p)-f(2q)=-4p+4q$

$f(2p)-f(2q)=-2(2p-2q)$

$\therefore \dfrac{f(2p)-f(2q)}{2p-2q}=-2$

따라서 일차함수 $y=f(x)$의 그래프의 기울기는 -2이므로

$a=-2$

㈏에서 $y=-2x+b$에 $x=2, y=3$을 대입하면

$3=-4+b$ $\quad\therefore b=7$

$y=-2x+7$에 $x=c, y=9$를 대입하면

$9=-2c+7, 2c=-2$ $\quad\therefore c=-1$

㈐에서 $\dfrac{k}{2}=-2$이므로 $k=-4$

$\therefore a+b+c-k=-2+7+(-1)-(-4)=8$

08 Action 규칙에 따라 세 점이 이동한 점의 좌표를 각각 구한다.

점 (x, y)를 점 $(x+y, ax-y)$로 옮기는 규칙에 따라 각 점
을 이동시키면 다음과 같다.

$(0, 0)$ ➡ $(0+0, a\times 0-0)$, 즉 $(0, 0)$

$(1, 4)$ ➡ $(1+4, a\times 1-4)$, 즉 $(5, a-4)$

$(3, 0)$ ➡ $(3+0, a\times 3-0)$, 즉 $(3, 3a)$

이때 세 점이 한 직선 위에 있으므로 두 점 $(0, 0), (5, a-4)$
를 지나는 일차함수의 그래프의 기울기와 두 점 $(0, 0)$,
$(3, 3a)$를 지나는 일차함수의 그래프의 기울기는 같다.

따라서 $\dfrac{a-4}{5}=\dfrac{3a}{3}$, 즉 $\dfrac{a-4}{5}=a$이므로

$a-4=5a, -4a=4$ $\quad\therefore a=-1$

09 Action 서영이는 b를 바르게 보았고, 호준이는 a를 바르게 보았다.

서영이는 b, 즉 y절편을 바르게 보았으므로 $b=3$

호준이는 a, 즉 기울기를 바르게 보았으므로

$a=\dfrac{-6-0}{2-(-1)}=\dfrac{-6}{3}=-2$

따라서 일차함수 $y=-2x+3$의 그래
프는 오른쪽 그림과 같으므로 제3사분
면을 지나지 않는다.

10 Action 먼저 두 점 A, C의 좌표를 구한 후 $\triangle ABC$의 넓이를 구한다.

$y=-\dfrac{1}{3}x+2$의 그래프의 x절편은 6, y절편은 2이므로

$A(6, 0), C(0, 2)$

$\therefore \triangle ACO=\dfrac{1}{2}\times 6\times 2=6$

이때 $\triangle ABC : \triangle ACO=2 : 1$이므로 $\triangle ABC : 6=2 : 1$

$\therefore \triangle ABC=12$

$\triangle ABO=\triangle ABC+\triangle ACO=12+6=18$에서

$\dfrac{1}{2}\times 6\times\overline{OB}=18$ $\quad\therefore \overline{OB}=6$, 즉 $B(0, 6)$

따라서 $y=ax+b$의 그래프가 $A(6, 0), B(0, 6)$을 지나므로

$y=ax+b$에 $x=6, y=0$을 대입하면

$0=6a+b$ $\quad\cdots\cdots$ ㉠

$y=ax+b$에 $x=0, y=6$을 대입하면

$6=b$ $\quad\cdots\cdots$ ㉡

㉠, ㉡을 연립하여 풀면 $a=-1, b=6$

$\therefore a+b=-1+6=5$

11 Action 두 일차함수의 그래프의 기울기, 함숫값, x절편 등을 비교해
본다.

㉠ $y=ax+b, y=cx+d$의 그래프는 모두 오른쪽 위로 향
하는 직선이므로 $a>0, c>0$이고, $y=cx+d$의 그래프
가 $y=ax+b$의 그래프보다 y축에 더 가까우므로 $a<c$

ⓛ $y=ax+b$의 그래프에서 $x=-1$일 때 $y>0$이므로
$-a+b>0$ ∴ $a-b<0$

ⓒ $y=cx+d$의 그래프에서 $x=-1$일 때 $y<0$이므로
$-c+d<0$ ∴ $c-d>0$

ⓔ $y=ax+b$, $y=cx+d$의 그래프의 x절편은 각각 $-\dfrac{b}{a}$,
$-\dfrac{d}{c}$이고, $-\dfrac{b}{a}<-\dfrac{d}{c}$이므로 $\dfrac{b}{a}>\dfrac{d}{c}$

따라서 옳은 것은 ⓖ, ⓔ이다.

> **◀》 Lecture**
>
> 일차함수 $y=ax+b$의 그래프에서 b의 값이 일정할 때, $|a|$가 클
> 수록 그래프는 y축에 가깝고, $|a|$가 작을수록 그래프는 x축에 가
> 깝다.

12 **Action** 두 일차함수의 그래프가 평행하면 기울기가 같다.

두 일차함수 $y=ax-5$, $y=-2x+5$의 그래프가 평행하므
로 기울기가 같다.

∴ $a=-2$ ······ 40%

두 일차함수 $y=-2x-5$, $y=\dfrac{1}{2}x-b$의 그래프가 x축 위
에서 만나므로 x절편이 같다.

$y=-2x-5$에 $y=0$을 대입하면

$0=-2x-5$ ∴ $x=-\dfrac{5}{2}$

$y=\dfrac{1}{2}x-b$에 $y=0$을 대입하면

$0=\dfrac{1}{2}x-b$ ∴ $x=2b$

$-\dfrac{5}{2}=2b$이므로 $b=-\dfrac{5}{4}$ ······ 40%

∴ $a+b=-2+\left(-\dfrac{5}{4}\right)=-\dfrac{13}{4}$ ······ 20%

최고수준 뛰어넘기 **ⓟ 101**

01 48   **02** ⓖ, ⓒ   **03** 4

01 **Action** $3.24=\dfrac{324}{100}$로 나타낸 후 주어진 조건을 이용하여 $f(3.24)$
를 변형한다.

$$f(3.24)=f\left(\dfrac{324}{100}\right)$$
$$=f(324)-f(100)$$
$$=f(2^2\times3^4)-f(10^2)$$
$$=f(2^2)+f(3^4)-f(10^2)$$
$$=2f(2)+4f(3)-2f(10)$$
$$=2\times0.30+4\times0.47-2\times1$$
$$=0.60+1.88-2=0.48$$

따라서 $a=0.48$이므로 $100a=48$

---

02 **Action** x절편, y절편, 기울기의 부호를 알아본다.

일차함수 $y=-\dfrac{a}{b}x-\dfrac{c}{b}$의 그래프의 기울기는 $-\dfrac{a}{b}$, x절편
은 $-\dfrac{c}{a}$, y절편은 $-\dfrac{c}{b}$이다.

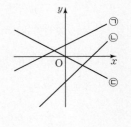

ⓖ $ac>0$이면 $-\dfrac{c}{a}<0$이므로 x절
편은 음수이고,
$bc<0$이면 $-\dfrac{c}{b}>0$이므로 y절
편은 양수이다.
따라서 그래프는 제 1, 2, 3사분
면을 지난다.

ⓛ $ab<0$이면 $-\dfrac{a}{b}>0$이므로 기울기는 양수이고,
$bc>0$이면 $-\dfrac{c}{b}<0$이므로 y절편은 음수이다.
따라서 그래프는 제 1, 3, 4사분면을 지난다.

ⓒ $ab>0$이면 $-\dfrac{a}{b}<0$이므로 기울기는 음수이고,
$bc=0$이면 $b\ne0$이므로 $c=0$, 즉 $-\dfrac{c}{b}=0$이므로 원점을
지난다.
따라서 그래프는 제 2, 4사분면을 지난다.

따라서 옳은 것은 ⓖ, ⓒ이다.

---

03 **Action** $\overline{OA}$를 밑변으로 하는 삼각형의 넓이가 항상 일정하려면 높
이가 일정해야 한다.

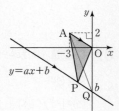

$\overline{OA}$를 밑변으로 하는 삼각형의 넓
이가 항상 일정하려면 높이가 일정
해야 하므로 일차함수 $y=ax+b$
의 그래프는 오른쪽 그림과 같이
$\overline{OA}$와 평행해야 한다.

즉 $\overline{OA}$의 기울기는 $-\dfrac{2}{3}$이므로

$a=-\dfrac{2}{3}$

$\triangle OAP$의 넓이가 항상 9이므로

$\triangle OAP=\triangle OAQ=\dfrac{1}{2}\times|b|\times3=9$

이때 $b<0$이므로

$b=-6$

∴ $ab=-\dfrac{2}{3}\times(-6)=4$

> **◀》 Lecture**
>
> $\triangle OAP$와 $\triangle OAQ$는 밑변의 길이가 $|b|$이고 높이가 3이므로 넓
> 이가 같다.

2. 일차함수와 그래프 (2)

01 5	**02** -6	**03** $y=\dfrac{5}{3}x+5$
04 x절편 : 1, y절편 : 2	**05** $y=\dfrac{1}{3}x+2$	
06 8	**07** 3	**08** 2 **09** $y=\dfrac{2}{3}x+2$
10 (1) $y=50-\dfrac{1}{12}x$ (2) 20 L **11** 24 cm		**12** 35년 후
13 4600 m	**14** 24시간 48분	**15** 24 ℃
16 오후 4시 55분	**17** 44개	**18** 2초 후

01 Action 일차함수 $y=-3x+4$의 그래프와 평행하므로 기울기는 -3이다.

기울기가 -3, y절편이 k이므로
$y=-3x+k$로 놓고 $x=-2$, $y=11$을 대입하면
$11=6+k$ $\therefore k=5$

02 Action 일차함수의 그래프에서 $(기울기)=\dfrac{(y\text{의 값의 증가량})}{(x\text{의 값의 증가량})}$이다.

$f(x)=\dfrac{1}{2}x+b$라 하면 $f(-2)=1$이므로
$\dfrac{1}{2}\times(-2)+b=1$ $\therefore b=2$

따라서 $f(x)=\dfrac{1}{2}x+2$이므로 $f(k)=-1$에서
$\dfrac{1}{2}k+2=-1$, $\dfrac{1}{2}k=-3$ $\therefore k=-6$

03 Action 주어진 그래프의 기울기를 구한다.

주어진 그래프가 두 점 $(-2,-1)$, $(1,4)$를 지나므로
$(기울기)=\dfrac{4-(-1)}{1-(-2)}=\dfrac{5}{3}$

$y=x+5$의 그래프와 y축 위에서 만나므로 y절편은 5이다.

따라서 구하는 일차함수의 식은 $y=\dfrac{5}{3}x+5$

📢 **Lecture**

일차함수 $y=ax+b$의 그래프와 y축 위에서 만난다.
➡ y절편이 b이다.

04 Action 먼저 두 점을 지나는 직선을 그래프로 하는 일차함수의 식을 구한다.

두 점 $(-2,6)$, $(3,-4)$를 지나는 일차함수의 그래프의 기울기는 $\dfrac{-4-6}{3-(-2)}=-2$

$y=-2x+b$로 놓고 $x=-2$, $y=6$을 대입하면
$6=4+b$ $\therefore b=2$

$y=-2x+2$에 $y=0$을 대입하면
$0=-2x+2$, $2x=2$ $\therefore x=1$
$y=-2x+2$에 $x=0$을 대입하면 $y=2$
따라서 일차함수 $y=-2x+2$의 그래프의 x절편은 1, y절편은 2이다.

05 Action 먼저 두 점을 지나는 직선의 기울기를 구한다.

두 점 $(3k-5,-k)$, $(3k+1,-k+2)$를 지나는 일차함수의 그래프의 기울기는
$\dfrac{(-k+2)-(-k)}{(3k+1)-(3k-5)}=\dfrac{1}{3}$

$y=\dfrac{1}{3}x+b$로 놓고 $x=3$, $y=3$을 대입하면
$3=1+b$ $\therefore b=2$

따라서 구하는 일차함수의 식은 $y=\dfrac{1}{3}x+2$

06 Action 먼저 주어진 두 점을 지나는 직선을 그래프로 하는 일차함수의 식을 구한 후 평행이동한 그래프의 식을 구한다.

두 점 $(-3,1)$, $(2,6)$을 지나는 일차함수의 그래프의 기울기는 $\dfrac{6-1}{2-(-3)}=1$

$y=x+b$로 놓고 $x=-3$, $y=1$을 대입하면
$1=-3+b$ $\therefore b=4$
$\therefore y=x+4$ …… 50%

$y=x+4$의 그래프를 y축의 방향으로 -7만큼 평행이동한 그래프의 식은
$y=x+4+(-7)$ $\therefore y=x-3$ …… 20%

따라서 $y=x-3$에 $x=k$, $y=5$를 대입하면
$5=k-3$ $\therefore k=8$ …… 30%

07 Action 먼저 k의 값을 구한 후 두 점을 지나는 직선을 그래프로 하는 일차함수의 식을 구한다.

$y=-\dfrac{1}{2}x+4$에 $x=2$, $y=k$를 대입하면
$k=-1+4=3$ …… 20%

$y=ax+b$의 그래프가 두 점 $(2,3)$, $(-1,-6)$을 지나므로
$(기울기)=\dfrac{-6-3}{-1-2}=3$ $\therefore a=3$ …… 30%

$y=3x+b$에 $x=2$, $y=3$을 대입하면
$3=6+b$ $\therefore b=-3$ …… 30%
$\therefore a+b+k=3+(-3)+3=3$ …… 20%

08 Action x축 위에서 만나는 두 일차함수의 그래프는 x절편이 서로 같다.

$y=\dfrac{3}{4}x-\dfrac{3}{2}$에 $y=0$을 대입하면
$0=\dfrac{3}{4}x-\dfrac{3}{2}$, $\dfrac{3}{4}x=\dfrac{3}{2}$ $\therefore x=2$

따라서 $y=ax+b$의 그래프는 두 점 $(2, 0)$, $(0, 4)$를 지나므로 (기울기)$=\dfrac{4-0}{0-2}=-2$

$\therefore y=-2x+4$

따라서 $a=-2$, $b=4$이므로

$a+b=-2+4=2$

09 Action 주어진 그래프의 y절편을 구한다.

주어진 그래프가 두 점 $(2, 1)$, $(4, 0)$을 지나므로

(기울기)$=\dfrac{0-1}{4-2}=-\dfrac{1}{2}$

$y=-\dfrac{1}{2}x+b$로 놓고 $x=4$, $y=0$을 대입하면

$0=-2+b$ $\therefore b=2$

따라서 구하는 일차함수의 그래프는 두 점 $(-3, 0)$, $(0, 2)$를 지나므로

(기울기)$=\dfrac{2-0}{0-(-3)}=\dfrac{2}{3}$

$\therefore y=\dfrac{2}{3}x+2$

10 Action 자동차가 $1\,km$를 이동하는 데 몇 L의 휘발유가 필요한지 알아본다.

(1) $1\,L$의 휘발유로 $12\,km$를 이동하므로 $1\,km$를 이동하는 데 $\dfrac{1}{12}\,L$의 휘발유가 필요하다.

$\therefore y=50-\dfrac{1}{12}x$

(2) $y=50-\dfrac{1}{12}x$에 $x=360$을 대입하면

$y=50-\dfrac{1}{12}\times360=20$

따라서 남아 있는 휘발유의 양은 $20\,L$이다.

11 Action 무게가 $1\,g$ 늘어날 때마다 용수철의 길이는 몇 cm씩 늘어나는지 알아본다.

무게가 $3\,g$ 늘어날 때마다 용수철의 길이는 $1\,cm$씩 늘어나므로 무게가 $1\,g$ 늘어날 때마다 용수철의 길이는 $\dfrac{1}{3}\,cm$씩 늘어난다.

즉 $x\,g$짜리 추를 매달았을 때 용수철의 길이를 $y\,cm$라 하면

$y=20+\dfrac{1}{3}x$

$y=20+\dfrac{1}{3}x$에 $x=12$를 대입하면

$y=20+\dfrac{1}{3}\times12=24$

따라서 용수철의 길이는 $24\,cm$이다.

12 Action 종유석이 1년에 몇 cm씩 자라는지 알아본다.

종유석이 10년에 $4\,cm$씩 자라므로 1년에 $\dfrac{2}{5}\,cm$씩 자란다.

즉 x년 후의 종유석의 길이를 $y\,cm$라 하면

$y=38+\dfrac{2}{5}x$

$y=38+\dfrac{2}{5}x$에 $y=52$를 대입하면

$52=38+\dfrac{2}{5}x$, $\dfrac{2}{5}x=14$

$\therefore x=35$

따라서 이 종유석의 길이가 $52\,cm$가 되는 것은 35년 후이다.

13 Action $1\,m$ 높아질 때마다 기온은 몇 $^\circ C$씩 내려가는지 알아본다.

지면으로부터 $100\,m$ 높아질 때마다 기온은 $0.5\,^\circ C$씩 내려가므로 $1\,m$ 높아질 때마다 기온은 $0.005\,^\circ C$씩 내려간다.

즉 지면의 기온이 $13\,^\circ C$일 때 지면으로부터 높이가 $x\,m$인 곳의 기온을 $y\,^\circ C$라 하면

$y=13-0.005x$

$y=13-0.005x$에 $y=-10$을 대입하면

$-10=13-0.005x$, $0.005x=23$

$\therefore x=4600$

따라서 기온이 $-10\,^\circ C$인 곳의 높이는 지면으로부터 $4600\,m$이다.

14 Action (거리)$=$(속력)$\times$(시간)임을 이용한다.

x시간 후 서울과 태풍 사이의 거리를 $y\,km$라 하면

$y=620-25x$

태풍이 서울에 도달했을 때, 서울과 태풍 사이의 거리는 $0\,km$이므로 $y=620-25x$에 $y=0$을 대입하면

$0=620-25x$, $25x=620$

$\therefore x=24.8$

따라서 태풍이 제주도에서 서울에 도달할 때까지 걸리는 시간은 24시간 48분이다.

✎ **Lecture**

0.8시간$=0.8\times60$분$=48$분이므로

24.8시간$=24$시간 48분

15 Action 표를 이용하여 기온이 $1\,^\circ C$ 높아질 때마다 소리의 속력은 초속 몇 m씩 증가하는지 알아본다.

주어진 표에서 기온이 $5\,^\circ C$ 높아질 때마다 소리의 속력이 초속 $3\,m$씩 증가하므로 기온이 $1\,^\circ C$ 높아질 때마다 소리의 속력은 초속 $\dfrac{3}{5}\,m$씩 증가한다. ⋯⋯ 20%

즉 기온이 x °C일 때의 소리의 속력을 초속 y m라 하면 기온이 0 °C일 때의 소리의 속력이 초속 331 m이므로

$$y=331+\frac{3}{5}x \qquad \cdots\cdots 50\%$$

$y=331+\frac{3}{5}x$에 $y=345.4$를 대입하면

$$345.4=331+\frac{3}{5}x, \quad \frac{3}{5}x=14.4$$

$$\therefore x=24$$

따라서 소리의 속력이 초속 345.4 m일 때의 기온은 24 °C이다. $\qquad \cdots\cdots 30\%$

16 **Action** 링거 주사를 다 맞는 데 몇 분이 걸리는지 구한다.

링거 주사를 x분 동안 맞았을 때, 병에 남아 있는 주사약의 양을 y mL라 하면 $y=500-4x$

링거 주사를 다 맞았을 때, 병에 남아 있는 주사약의 양은 0 mL이므로 $y=500-4x$에 $y=0$을 대입하면

$$0=500-4x, \quad 4x=500$$

$$\therefore x=125$$

따라서 링거 주사를 다 맞는 데 125분, 즉 2시간 5분이 걸리므로 링거 주사를 맞기 시작한 시각은 오후 4시 55분이다.

17 **Action** 각 단계별로 필요한 타일의 개수를 구하여 규칙을 찾는다.

x단계에서 필요한 타일의 개수를 y개라 하고 표를 만들면 다음과 같다.

x (단계)	1	2	3	4	…
y (개)	8	12	16	20	…

x의 값이 1씩 증가할 때, y의 값은 4씩 증가하므로

$$y=8+4(x-1)=4x+4$$

$y=4x+4$에 $x=10$을 대입하면

$$y=4\times10+4=44$$

따라서 10단계에서 필요한 타일의 개수는 44개이다.

18 **Action** (사다리꼴의 넓이)$=\frac{1}{2}\times\{$(윗변의 길이)$+$(아랫변의 길이)$\}$ $\times$(높이)임을 이용한다.

x초 후의 사각형 APCD의 넓이를 y cm²라 하면 x초 후 점 P가 움직인 거리는 $3x$ cm이므로

$$\overline{PC}=(9-3x) \text{ cm}$$

$$\therefore y=\frac{1}{2}\times\{9+(9-3x)\}\times6=54-9x$$

$y=54-9x$에 $y=36$을 대입하면

$$36=54-9x, \quad 9x=18$$

$$\therefore x=2$$

따라서 사각형 APCD의 넓이가 36 cm²가 되는 것은 점 P가 꼭짓점 B를 출발한 지 2초 후이다.

최고 수준 완성하기   **P** 106- **P** 107

01 $y=3x-8$ **02** 16   **03** -1 **04** $y=x-3$

05 32 °C   **06** $\dfrac{65}{3}$분   **07** 51분

08 $y=\begin{cases} 4x & (0<x\leq6) \\ 24 & (6<x\leq14) \\ 80-4x & (14<x<20) \end{cases}$

01 **Action** 평행사변형의 마주 보는 두 변은 서로 평행하다.

사각형 OABC가 평행사변형이므로 두 점 O, C를 지나는 일차함수의 그래프와 두 점 A, B를 지나는 일차함수의 그래프는 서로 평행하다.

두 점 O(0, 0), C(1, 3)을 지나는 일차함수의 그래프의 기울기는 $\dfrac{3-0}{1-0}=3$

두 점 A, B를 지나는 일차함수의 그래프의 기울기도 3이므로 두 점 A, B를 지나는 일차함수의 식을 $y=3x+b$라 하자.

직선 $y=3x+b$는 점 A(3, 1)을 지나므로

$y=3x+b$에 $x=3$, $y=1$을 대입하면

$$1=9+b \qquad \therefore b=-8$$

따라서 구하는 일차함수의 식은

$$y=3x-8$$

02 **Action** 규진이와 성현이가 그린 일차함수의 그래프의 식을 구한 후 규진이는 b를 바르게 보았고, 성현이는 a를 바르게 보았음을 이용하여 a, b의 값을 각각 구한다.

두 점 $(1, -6)$, $(2, -4)$를 지나는 일차함수의 식은

$$y=2x-8$$

이때 규진이는 b를 바르게 보았으므로 $b=-8$

두 점 $(-3, 4)$, $(0, 8)$을 지나는 일차함수의 식은

$$y=\frac{4}{3}x+8$$

이때 성현이는 a를 바르게 보았으므로 $a=\dfrac{4}{3}$

따라서 $y=\dfrac{4}{3}x-8$에 $x=18$, $y=k$를 대입하면

$$k=24-8=16$$

03 **Action** 조건 ㈎와 $y=ax+b$의 그래프의 y절편은 b임을 이용하여 x절편을 구한다.

㈎에서 $y=ax+b$의 그래프의 y절편은 b이므로 x절편은 $-b$이다.

즉 $y=ax+b$의 그래프는 두 점 $(-b, 0)$, $(0, b)$를 지나므로

$$(기울기)=\frac{b-0}{0-(-b)}=1 \qquad \therefore a=1$$

(나)에서 $y=x+b$에 $x=2$, $y=4$를 대입하면

$4=2+b$ $\therefore b=2$

$\therefore a-b=1-2=-1$

04 Action $\overline{OA}=\overline{OB}$이므로 $A(0,-k)$, $B(k,0)(k>0)$으로 놓고 일차함수의 식을 구한다.

$\overline{OA}=\overline{OB}$이므로 $A(0,-k)$, $B(k,0)(k>0)$이라 하면

두 점 A, B를 지나는 일차함수의 그래프의 기울기는

$\dfrac{0-(-k)}{k-0}=1$

이때 y절편은 $-k$이므로 $y=x-k$

원 O의 반지름의 길이는 k이므로

(색칠한 부분의 넓이) $=(\pi \times k^2) \times \dfrac{1}{4} - \dfrac{1}{2} \times k \times k$

$\qquad\qquad\qquad\qquad = \dfrac{k^2}{4}\pi - \dfrac{k^2}{2}$

$\dfrac{k^2}{4}\pi - \dfrac{k^2}{2} = \dfrac{9}{4}\pi - \dfrac{9}{2}$에서

$k^2=9$ $\therefore k=3\,(\because k>0)$

따라서 구하는 일차함수의 식은 $y=x-3$

05 Action 온도가 $1\,^\circ\text{C}$ 올라갈 때마다 기체의 부피는 몇 cm^3만큼 증가하는지 알아본다.

온도가 $1\,^\circ\text{C}$ 올라갈 때마다 기체의 부피는

$1638 \times \dfrac{1}{273} = 6\,(\text{cm}^3)$만큼 증가하므로 온도가 $x\,^\circ\text{C}$ 올라갔을 때 이 기체의 부피를 $y\,\text{cm}^3$라 하면

$y=1638+6x$

$y=1638+6x$에 $y=1830$을 대입하면

$1830=1638+6x$, $6x=192$

$\therefore x=32$

따라서 기체의 부피가 $1830\,\text{cm}^3$가 되는 온도는 $32\,^\circ\text{C}$이다.

06 Action 1분 동안 줄어든 수면의 높이를 알아본다.

5분 동안 줄어든 수면의 높이는 $50-35=15\,(\text{cm})$이므로

1분 동안 줄어든 수면의 높이는 $3\,\text{cm}$이다.

처음 수면의 높이는 $50+15=65\,(\text{cm})$이고, x분 후의 수면의 높이를 $y\,\text{cm}$라 하면

$y=65-3x$

물통에서 물이 다 빠져나갔을 때의 수면의 높이는 $0\,\text{cm}$이므로

$y=65-3x$에 $y=0$을 대입하면

$0=65-3x$, $3x=65$

$\therefore x=\dfrac{65}{3}$

따라서 물통에서 물이 다 빠져나갈 때까지 걸리는 시간은

$\dfrac{65}{3}$분이다.

▶ **Lecture**

1분 동안 줄어든 수면의 높이는 $3\,\text{cm}$이므로 5분 동안 줄어든 수면의 높이는 $3 \times 5 = 15\,(\text{cm})$이다.

5분 후 수면의 높이는 $50\,\text{cm}$이므로 처음 수면의 높이는

$50+15=65\,(\text{cm})$이다.

07 Action 물을 데울 때와 물을 식힐 때로 나누어 걸린 시간을 각각 구한다.

(i) 물을 데울 때, 4분마다 물의 온도가 $6\,^\circ\text{C}$씩 올라가므로

1분마다 물의 온도가 $\dfrac{3}{2}\,^\circ\text{C}$씩 올라간다.

즉 x분 후의 물의 온도를 $y\,^\circ\text{C}$라 하면

$y=20+\dfrac{3}{2}x$ …… 20%

$y=20+\dfrac{3}{2}x$에 $y=65$를 대입하면

$65=20+\dfrac{3}{2}x$, $\dfrac{3}{2}x=45$

$\therefore x=30$

따라서 $20\,^\circ\text{C}$에서 $65\,^\circ\text{C}$까지 물을 데우는 데 걸린 시간은

30분이다.   …… 20%

(ii) 물을 식힐 때, 3분마다 물의 온도가 $4\,^\circ\text{C}$씩 내려가므로

1분마다 물의 온도가 $\dfrac{4}{3}\,^\circ\text{C}$씩 내려간다.

즉 x분 후의 물의 온도를 $y\,^\circ\text{C}$라 하면

$y=65-\dfrac{4}{3}x$ …… 20%

$y=65-\dfrac{4}{3}x$에 $y=37$을 대입하면

$37=65-\dfrac{4}{3}x$, $\dfrac{4}{3}x=28$

$\therefore x=21$

따라서 $65\,^\circ\text{C}$에서 $37\,^\circ\text{C}$까지 물을 식히는 데 걸리는 시간은

21분이다.   …… 20%

(i), (ii)에 의하여 총 걸린 시간은

$30+21=51(분)$ …… 20%

08 Action 점 P가 $\overline{DC}$, $\overline{CB}$, $\overline{BA}$ 위에 있을 때로 나누어 생각한다.

(i) 점 P가 $\overline{DC}$ 위에 있을 때,

$y=\dfrac{1}{2} \times 8 \times x = 4x$

$\qquad (0<x\le 6)$

(ii) 점 P가 $\overline{CB}$ 위에 있을 때,

$y=\dfrac{1}{2} \times 8 \times 6 = 24$

$\qquad (6<x\le 14)$

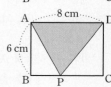

(iii) 점 P가 $\overline{BA}$ 위에 있을 때,

$y=\dfrac{1}{2}\times 8\times(20-x)$

$\quad=80-4x \ (14<x<20)$

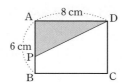

(i)~(iii)에 의하여

$y=\begin{cases} 4x & (0<x\le 6) \\ 24 & (6<x\le 14) \\ 80-4x & (14<x<20) \end{cases}$

Lecture

(ii) $\overline{AD}$를 $\triangle APD$의 밑변으로 생각하면 점 P가 $\overline{BC}$ 위에 있으므로 높이가 6으로 일정하다.

(iii) $\overline{AP}=\overline{DC}+\overline{CB}+\overline{BA}-x=6+8+6-x=20-x$ (cm)

최고수준 **뛰어넘기** 📖 108

01 P(3, 0), Q(0, 2)   **02** $y=-\dfrac{2}{5}x+\dfrac{17}{5}$

03 50 m³

---

01 Action 점 A와 y축에 대칭인 점과 점 B와 x축에 대칭인 점의 좌표를 각각 구한다.

점 A와 y축에 대칭인 점을 A′이라 하면
A′(-3, 4)
점 B와 x축에 대칭인 점을 B′이라 하면
B′(9, -4)
이때 위의 그림에서
$\overline{AQ}=\overline{A'Q}$, $\overline{BP}=\overline{B'P}$이고,
$\overline{AQ}+\overline{QP}+\overline{PB}=\overline{A'Q}+\overline{QP}+\overline{PB'}\ge\overline{A'B'}$이므로
$\overline{AQ}+\overline{QP}+\overline{PB}$의 길이가 최소가 되게 하려면 두 점 P, Q가 직선 A′B′ 위에 있어야 한다.
두 점 A′(-3, 4), B′(9, -4)를 지나는 일차함수의 그래프의 기울기는 $\dfrac{-4-4}{9-(-3)}=-\dfrac{2}{3}$

$y=-\dfrac{2}{3}x+b$로 놓고 $x=-3$, $y=4$를 대입하면

$4=2+b$ ∴ $b=2$

∴ $y=-\dfrac{2}{3}x+2$

$y=-\dfrac{2}{3}x+2$에 $y=0$을 대입하면

$0=-\dfrac{2}{3}x+2$, $\dfrac{2}{3}x=2$ ∴ $x=3$

$y=-\dfrac{2}{3}x+2$에 $x=0$을 대입하면 $y=2$

따라서 일차함수 $y=-\dfrac{2}{3}x+2$의 그래프의 x절편은 3, y절편은 2이므로 P(3, 0), Q(0, 2)

---

02 Action 합동인 삼각형을 찾아 두 점 C, F의 좌표를 각각 구한다.

오른쪽 그림과 같이 점 C에서 y축에 내린 수선의 발을 P, 두 점 B, F에서 x축에 내린 수선의 발을 각각 Q, R라 하자.

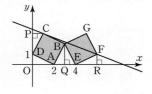

$\triangle CPD$와 $\triangle DOA$에서
$\overline{CD}=\overline{DA}$, $\angle PCD=90°-\angle CDP=\angle ODA$,
$\angle CDP=90°-\angle PCD=90°-\angle ODA=\angle DAO$
∴ $\triangle CPD\equiv\triangle DOA$ (ASA 합동)
같은 방법으로
$\triangle CPD\equiv\triangle DOA\equiv\triangle AQB$
$\qquad\equiv\triangle EQB\equiv\triangle FRE$ (ASA 합동)
따라서 $\overline{CP}=\overline{AQ}=\overline{EQ}=\overline{FR}=\overline{DO}=1$,
$\overline{PD}=\overline{QB}=\overline{RE}=\overline{OA}=2$
즉 점 C의 좌표는 (1, 3), 점 F의 좌표는 (6, 1)이다.
두 점 C(1, 3), F(6, 1)을 지나는 일차함수의 그래프의 기울기는 $\dfrac{1-3}{6-1}=-\dfrac{2}{5}$

$y=-\dfrac{2}{5}x+b$로 놓고 $x=1$, $y=3$을 대입하면

$3=-\dfrac{2}{5}+b$ ∴ $b=\dfrac{17}{5}$

∴ $y=-\dfrac{2}{5}x+\dfrac{17}{5}$

---

03 Action 먼저 펌프 수리 후 1시간에 넣는 물의 양을 구한다.

펌프 수리 후 1시간에 넣는 물의 양은

$10+10\times\dfrac{20}{100}=12$ (m³)

펌프 수리 후 물이 가득 찰 때까지 물을 넣은 시간을 x시간, 물탱크에 물이 가득 찼을 때의 물의 부피를 y m³라 하면
$y=$(처음 1시간 동안 넣은 물의 양)
$\quad+$(펌프 수리 후 x시간 동안 넣은 물의 양)
$\quad=10+12x$ ······ ㉠
한편, 펌프가 고장나지 않았다면 물탱크에 물을 가득 채우는데 걸리는 시간은 $\left(1+\dfrac{50}{60}+x\right)-\dfrac{10}{60}=x+\dfrac{5}{3}$ (시간)이므로
$y=10\left(x+\dfrac{5}{3}\right)=10x+\dfrac{50}{3}$ ······ ㉡
이때 물탱크에 물이 가득 찼을 때의 물의 부피는 같으므로
㉠, ㉡에서 $10+12x=10x+\dfrac{50}{3}$

$2x=\dfrac{20}{3}$ ∴ $x=\dfrac{10}{3}$

즉 펌프 수리 후 $\dfrac{10}{3}$시간 동안 물을 넣으면 물탱크에 물이 가득 차므로 $y=10+12x$에 $x=\dfrac{10}{3}$을 대입하면

$y=10+12\times\dfrac{10}{3}=50$

따라서 물탱크에 물이 가득 찼을 때의 물의 부피는 50 m³이다.

3. 일차함수와 일차방정식의 관계

📘 110 - 📘 113

최고
수준 **입문하기**

01 ㉠, ㉢	**02** 5	**03** $\dfrac{9}{4}$	**04** 7
05 $x=-1$	**06** 4	**07** 제3사분면	**08** ③
09 제1, 2, 3사분면		**10** $y=\dfrac{3}{2}x+3$	**11** $\dfrac{2}{3}\leq a\leq 5$
12 -1	**13** 5	**14** $y=-1$	**15** -3
16 -2	**17** 6	**18** $a=\dfrac{1}{2}, b\neq 3$	
19 $a=\dfrac{3}{4}, b=-6$		**20** 8	**21** $\dfrac{27}{2}$
22 2	**23** -4	**24** $\dfrac{50}{3}$ 분 후	

01 Action 일차방정식을 $y=mx+n$의 꼴로 나타내어 본다.

$2x-3y+12=0$에서 $y=\dfrac{2}{3}x+4$

㉠ $y=\dfrac{2}{3}x+4$에 $y=0$을 대입하면

$0=\dfrac{2}{3}x+4$ ∴ $x=-6$

따라서 x절편은 -6이다.

㉡ y절편은 4이다.

㉢ 기울기와 y절편이 모두 양수이므로 제1, 2, 3사분면을 지난다.

㉣ 기울기가 같고 y절편이 다르므로 $y=\dfrac{2}{3}x$의 그래프와 평행하다.

㉤ 기울기가 양수이므로 x의 값이 증가할 때, y의 값도 증가한다.

따라서 옳은 것은 ㉠, ㉣이다.

📢 Lecture

일차함수와 일차방정식

일차방정식 $ax+by+c=0$ $(a, b, c$는 상수 $a\neq 0, b\neq 0)$에서 y를 x의 식으로 나타내면 다음과 같다.

$$ax+by+c=0 \Rightarrow y=-\dfrac{a}{b}x-\dfrac{c}{b}$$

02 Action 일차방정식의 그래프의 기울기와 y절편이 주어지면 일차방정식을 $y=mx+n$의 꼴로 나타낸다.

$ax-by-8=0$에서 $y=\dfrac{a}{b}x-\dfrac{8}{b}$

$\dfrac{a}{b}=-\dfrac{3}{4}$, $-\dfrac{8}{b}=2$이므로

$a=3, b=-4$

∴ $3a+b=3\times 3-4=5$

03 Action 일차방정식의 그래프가 지나는 점의 좌표를 일차방정식에 대입한다.

$3x-4y-a=0$의 그래프가 점 $(1, 3)$을 지나므로

$3-12-a=0$ ∴ $a=-9$

따라서 $3x-4y+9=0$에서 $y=\dfrac{3}{4}x+\dfrac{9}{4}$이므로 y절편은 $\dfrac{9}{4}$이다.

04 Action 먼저 일차방정식을 $y=mx+n$의 꼴로 나타내어 a의 값을 구한다.

$x-ay-20=0$에서 $y=\dfrac{x}{a}-\dfrac{20}{a}$

$y=\dfrac{1}{5}x+3$의 그래프와 평행하므로

$\dfrac{1}{a}=\dfrac{1}{5}$ ∴ $a=5$ 40%

$y=\dfrac{1}{5}x-4$에 $x=10, y=b$를 대입하면

$b=2-4=-2$ 40%

∴ $a-b=5-(-2)=7$ 20%

05 Action y축에 평행한 직선 위의 두 점의 x좌표는 서로 같다.

두 점을 지나는 직선이 y축에 평행하므로 두 점의 x좌표가 서로 같아야 한다.

$-a-4=a+2$에서 $-2a=6$ ∴ $a=-3$

따라서 두 점 $(-1, -2)$, $(-1, 4)$를 지나고 y축에 평행한 직선의 방정식은 $x=-1$

📢 Lecture

축에 평행한 직선

(1) x축에 평행 ➡ 직선 위의 두 점의 y좌표가 서로 같다.

(2) y축에 평행 ➡ 직선 위의 두 점의 x좌표가 서로 같다.

06 Action $x=p, y=q$의 꼴로 나타낸 후 네 직선을 좌표평면 위에 나타내어 본다.

$x+1=0$에서 $x=-1$

$y-3=0$에서 $y=3$

$2y+4=0$에서 $2y=-4$ ∴ $y=-2$

따라서 네 직선을 좌표평면 위에 나타내면 오른쪽 그림과 같고, 색칠한 도형의 넓이가 25이므로

$\{m-(-1)\}\times\{3-(-2)\}=25$

$(m+1)\times 5=25$, $5m+5=25$

$5m=20$ ∴ $m=4$

07 Action 주어진 그래프를 보고 기울기와 y절편의 부호를 확인한다.

$ax-by-c=0$에서 $y=\dfrac{a}{b}x-\dfrac{c}{b}$

그래프가 오른쪽 아래로 향하는 직선이므로 $\dfrac{a}{b}<0$

y축과 음의 부분에서 만나므로 $-\dfrac{c}{b}<0$

$cx+by+a=0$에서 $y=-\dfrac{c}{b}x-\dfrac{a}{b}$

이때 $-\dfrac{c}{b}<0$, $-\dfrac{a}{b}>0$이므로 일차
방정식 $cx+by+a=0$의 그래프는 오
른쪽 그림과 같다.
따라서 제 3사분면을 지나지 않는다.

08 Action 그래프가 x축에 수직이므로 $x=p(p\neq0)$의 꼴이다.

$ax+by-3=0$의 그래프가 x축에 수직이므로 $b=0$

$ax-3=0$에서 $x=\dfrac{3}{a}$

그래프가 제 1, 4사분면만을 지나려면

$\dfrac{3}{a}>0$ ∴ $a>0$

09 Action 먼저 a, b의 부호를 각각 구한다.

점 $(ab, a-b)$가 제 3사분면 위의 점이므로

$ab<0, a-b<0$ ∴ $a<0, b>0$ …… 20%

$ax+by-1=0$에서 $y=-\dfrac{a}{b}x+\dfrac{1}{b}$ …… 20%

이때 $-\dfrac{a}{b}>0$, $\dfrac{1}{b}>0$이므로 일차방
정식 $ax+by-1=0$의 그래프는 오
른쪽 그림과 같다. …… 40%
따라서 제 1, 2, 3사분면을 지난다.
…… 20%

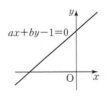

📣 Lecture

각 사분면 위의 점의 x좌표와 y좌표의 부호

	제1사분면	제2사분면	제3사분면	제4사분면
x좌표	+	−	−	+
y좌표	+	+	−	−

10 Action 먼저 $4x-5y+8=0$의 그래프의 x절편과 $5x+3y-9=0$의 그래프의 y절편을 각각 구한다.

$4x-5y+8=0$에 $y=0$을 대입하면
$4x+8=0, 4x=-8$ ∴ $x=-2$
$5x+3y-9=0$에 $x=0$을 대입하면
$3y-9=0, 3y=9$ ∴ $y=3$

따라서 구하는 직선은 두 점 $(-2, 0)$, $(0, 3)$을 지나는 직선
이므로 $(기울기)=\dfrac{3-0}{0-(-2)}=\dfrac{3}{2}$

이때 y절편이 3이므로 구하는 직선의 방정식은

$y=\dfrac{3}{2}x+3$

11 Action 직선 $y=ax-1$이 점 A를 지날 때와 점 B를 지날 때의 a의
값을 각각 구한다.

직선 $y=ax-1$이 선분 AB와 만
나려면 오른쪽 그림의 색칠한 부분
에 있어야 한다.

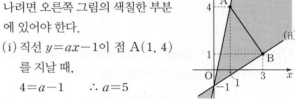

(i) 직선 $y=ax-1$이 점 A$(1, 4)$
를 지날 때,
$4=a-1$ ∴ $a=5$

(ii) 직선 $y=ax-1$이 점 B$(3, 1)$
을 지날 때,
$1=3a-1, 3a=2$ ∴ $a=\dfrac{2}{3}$

(i), (ii)에 의하여 $\dfrac{2}{3}\leq a\leq5$

📣 Lecture

직선 $y=ax+b$가 선분 AB와 만날 때,
상수 a의 값의 범위는
$(m$의 기울기$)\leq a\leq(l$의 기울기$)$

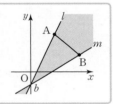

12 Action 먼저 두 일차방정식의 그래프의 교점의 x좌표를 이용하여 교
점의 좌표를 구한다.

두 일차방정식의 교점의 x좌표가 2이므로
$x+2y=4$에 $x=2$를 대입하면
$2+2y=4, 2y=2$ ∴ $y=1$
따라서 두 일차방정식의 교점의 좌표는 $(2, 1)$이다.
$ax+y=-1$에 $x=2, y=1$을 대입하면
$2a+1=-1, 2a=-2$ ∴ $a=-1$

13 Action 두 직선의 교점의 좌표를 직선의 방정식에 대입하여 미지수
a, b의 값을 각각 구한다.

두 직선의 교점의 좌표가 $(4, 2)$이므로
$2x-3y=2a$에 $x=4, y=2$를 대입하면
$8-6=2a, 2a=2$ ∴ $a=1$
$x+y=3b$에 $x=4, y=2$를 대입하면
$4+2=3b, 3b=6$ ∴ $b=2$

따라서 두 직선 $2x-3y=2$, $x+y=6$이 x축과 만나는 점의 좌표는 각각 $(1, 0)$, $(6, 0)$이므로 두 점 사이의 거리는
$6-1=5$

14 Action 두 직선 $ax+by+c=0$, $a'x+b'y+c'=0$의 그래프의 교점의 좌표는 연립방정식 $\begin{cases} ax+by+c=0 \\ a'x+b'y+c'=0 \end{cases}$의 해와 같다.

연립방정식 $\begin{cases} x-3y=4 \\ 2x+y=1 \end{cases}$을 풀면 $x=1$, $y=-1$

따라서 두 직선의 교점 $(1, -1)$을 지나며 x축에 평행한 직선의 방정식은 $y=-1$

15 Action 먼저 두 일차방정식의 그래프의 교점의 좌표를 구한 후 교점과 주어진 점을 지나는 직선의 방정식을 구한다.

연립방정식 $\begin{cases} 2x-y+7=0 \\ x+4y-10=0 \end{cases}$을 풀면 $x=-2$, $y=3$
 ······ 30%

구하는 직선이 두 점 $(-2, 3)$, $(-1, 6)$을 지나므로
$(기울기)=\dfrac{6-3}{-1-(-2)}=3$
 ······ 20%
$y=3x+b$로 놓고 $x=-2$, $y=3$을 대입하면
$3=-6+b$ $\therefore b=9$
 ······ 20%
$y=3x+9$에 $y=0$을 대입하면
$0=3x+9$, $-3x=9$ $\therefore x=-3$
따라서 직선 $y=3x+9$의 x절편은 -3이다.
 ······ 30%

16 Action 두 직선의 교점이 다른 직선 위에 있으므로 세 직선은 한 점에서 만난다.

두 직선 $y=-x+4$, $y=ax+2$의 교점이 직선 $y=2x+10$ 위에 있으므로 세 직선은 한 점에서 만난다.

연립방정식 $\begin{cases} y=-x+4 \\ y=2x+10 \end{cases}$을 풀면 $x=-2$, $y=6$

따라서 세 직선의 교점의 좌표는 $(-2, 6)$이므로
$y=ax+2$에 $x=-2$, $y=6$을 대입하면
$6=-2a+2$, $2a=-4$ $\therefore a=-2$

Lecture

한 점에서 만나는 세 직선
❶ 미지수를 포함하지 않은 두 직선의 교점의 좌표를 구한다.
❷ 미지수를 포함한 직선의 방정식에 ❶에서 구한 교점의 좌표를 대입하여 미지수의 값을 구한다.

17 Action 주어진 세 직선 중 어느 두 직선도 평행하지 않음을 이용한다.

$x-3y=4$에서 $y=\dfrac{1}{3}x-\dfrac{4}{3}$
$2x+y=1$에서 $y=-2x+1$

$5x-y=a$에서 $y=5x-a$

이때 세 직선 중 어느 두 직선도 평행하지 않으므로 세 직선이 한 점에서 만날 때 삼각형이 만들어지지 않는다.

연립방정식 $\begin{cases} x-3y=4 \\ 2x+y=1 \end{cases}$을 풀면 $x=1$, $y=-1$

따라서 세 직선의 교점의 좌표는 $(1, -1)$이므로
$5x-y=a$에 $x=1$, $y=-1$을 대입하면
$a=5-(-1)=6$

Lecture

세 직선에 의하여 삼각형이 만들어지지 않는 경우는 다음과 같다.
(1) 어느 두 직선이 평행하거나 세 직선이 평행한 경우

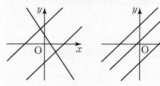

(2) 세 직선이 한 점에서 만나는 경우

18 Action 두 직선의 교점이 존재하지 않으려면 두 직선은 평행해야 한다.

$(2-a)x+y=6$에서 $y=-(2-a)x+6$
$3x+2y=4b$에서 $y=-\dfrac{3}{2}x+2b$

이때 두 직선의 교점이 존재하지 않으려면 두 직선은 평행해야 하므로 기울기가 같고 y절편이 다르다.
즉 $-(2-a)=-\dfrac{3}{2}$, $6\neq 2b$이므로
$a=\dfrac{1}{2}$, $b\neq 3$

Lecture

연립방정식의 해의 개수와 그래프

연립방정식 $\begin{cases} ax+by+c=0 \\ a'x+b'y+c'=0 \end{cases}$, 즉 $\begin{cases} y=-\dfrac{a}{b}x-\dfrac{c}{b} \\ y=-\dfrac{a'}{b'}x-\dfrac{c'}{b'} \end{cases}$에서

(1) 연립방정식의 해가 한 쌍이다.
 ➡ 두 일차방정식의 그래프가 한 점에서 만난다.
 ➡ $-\dfrac{a}{b}\neq -\dfrac{a'}{b'}$

(2) 연립방정식의 해가 없다.
 ➡ 두 일차방정식의 그래프가 평행하다.
 ➡ $-\dfrac{a}{b}=-\dfrac{a'}{b'}$, $-\dfrac{c}{b}\neq -\dfrac{c'}{b'}$

(3) 연립방정식의 해가 무수히 많다.
 ➡ 두 일차방정식의 그래프가 일치한다.
 ➡ $-\dfrac{a}{b}=-\dfrac{a'}{b'}$, $-\dfrac{c}{b}=-\dfrac{c'}{b'}$

19 <kbd>Action</kbd> 두 일차방정식의 그래프가 일치하므로 기울기와 y절편이 각각 같다.

$(a-1)x+y=2$에서 $y=-(a-1)x+2$

$ax-3y=b$에서 $y=\dfrac{a}{3}x-\dfrac{b}{3}$

두 일차방정식의 그래프가 일치하므로 기울기와 y절편이 각각 같다.

즉 $-(a-1)=\dfrac{a}{3}$, $2=-\dfrac{b}{3}$이므로

$a=\dfrac{3}{4}$, $b=-6$

20 <kbd>Action</kbd> 먼저 연립방정식을 풀어 두 직선의 교점 A의 좌표를 구한다.

연립방정식 $\begin{cases} 3x+y-5=0 \\ x-y-3=0 \end{cases}$ 을 풀면 $x=2$, $y=-1$

따라서 두 직선의 교점 A의 좌표는 $(2,-1)$이다.

직선 $3x+y-5=0$의 y절편은 5이므로 B$(0,5)$

직선 $x-y-3=0$의 y절편은 -3이므로 C$(0,-3)$

$\therefore \triangle ABC = \dfrac{1}{2} \times 8 \times 2 = 8$

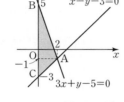

21 <kbd>Action</kbd> 좌표평면 위에 세 직선을 그려 세 직선으로 둘러싸인 도형의 넓이를 구한다.

두 직선 $x-y+4=0$, $x+2y-8=0$의 교점의 좌표는 $(0,4)$

두 직선 $x-y+4=0$, $y=1$의 교점의 좌표는 $(-3,1)$

두 직선 $x+2y-8=0$, $y=1$의 교점의 좌표는 $(6,1)$

따라서 세 직선으로 둘러싸인 도형은 오른쪽 그림과 같으므로 구하는 넓이는

$\dfrac{1}{2} \times 9 \times 3 = \dfrac{27}{2}$

22 <kbd>Action</kbd> 먼저 $\triangle$BOA의 넓이를 구한 후 두 직선의 교점의 좌표를 구한다.

직선 $y=-2x+6$의 x절편은 3, y절편은 6이므로 A$(3,0)$, B$(0,6)$

$\therefore \triangle BOA = \dfrac{1}{2} \times 3 \times 6 = 9$

두 직선 $y=-2x+6$, $y=ax$의 교점을 C라 하면

$\triangle COA = \dfrac{9}{2}$

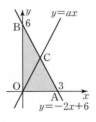

점 C의 y좌표를 k라 하면

$\dfrac{1}{2} \times 3 \times k = \dfrac{9}{2}$ $\quad \therefore k=3$

$y=-2x+6$에 $y=3$을 대입하면

$3=-2x+6$, $2x=3$ $\quad \therefore x=\dfrac{3}{2}$

$\therefore$ C$\left(\dfrac{3}{2}, 3\right)$

따라서 직선 $y=ax$가 점 C$\left(\dfrac{3}{2}, 3\right)$을 지나므로

$3=\dfrac{3}{2}a$ $\quad \therefore a=2$

23 <kbd>Action</kbd> 먼저 세 점 P, A, B의 좌표를 각각 구한다.

연립방정식 $\begin{cases} y=4x+12 \\ y=-x+2 \end{cases}$ 를 풀면

$x=-2$, $y=4$

따라서 두 직선의 교점 P의 좌표는 $(-2,4)$이다.

직선 $y=4x+12$의 x절편은 -3이므로 A$(-3,0)$

직선 $y=-x+2$의 x절편은 2이므로 B$(2,0)$

이때 직선 $y=ax+b$가 점 P$(-2,4)$를 지나면서 $\triangle$PAB의 넓이를 이등분하려면 점 $\left(-\dfrac{1}{2}, 0\right)$을 지나야 한다.

즉 직선 $y=ax+b$는 두 점 $(-2,4)$, $\left(-\dfrac{1}{2}, 0\right)$을 지나므로

$a = \dfrac{0-4}{-\dfrac{1}{2}-(-2)} = -\dfrac{8}{3}$

$y=-\dfrac{8}{3}x+b$에 $x=-\dfrac{1}{2}$, $y=0$을 대입하면

$0=\dfrac{4}{3}+b$ $\quad \therefore b=-\dfrac{4}{3}$

$\therefore a+b = -\dfrac{8}{3}+\left(-\dfrac{4}{3}\right) = -4$

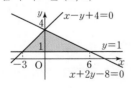

📢 **Lecture**

직선 $y=ax+b$가 점 P를 지나면서 $\triangle$PAB의 넓이를 이등분하려면 $\overline{AB}$의 중점을 지나야 한다.

$\overline{AB}=2-(-3)=5$이므로 $\overline{AB}$의 중점을 M이라 하면

$\overline{AM}=\overline{BM}=\dfrac{5}{2}$

따라서 점 M의 x좌표는 $-3+\dfrac{5}{2}=-\dfrac{1}{2}$이므로

M$\left(-\dfrac{1}{2}, 0\right)$

24 <kbd>Action</kbd> 먼저 형과 동생의 그래프의 식을 각각 구한다.

형의 그래프는 두 점 $(0,0)$, $(50,3000)$을 지나므로

$y=60x$ $\qquad$ ⋯⋯ ㉠

동생의 그래프는 두 점 $(10, 0)$, $(30, 3000)$을 지나므로

$y=150x-1500$ ...... ㉡

㉠, ㉡을 연립하여 풀면 $x=\dfrac{50}{3}$, $y=1000$

따라서 형이 출발한 지 $\dfrac{50}{3}$ 분 후에 형과 동생이 만난다.

최고수준 **완성하기**   ⓟ 114- ⓟ 116

01 5개	**02** $y=-1$	**03** $\dfrac{1}{5}\leq k\leq 1$	**04** $\dfrac{1}{2}$
05 $-\dfrac{4}{3}$	**06** $-\dfrac{1}{3}$	**07** 12	**08** $\dfrac{3}{2}$
09 $\dfrac{25}{3}\pi$	**10** $a=\dfrac{1}{4}, b=\dfrac{13}{4}$		**11** ㉡, ㉣

01 〔Action〕 점 $(1, -4)$를 지나고, 제1사분면을 지나지 않도록 일차방정식의 그래프를 그려 본다.

$ax-y-b=0$, 즉 $y=ax-b$의
그래프가 점 $(1, -4)$를 지나고,
제1사분면을 지나지 않아야 하므
로 그래프는 오른쪽 그림에서 색
칠한 부분에 있어야 한다.

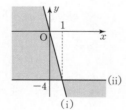

(i) $y=ax-b$의 그래프가 두 점
$(0, 0)$, $(1, -4)$를 지날 때,

$a=\dfrac{-4-0}{1-0}=-4$

(ii) $y=ax-b$의 그래프가 두 점 $(0, -4)$, $(1, -4)$를 지날 때,
x축에 평행하므로 $a=0$

(i), (ii)에 의하여 $-4\leq a\leq 0$이어야 하므로 조건을 만족시키
는 정수 a는 $-4, -3, -2, -1, 0$의 5개이다.

02 〔Action〕 △ABC를 좌표평면 위에 나타내고 $\overline{PQ}$의 길이가 최대가 되
도록 하는 직선을 찾는다.

세 점 A$(1, 3)$, B$(-2, -3)$,
C$(6, -1)$을 꼭짓점으로 하는
△ABC는 오른쪽 그림과 같으
므로 $\overline{PQ}$의 길이가 최대가 되도
록 하는 직선은 점 C를 지난다.

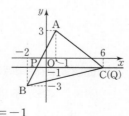

따라서 구하는 직선의 방정식은 $y=-1$

03 〔Action〕 네 직선으로 둘러싸인 도형을 좌표평면 위에 나타낸다.

$x-3=0$에서 $x=3$

$y-2=0$에서 $y=2$

$2x=10$에서 $x=5$

$3y-12=0$에서 $y=4$

$kx-y+1=0$에서 $y=kx+1$
이 그래프는 항상 점 $(0, 1)$을 지
나므로 주어진 네 직선으로 둘러
싸인 도형과 만나려면 오른쪽 그
림의 색칠한 부분에 있어야 한다.

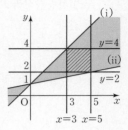

(i) $y=kx+1$의 그래프가
점 $(3, 4)$를 지날 때,
$4=3k+1$, $3k=3$ ∴ $k=1$

(ii) $y=kx+1$의 그래프가 점 $(5, 2)$를 지날 때,
$2=5k+1$, $5k=1$ ∴ $k=\dfrac{1}{5}$

(i), (ii)에 의하여 $\dfrac{1}{5}\leq k\leq 1$

04 〔Action〕 먼저 두 직선 l, m의 방정식을 구한다.

직선 l의 x절편은 4, y절편은 4이므로 직선 l의 방정식은

$y=-x+4$ 20%

직선 m의 x절편은 $-\dfrac{1}{2}$, y절편은 1이므로 직선 m의 방정

식은 $y=2x+1$ 20%

연립방정식 $\begin{cases} y=-x+4 \\ y=2x+1 \end{cases}$ 을 풀면 $x=1$, $y=3$ 40%

따라서 직선 l과 직선 m의 교점의 좌표는 $(1, 3)$이므로
$y=2ax+2$에 $x=1$, $y=3$을 대입하면

$3=2a+2$, $2a=1$ ∴ $a=\dfrac{1}{2}$ 20%

05 〔Action〕 세 직선으로 삼각형을 만들 수 없는 경우를 모두 생각해 본다.

세 직선으로 삼각형을 만들 수 없는 경우는 세 직선 중 두 직
선이 평행하거나 세 직선이 한 점에서 만나는 경우이다.

(i) 두 직선 $x+3y-4=0$, $ax-y-2=0$이 평행한 경우

$x+3y-4=0$에서 $y=-\dfrac{1}{3}x+\dfrac{4}{3}$

$ax-y-2=0$에서 $y=ax-2$

따라서 두 직선의 기울기는 같으므로 $a=-\dfrac{1}{3}$

(ii) 두 직선 $x-2y+2=0$, $ax-y-2=0$이 평행한 경우

$x-2y+2=0$에서 $y=\dfrac{1}{2}x+1$

$ax-y-2=0$에서 $y=ax-2$

따라서 두 직선의 기울기는 같으므로 $a=\dfrac{1}{2}$

(iii) 세 직선이 한 점에서 만나는 경우

연립방정식 $\begin{cases} x+3y-4=0 \\ x-2y+2=0 \end{cases}$ 을 풀면 $x=\dfrac{2}{5}, y=\dfrac{6}{5}$

따라서 세 직선의 교점의 좌표는 $\left(\dfrac{2}{5}, \dfrac{6}{5}\right)$ 이므로

$ax-y-2=0$에 $x=\dfrac{2}{5}, y=\dfrac{6}{5}$ 을 대입하면

$\dfrac{2}{5}a-\dfrac{6}{5}-2=0, \dfrac{2}{5}a=\dfrac{16}{5}$ $\therefore a=8$

(i) ~ (iii)에 의하여 모든 a의 값의 곱은

$-\dfrac{1}{3} \times \dfrac{1}{2} \times 8 = -\dfrac{4}{3}$

---

06 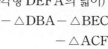 연립방정식의 해가 무수히 많으므로 두 일차방정식의 그래프는 일치한다.

$3x-by=2$에서 $y=\dfrac{3}{b}x-\dfrac{2}{b}$

연립방정식의 해가 무수히 많으려면 두 일차방정식의 그래프가 일치해야 하므로

$-a=\dfrac{3}{b}, 4=-\dfrac{2}{b}$ $\therefore a=6, b=-\dfrac{1}{2}$

$x+ay-b=0$에 $a=6, b=-\dfrac{1}{2}$ 을 대입하면

$x+6y+\dfrac{1}{2}=0$, 즉 $y=-\dfrac{1}{6}x-\dfrac{1}{12}$

또, $kx-2y=0$에서 $y=\dfrac{k}{2}x$

이때 두 직선 $y=-\dfrac{1}{6}x-\dfrac{1}{12}, y=\dfrac{k}{2}x$가 평행하므로

$-\dfrac{1}{6}=\dfrac{k}{2}$ $\therefore k=-\dfrac{1}{3}$

---

07 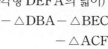 먼저 세 직선의 교점의 좌표를 구한다.

연립방정식 $\begin{cases} x-y+2=0 \\ 4x-y-4=0 \end{cases}$ 을 풀면 $x=2, y=4$

따라서 두 직선 $x-y+2=0, 4x-y-4=0$의 교점의 좌표는 $(2, 4)$이다.   …… 20%

연립방정식 $\begin{cases} x-y+2=0 \\ 2x+y+4=0 \end{cases}$ 을 풀면 $x=-2, y=0$

따라서 두 직선 $x-y+2=0, 2x+y+4=0$의 교점의 좌표는 $(-2, 0)$이다.   …… 20%

연립방정식 $\begin{cases} 4x-y-4=0 \\ 2x+y+4=0 \end{cases}$ 을 풀면 $x=0, y=-4$

따라서 두 직선 $4x-y-4=0, 2x+y+4=0$의 교점의 좌표는 $(0, -4)$이다.   …… 20%

따라서 세 직선으로 둘러싸인 도형이 오른쪽 그림과 같으므로 구하는 넓이는

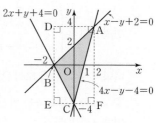

(사각형 DEFA의 넓이)
$-\triangle DBA - \triangle BEC$
$\quad - \triangle ACF$

$=4 \times 8 - \dfrac{1}{2} \times 4 \times 4 - \dfrac{1}{2} \times 2 \times 4 - \dfrac{1}{2} \times 2 \times 8$

$=32-8-4-8=12$ …… 40%

---

08 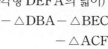 세 점 P, Q, R의 좌표를 구하여 △PQR의 넓이를 구한다.

연립방정식 $\begin{cases} y=\dfrac{1}{2}x+1 \\ y=2x-2 \end{cases}$ 를

풀면 $x=2, y=2$

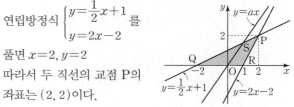

따라서 두 직선의 교점 P의 좌표는 $(2, 2)$이다.

직선 $y=\dfrac{1}{2}x+1$의 x절편은 -2이므로 $Q(-2, 0)$

직선 $y=2x-2$의 x절편은 1이므로 $R(1, 0)$

$\therefore \triangle PQR = \dfrac{1}{2} \times 3 \times 2 = 3$

두 직선 $y=\dfrac{1}{2}x+1, y=ax$가 만나는 점을 S라 하면

$\triangle SQO = \dfrac{3}{2}$

점 S의 y좌표를 k라 하면

$\dfrac{1}{2} \times 2 \times k = \dfrac{3}{2}$ $\therefore k=\dfrac{3}{2}$

$y=\dfrac{1}{2}x+1$에 $y=\dfrac{3}{2}$ 을 대입하면

$\dfrac{3}{2}=\dfrac{1}{2}x+1, \dfrac{1}{2}x=\dfrac{1}{2}$ $\therefore x=1$

$\therefore S\left(1, \dfrac{3}{2}\right)$

따라서 직선 $y=ax$가 점 $S\left(1, \dfrac{3}{2}\right)$을 지나므로 $a=\dfrac{3}{2}$

---

09 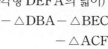 네 점 A, B, C, D를 좌표평면 위에 나타내고 점 P의 좌표를 구한다.

두 점 $A(2, 0), D(0, 5)$를 지나는 직선의 방정식은

$y=-\dfrac{5}{2}x+5$

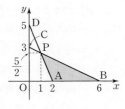

두 점 $B(6, 0), C(0, 3)$을 지나는 직선의 방정식은 $y=-\dfrac{1}{2}x+3$

연립방정식 $\begin{cases} y=-\dfrac{5}{2}x+5 \\ y=-\dfrac{1}{2}x+3 \end{cases}$ 을 풀면 $x=1, y=\dfrac{5}{2}$

따라서 두 직선의 교점 P의 좌표는 $\left(1, \dfrac{5}{2}\right)$이다.

즉 $\triangle$PAB를 x축을 회전축으로 하여 1회전 시킬 때 생기는 입체도형의 부피는

$$\frac{1}{3}\times\pi\times\left(\frac{5}{2}\right)^2\times5-\frac{1}{3}\times\pi\times\left(\frac{5}{2}\right)^2\times1=\frac{125}{12}\pi-\frac{25}{12}\pi$$
$$=\frac{25}{3}\pi$$

10 **Action** 먼저 두 직선의 교점의 좌표를 구한다.

두 직선 $y=ax+2b$, $y=bx+2a$의 교점의 x좌표는
$ax+2b=bx+2a$, $(a-b)x=2(a-b)$
$\therefore x=2 \ (\because a\neq b)$
따라서 두 직선의 교점의 좌표는 $(2, 7)$이다.
$y=ax+2b$에 $x=2, y=7$을 대입하면
$7=2a+2b$ ...... ㉠
이때 $0<a<b$에서 $2a<2b$이므로
두 직선의 그래프는 오른쪽 그림과
같다.
한편, 두 직선과 y축으로 둘러싸인
부분의 넓이가 6이므로
$$\frac{1}{2}\times(2b-2a)\times2=6$$
$2b-2a=6$, $2(b-a)=6$ $\therefore b-a=3$ ...... ㉡
㉠, ㉡을 연립하여 풀면 $a=\dfrac{1}{4}, b=\dfrac{13}{4}$

11 **Action** 두 물통 A, B의 그래프의 식을 각각 구한다.

물통 A의 그래프는 두 점 $(10, 0), (0, 120)$을 지나므로
$y=-12x+120$ ...... ①
물통 B의 그래프는 두 점 $(20, 0), (0, 80)$을 지나므로
$y=-4x+80$ ...... ②
①, ②를 연립하여 풀면 $x=5, y=60$
㉠, ㉣ 물을 빼내기 시작한 지 5분 후에 두 물통에 남아 있는 물의 양은 60 L로 같아진다.
㉡ 물통 A는 1분에 12 L씩, 물통 B는 1분에 4 L씩 물이 빠지므로 물통 A가 물통 B보다 물이 빠르게 빠진다.
㉢ ①에 $x=8$을 대입하면 $y=-12\times8+120=24$
따라서 물을 빼내기 시작한 지 8분이 지난 후 물통 A에 남아 있는 물의 양은 24 L이다.
②에 $x=8$을 대입하면 $y=-4\times8+80=48$
따라서 물을 빼내기 시작한 지 8분이 지난 후 물통 B에 남아 있는 물의 양은 48 L이다.

즉 물통 A에 남아 있는 물의 양이 물통 B에 남아 있는 물의 양보다 적다.
따라서 옳은 것은 ㉡, ㉣이다.

최고 수준 뛰어넘기 **P** 117

01 P$(1, 3)$ **02** 3 **03** $\dfrac{28}{15}$

01 **Action** 점 P의 좌표를 (a, b)로 놓고 네 점 A, B, C, D의 좌표를 각각 a, b의 식으로 나타낸다.

$5x-3y+6=0$에서 $y=\dfrac{5}{3}x+2$

$3x-4y+4=0$에서 $y=\dfrac{3}{4}x+1$

점 P의 좌표를 (a, b)라 하면 A$\left(\dfrac{3}{5}(b-2), b\right)$,

B$\left(\dfrac{4}{3}(b-1), b\right)$, C$\left(a, \dfrac{5}{3}a+2\right)$, D$\left(a, \dfrac{3}{4}a+1\right)$이므로

$\overline{\text{AB}}=\dfrac{4}{3}(b-1)-\dfrac{3}{5}(b-2)=\dfrac{11}{15}b-\dfrac{2}{15}$

$\overline{\text{CD}}=\dfrac{5}{3}a+2-\left(\dfrac{3}{4}a+1\right)=\dfrac{11}{12}a+1$

이때 $\overline{\text{AB}}=\dfrac{31}{15}$이므로 $\dfrac{11}{15}b-\dfrac{2}{15}=\dfrac{31}{15}$

$\dfrac{11}{15}b=\dfrac{33}{15}$ $\therefore b=3$

$\overline{\text{CD}}=\dfrac{23}{12}$이므로 $\dfrac{11}{12}a+1=\dfrac{23}{12}$

$\dfrac{11}{12}a=\dfrac{11}{12}$ $\therefore a=1$

따라서 점 P의 좌표는 $(1, 3)$이다.

02 **Action** 세 직선을 좌표평면 위에 나타내어 본다.

세 직선 $y=x+4$,
$y=\dfrac{1}{2}x+3$, $y=-x+3$을 좌
표평면 위에 나타내면 오른쪽
그림과 같다.

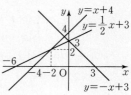

연립방정식 $\begin{cases} y=x+4 \\ y=\dfrac{1}{2}x+3 \end{cases}$ 을 풀면 $x=-2, y=2$

따라서 두 직선 $y=x+4$, $y=\dfrac{1}{2}x+3$의 교점의 좌표는
$(-2, 2)$이다.
또, 두 직선 $y=\dfrac{1}{2}x+3$, $y=-x+3$은 y절편이 같으므로 교점의 좌표는 $(0, 3)$이다.

이때 $\min\{a, b, c\}$는 a, b, c
중 가장 작은 수를 나타내므로
오른쪽 그림에서

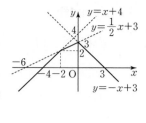

$$f(x)=\begin{cases} x+4 \ (x\le -2) \\ \dfrac{1}{2}x+3 \ (-2<x\le 0) \\ -x+3 \ (x>0) \end{cases}$$

따라서 $f(x)$의 최댓값은 $x=0$일 때 3이다.

03 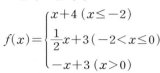 점 B를 원점, 직선 AB를 y축, 직선 BC를 x축으로 하는 좌표평면 위에 사각형 ABCD를 나타내어 본다.

오른쪽 그림과 같이 점 B를 원점, 직선 AB를 y축, 직선 BC를 x축으로 하는 좌표평면을 그려 보면 A$(0, 4)$, C$(4, 0)$, D$(4, 4)$, M$(2, 0)$, N$(4, 2)$이다.

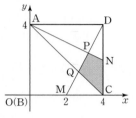

두 점 D$(4, 4)$, M$(2, 0)$을 지나는 직선의 방정식은
$y=2x-4$ ...... ㉠
두 점 A$(0, 4)$, N$(4, 2)$를 지나는 직선의 방정식은
$y=-\dfrac{1}{2}x+4$ ...... ㉡
두 점 A$(0, 4)$, C$(4, 0)$을 지나는 직선의 방정식은
$y=-x+4$ ...... ㉢

㉠, ㉡을 연립하여 풀면 $x=\dfrac{16}{5}$, $y=\dfrac{12}{5}$
$\therefore$ P$\left(\dfrac{16}{5}, \dfrac{12}{5}\right)$
㉠, ㉢을 연립하여 풀면 $x=\dfrac{8}{3}$, $y=\dfrac{4}{3}$
$\therefore$ Q$\left(\dfrac{8}{3}, \dfrac{4}{3}\right)$

$\therefore$ (사각형 PQCN의 넓이)
$=\triangle DQC-\triangle DPN$
$=\dfrac{1}{2}\times 4\times\left(4-\dfrac{8}{3}\right)-\dfrac{1}{2}\times 2\times\left(4-\dfrac{16}{5}\right)$
$=\dfrac{8}{3}-\dfrac{4}{5}=\dfrac{28}{15}$

교과서 속 **창의 사고력** Ⓟ118- Ⓟ120

| **01** 240 | **02** 71 | **03** $x\le -\dfrac{11}{17}$ |
| **04** $y=\dfrac{1}{2}x-1$ | **05** 22 L | **06** $\dfrac{5}{6}$ |

01 Action $f(3), f(4), f(5)$의 값을 각각 구하여 규칙을 찾는다.

$f(3)$은 3 이하의 자연수 2개와 3을 가지고 만들 수 있는 삼각형의 개수이므로
$(3, 3, 3), (3, 3, 2), (3, 3, 1)$ ➡ 3개
$(3, 2, 2)$ ➡ 1개
$\therefore f(3)=3+1=4$
$f(4)$는 4 이하의 자연수 2개와 4를 가지고 만들 수 있는 삼각형의 개수이므로
$(4, 4, 4), (4, 4, 3), (4, 4, 2), (4, 4, 1)$ ➡ 4개
$(4, 3, 3), (4, 3, 2)$ ➡ 2개
$\therefore f(4)=4+2=6$
$f(5)$는 5 이하의 자연수 2개와 5를 가지고 만들 수 있는 삼각형의 개수이므로
$(5, 5, 5), (5, 5, 4), (5, 5, 3), (5, 5, 2), (5, 5, 1)$ ➡ 5개
$(5, 4, 4), (5, 4, 3), (5, 4, 2)$ ➡ 3개
$(5, 3, 3)$ ➡ 1개
$\therefore f(5)=5+3+1=9$
같은 방법으로
$f(30)=30+28+26+\cdots+4+2$
$=(30+2)+(28+4)+\cdots+(18+14)+16$
$=32\times 7+16$
$=240$

02 Action n에 2, 3, 4를 각각 대입한 후 a, b, c의 값의 범위를 각각 구한다.

$f_2(a)=\left[\dfrac{a}{2}\right]=1$에서 $1\le \dfrac{a}{2}<2$
$\therefore 2\le a<4$
$f_3(b)=\left[\dfrac{b}{3}\right]=a$에서 $2\le\left[\dfrac{b}{3}\right]<4$
즉 $2\le\dfrac{b}{3}<4$ $\therefore 6\le b<12$
$f_4(c)=\left[\dfrac{c}{4}\right]=b$에서 $6\le\left[\dfrac{c}{4}\right]<12$
즉 $6\le\dfrac{c}{4}<12$ $\therefore 24\le c<48$
이때 정수 c의 최댓값은 47, 최솟값은 24이므로
$M=47$, $m=24$
$\therefore M+m=47+24=71$

🔊 Lecture

$[x]$: x보다 크지 않은 최대의 정수
➡ x 이하의 최대의 정수
➡ x를 넘지 않는 최대의 정수

03 Action 두 일차함수 $y=f(x), y=g(x)$의 식을 각각 구한다.

일차함수 $y=f(x)$의 그래프는 x의 값이 4만큼 증가할 때 y의 값은 3만큼 감소하므로 기울기가 $-\dfrac{3}{4}$이다.

$f(x) = -\dfrac{3}{4}x + a$로 놓으면 $f(1) = 4$이므로

$4 = -\dfrac{3}{4} + a$ $\therefore a = \dfrac{19}{4}$

$\therefore f(x) = -\dfrac{3}{4}x + \dfrac{19}{4}$

일차함수 $y = g(x)$의 그래프는 y절편이 2이다.

$g(x) = bx + 2$로 놓으면 $g(1) = -3$이므로

$-3 = b + 2$ $\therefore b = -5$

$\therefore g(x) = -5x + 2$

따라서 $f(x) \leq g(x)$에서 $-\dfrac{3}{4}x + \dfrac{19}{4} \leq -5x + 2$

$\dfrac{17}{4}x \leq -\dfrac{11}{4}$ $\therefore x \leq -\dfrac{11}{17}$

04 Action 먼저 점 P의 좌표가 $(2, 0)$일 때, 점 P가 점 A로부터 떨어진 거리를 $\overline{AO}$의 길이를 이용하여 나타내어 본다.

점 P의 좌표가 $(2, 0)$일 때, 점 P는 점 A에서 $\overline{AO}$의 $\dfrac{4}{5}$만큼 떨어져 있다.

이때 점 P가 점 A를 출발하여 점 O에 도착하는 데 걸리는 시간과 점 Q가 점 A를 출발하여 점 B에 도착하는 데 걸리는 시간이 같으므로 점 Q는 점 A에서 $\overline{AB}$의 $\dfrac{4}{5}$만큼 떨어져 있다.

즉 점 Q의 좌표는 $(10, 4)$이다.

두 점 $P(2, 0)$, $Q(10, 4)$를 지나는 일차함수의 그래프의 기울기는 $\dfrac{4 - 0}{10 - 2} = \dfrac{1}{2}$

$y = \dfrac{1}{2}x + b$로 놓고 $x = 2$, $y = 0$을 대입하면

$0 = 1 + b$ $\therefore b = -1$

따라서 구하는 일차함수의 식은 $y = \dfrac{1}{2}x - 1$

05 Action 먼저 연료를 더 넣은 후의 연료의 양을 구한 후 x km를 이동하였을 때, 남아 있는 연료의 양을 y L로 놓고 x와 y 사이의 관계를 식으로 나타내어 본다.

자동차에 들어 있는 연료의 양은 연료통의 부피의 $\dfrac{1}{5}$이었고, 20 L의 연료를 더 넣었더니 연료통의 부피의 $\dfrac{3}{5}$이 되었으므로 더 넣은 연료의 양은 연료통의 부피의 $\dfrac{3}{5} - \dfrac{1}{5} = \dfrac{2}{5}$이다.

즉 20 L의 연료가 연료통의 부피의 $\dfrac{2}{5}$이므로 10 L의 연료는 연료통의 부피의 $\dfrac{1}{5}$이다.

따라서 처음 연료의 양은 10 L이고, 연료를 더 넣은 후 들어 있는 연료의 양은 $10 + 20 = 30$ (L)이다.

이때 15 km를 가는 데 2 L의 연료가 필요하므로 1 km를 가는 데 $\dfrac{2}{15}$ L의 연료가 필요하다.

즉 x km를 가는 데 $\dfrac{2}{15}x$ L의 연료가 필요하므로 남아 있는 연료의 양을 y L라 하면 $y = 30 - \dfrac{2}{15}x$

$y = 30 - \dfrac{2}{15}x$에 $x = 60$을 대입하면 $y = 30 - 8 = 22$

따라서 남아 있는 연료의 양은 22 L이다.

06 Action 서로 다른 세 직선에 의하여 좌표평면이 여섯 부분으로 나누어지는 경우는 세 직선이 한 점에서 만나거나 두 직선이 평행하고 다른 한 직선은 두 직선과 평행하지 않은 경우이다.

서로 다른 세 직선에 의하여 좌표평면이 여섯 부분으로 나누어지는 경우는 세 직선이 한 점에서 만나거나 두 직선이 평행하고 다른 한 직선은 두 직선과 평행하지 않은 경우이다.

(i) 세 직선이 한 점에서 만나는 경우

연립방정식 $\begin{cases} x + py - 3 = 0 \\ x + 2y - 3 = 0 \end{cases}$을 풀면 $x = 3$, $y = 0$

따라서 세 직선의 교점의 좌표는 $(3, 0)$이므로

$px + y - 1 = 0$에 $x = 3$, $y = 0$을 대입하면

$3p - 1 = 0$, $3p = 1$ $\therefore p = \dfrac{1}{3}$

(ii) 두 직선 $px + y - 1 = 0$, $x + py - 3 = 0$이 평행할 때, 즉 두 직선 $y = -px + 1$, $y = -\dfrac{1}{p}x + \dfrac{3}{p}$이 평행한 경우

$-p = -\dfrac{1}{p}$, $1 \neq \dfrac{3}{p}$ $\therefore p = 1$ 또는 $p = -1$

이때 직선 $x + 2y - 3 = 0$, 즉 $y = -\dfrac{1}{2}x + \dfrac{3}{2}$의 기울기는 $-\dfrac{1}{2}$이다.

따라서 직선 $x + 2y - 3 = 0$은 나머지 두 직선과 평행하지 않으므로 조건을 만족시킨다.

(iii) 두 직선 $px + y - 1 = 0$, $x + 2y - 3 = 0$이 평행할 때, 즉 두 직선 $y = -px + 1$, $y = -\dfrac{1}{2}x + \dfrac{3}{2}$이 평행한 경우

$-p = -\dfrac{1}{2}$, $1 \neq \dfrac{3}{2}$ $\therefore p = \dfrac{1}{2}$

이때 $x + py - 3 = 0$에 $p = \dfrac{1}{2}$을 대입하면

$x + \dfrac{1}{2}y - 3 = 0$, 즉 $y = -2x + 6$의 기울기는 -2이다.

따라서 직선 $x + py - 3 = 0$은 나머지 두 직선과 평행하지 않으므로 조건을 만족시킨다.

(iv) 두 직선 $x + py - 3 = 0$, $x + 2y - 3 = 0$이 평행할 때, 즉 두 직선 $y = -\dfrac{1}{p}x + \dfrac{3}{p}$, $y = -\dfrac{1}{2}x + \dfrac{3}{2}$이 평행한 경우

$-\dfrac{1}{p} = -\dfrac{1}{2}$, $\dfrac{3}{p} \neq \dfrac{3}{2}$

따라서 가능한 p의 값은 없다.

(i)~(iv)에 의하여 모든 상수 p의 값은 $\dfrac{1}{3}$, 1, -1, $\dfrac{1}{2}$이므로 그 합은 $\dfrac{1}{3} + 1 + (-1) + \dfrac{1}{2} = \dfrac{5}{6}$